Das
Oxforder Buch
Deutscher Dichtung

Impression of 1930
First Edition, 1911
Second Edition, 1927

Das
Oxforder Buch
Deutscher Dichtung

vom 12ten bis zum 20sten Jahrhundert

herausgegeben von
H. G. Fiedler
**Professor der deutschen Sprache und Literatur
an der Universität Oxford**

Mit einem Geleitworte von
Gerhart Hauptmann
Ehrendoktor der Universitäten Leipzig und Oxford

Zweite und vermehrte Auflage

Oxford
Universitäts-Verlag

OXFORD UNIVERSITY PRESS
London Amen House, E.C. 4
Edinburgh Glasgow Leipzig
New York Toronto Melbourne
Capetown Bombay Calcutta
Madras   Shanghai
HUMPHREY MILFORD
Publisher to the
University

GELEITWORT

WAS mein Freund Professor Fiedler im Auftrage der altehrwürdigen Universität Oxford an poetischem Gut aus acht Jahrhunderten mit Liebe und tiefem Verständnis zusammengetragen und in ein gegenwärtiges Ganzes vereinigt hat, kommt dem sehr nahe, was Goethe für ein lyrisches Volksbuch fordert. Der große Dichter schrieb achtzehnhundertacht 'Über den Plan eines lyrischen Volksbuches': »Das Vortreffliche aller Art, das zugleich populär wäre, ist das Seltenste. Dies müßte man zu allererst aufsuchen und zum Grunde der Sammlung legen«.

Das *Oxforder Buch deutscher Dichtung* ist im edelsten Sinne deutsch-populär. Sein Herausgeber hat Vortreffliches aller Art, das zugleich populär ist, dem Werke zu Grunde gelegt und darauf weiter gebaut.

Wo das Eigenste und Verbreitetste eines Volkes seinen Ausdruck gefunden hat, wird es auch dem Nachbarvolke am besten verständlich werden, und zwar eben dort und in jenen Kreisen des Nachbarvolkes, wo dessen poetisch Vortrefflichstes und zugleich Eigenstes lebendig ist.

Wer sich veranlaßt sieht, einem Buche wie diesem geleitende Worte voranzustellen, empfindet die ehrenvollste Verantwortung und fühlt sich zugleich durch eine Übermacht poetischen Reichtums eingeschränkt. Alle diese gepflückten Blumen aus den Gärten vieler Jahrhunderte reden nicht nur durch eigene Form, Farbe und Duft, sondern der Geist erfüllt sich durch sie mit Gesichten vergangener Weltalter, weiter Gefilde, darin sie wurzelten, und deren letzte, übrig gebliebene Zeugen sie sind; oder sie sind mit Namen verknüpft wie Walther von der Vogelweide, Martin Luther, Klopstock, Goethe, Schiller, Hölderlin und anderen, von denen jeder allein zum ewigen Thema geworden ist.

Bis zur Gegenwart fortgesetzt, enthält diese Sammlung aber auch jüngere und jüngste poetische Elemente. Der Herausgeber konnte und wollte, als eine überall mit dem lebendigsten Leben der Kultur verknüpfte Persönlichkeit, seinen Blick vor dem Werden unserer Tage nicht verschließen. Nur eine Zeit, in der es aus dem Reichtum des Muttergrundes schöpferisch keimt, schwillt, wächst und zum Lichte drängt, ist wert der großen Vergangenheit und vermag sich wahrhaft in deren Besitz zu setzen. Auch hier ist es nicht anders als in der Natur, wo die Saat zur Ernte, die Ernte zur Saat werden muß und zwar mittelst der immer lebendigen Ur-Scholle.

Namen wie Eichendorff, Lenau, Hebbel, Annette von Droste-Hülshoff, Mörike, Keller, Meyer, Storm, Liliencron, Dehmel, Dauthendey und andere decken reiche und besondere Welten und erweisen, daß es in Deutschland immer noch reichlich fruchttragende Gelände des Geistes gibt.

GELEITWORT

Wer wollte sich anmaßen, von einem solchen Kultur-
besitz, wie er hier aufgespeichert ist, nach seiner Breite
und Tiefe, nach der Summe dessen, was an verschieden-
artigem Metall, an Klang, Schicksal, Philosophie und
Volkstum in ihm enthalten ist, Rechenschaft anzutreten?
Der mächtige Schatz widerstrebt seinem Wesen nach der
Ausmünzung. Das Beste an ihm ist selbst bei vollster
Realität nicht mit Händen zu greifen und am allerwenigsten
dann, wenn es in einer Seele zum vollsten Besitz geworden ist.

Alles übrige angehend, wird man dem Buche Beurteiler
und warme Freunde wünschen, etwa von der Art des
großen George Meredith, die dem deutschen Wesen verwandt und offen sind: gute Genien, denen es gegeben ist,
den beseelten Gehalt dieser mannigfaltigen Dichtungen zu
erschließen, unter ihre Wurzeln hinab und über die Sphäre
ihres besonderen Blütenaroms hinauf zu dringen. In der
Hut solcher Fürsprecher werden die Kinder deutscher
Erde, selbst von der eigenen Scholle losgelöst, nicht ent-
wurzelt sein und auch inmitten stammverwandter Volks-
kreise eine Art Heimatsrecht genießen.

GERHART HAUPTMANN.

AGNETENDORF
IM RIESENGEBIRGE.

VORWORT

DAS *Oxforder Buch deutscher Dichtung* schließt
sich in Anlage und äußerer Form den Oxforder
Sammlungen englischer, französischer und italie-
nischer Gedichte an, weicht aber in manchen Einzel-
heiten von ihnen ab. Außer lyrischen Gedichten und
Balladen wurde auch eine Auswahl aus dem reichen Schatze
deutscher Spruchdichtung aufgenommen, und um dem
Ganzen einen einheitlichen Charakter zu geben, sind
die Anmerkungen in deutscher Sprache abgefaßt. Die
Anordnung ist chronologisch, doch ist die Zeitfolge der
Gedichte hie und da zu Gunsten einer Gruppierung nach
künstlerischen Gesichtspunkten oder inneren Zusammen-
hängen leicht verschoben worden.

Die Gedichte, die zum eisernen Bestande jeder deutschen
Anthologie geworden sind, mußten auch den Grundstock
dieser Auswahl bilden, doch wird man darin auch manchem
Gedichte selbst älterer Zeit begegnen, das in früheren
Sammlungen fehlt. Ich habe mich bemüht Dichter jeder
Richtung zu Worte kommen zu lassen und habe heite-
ren Gedichten neben ernsten, schlichten neben gedanken-

schweren, ja selbst Kinderliedern eine Stelle gegönnt, wenn sie mir vortrefflich in ihrer Art, gesund und echt schienen.

Die Lieder und Sprüche aus der Zeit der Minnesänger habe ich ins Neuhochdeutsche übersetzt; in den Gedichten des 15. und 16. und der ersten Hälfte des 17. Jahrhunderts habe ich die Schreibung und schwierigere Wortformen, in den späteren aber nur die Schreibung modernisiert. Im übrigen habe ich die Texte nach den besten Drucken, in der Regel nach der letzten vom Dichter überwachten Ausgabe, gegeben.

In den Anmerkungen habe ich zusammengestellt, was mir zum Verständnis der Gedichte notwendig oder förderlich schien. Veraltete oder seltene Wörter, schwierigere Konstruktionen, technische Ausdrücke, Anspielungen auf Gestalten der Geschichte oder Sage habe ich in möglichst knapper Form erklärt und bin literarischen Einflüssen und den Stoffquellen der Balladen nachgegangen. Allgemeine biographische Angaben über die Dichter sind ausgeschlossen worden, dagegen habe ich besondere äußere Umstände oder persönliche Stimmungen, denen die Gedichte entsprangen, angedeutet, wenn möglich in des Dichters eigenen Worten.

Die Anregung zu dem Versuche die wichtigeren Kompositionen der Gedichte anzugeben verdanke ich den Arbeiten meines verehrten Freundes Professor Dr. Max Friedländer, besonders seinem grundlegenden Werke ‘Das deutsche Lied im 18. Jahrhundert’, Stuttgart, Cotta. Für die späteren Perioden hat mir auch Ernst

VORWORT

Challier's 'Großer Lieder-Katalog', obwohl er sich auf einstimmige Lieder beschränkt, wesentliche Dienste geleistet.

Großen Dank schulde ich Frau Baronin Dr. Marie von Ebner-Eschenbach, Frau Dr. Ricarda Huch, den Herren Dr. Ferdinand Avenarius, Victor Blüthgen, Geheimen Justizrat Professor Dr. Felix Dahn, Max Dauthendey, Dr. Richard Dehmel, Gustav Falke, Dr. Gerhart Hauptmann, Dr. Paul von Heyse, Dr. Hugo von Hofmannsthal, Arno Holz, Dr. Wilhelm Jensen, Freiherrn Dr. Börries von Münchhausen, Dr. Richard Schaukal und Dr. Carl Spitteler für die Erlaubnis zum Abdruck ihrer Gedichte; Frl. Joh. Achgalis für ein Gedicht von Hermann Allmers, Frl. Marie Fitger für Gedichte von Arthur Fitger, Frau Elisabeth Förster-Nietzsche für ein Gedicht von Friedrich Nietzsche, Frau Julie Weitbrecht für ein Gedicht von Karl Weitbrecht, Herrn V. von Scheffel für ein Gedicht seines Vaters Viktor von Scheffel, Herrn Justizrat Ernst Storm für Gedichte seines Vaters Theodor Storm und Herrn Senats-Präsidenten Dr. Thomsen für Gedichte von Klaus Groth; den Verlegern C. F. Amelang in Leipzig für Gedichte von Martin Greif, J. G. Cotta-Nachfolger in Stuttgart für Gedichte von Theodor Fontane, Emanuel Geibel, Wilhelm Hertz, Hans Hoffmann, Gottfried Keller, Hermann Lingg und Friedrich Theodor Vischer, G. Grote in Berlin für ein Gedicht von Julius Grosse, H. Haessel in Leipzig für Gedichte von Conrad Ferdinand Meyer, Hesse und Becker in Leipzig für Gedichte von Ferdinand von

Saar, Schuster und Loeffler in Berlin für Gedichte von
Detlev von Liliencron und ein Gedicht von Peter Hille,
und dem Insel-Verlage für Gedichte von Otto Julius Bier-
baum. Genaue Angaben über die benutzten Ausgaben
dieser Gedichte habe ich in den Anmerkungen gedruckt.

Möge das Buch Freude an deutscher Dichtung wecken
und fördern !

H. G. FIEDLER.

OXFORD, am 27. September 1911.

ZUR NEUEN AUSGABE

Die Sammlung, bis zur Gegenwart fortgeführt, ist um
acht und fünfzig Gedichte (521–5, 528–9, 536–55,
562–4, 566–93) von den folgenden Verfassern vermehrt
worden :—Ricarda Huch, Cäsar Flaischlen, Anna Ritter,
Hugo Salus, Ernst Zahn, Rudolf Binding, Stefan George,
Carl Busse, Alfred Mombert, Lulu von Strauss und
Torney, Martin Boelitz, Richard von Schaukal, Rainer
Maria Rilke, Herbert Eulenberg, Theodor Däubler, Hans
Carossa, Agnes Miegel, Josef Winckler, Ernst Stadler,
Georg Heym, Heinrich Lersch, Gerrit Engelke, und Franz
Werfel.

Die benutzten Gedichtbände und ihre Verleger sind in
den Anmerkungen verzeichnet.

H. G. FIEDLER.

OXFORD, am 21. Februar 1927.

NAMENLOSE LIEDER

12. Jahrhundert

1 *Mein*

DU bist mein, ich bin dein,
Des sollst du gewiß sein.
Du bist verschlossen
In meinem Herzen,
Verloren ist das Schlüsselein:
Du mußt immer drinnen sein.

2 *Floret silva undique*

FLORET silva undique,
Nach meinem Liebsten ist mir weh.
Es grünt im Walde, blüht am Hange,
Wo weilt mein Liebster nur so lange?—
Er ist geritten hinnen:
O weh, wer soll mich minnen?

3 *Komme, komm!*

KOMME, komm, Herzliebste mein,
Voller Sehnsucht harr' ich dein!
Voller Sehnsucht harr' ich dein,
Komme, komm, Herzliebste mein!

Süßer, rosenfarbner Mund,
Komm und mache mich gesund!
Komm und mache mich gesund,
Süßer, rosenfarbner Mund!

O. B. G. V.   B   1

4   *Tanzlied*

LASS tanzen uns den Reihen,
    Liebe, schöne Frau,
Und freuen uns des Maien:
Hell erglänzt die Au!
Der Winter, der die Heide
In Trauer stieß und Not,
Der ist nun vergangen:
Schon steht sie hold umfangen
Von frischen Blumen rot.

5   *Mailied*

IN lichter Farbe steht der Wald,
    Der Vögel Sang ertönet,
Die Lust ist worden mannigfalt,
Des Lenzes Wonne krönet
Der Liebe Glück.   Wer fühlt sich alt,
Nun sich die Welt verschönet?
Zum Preis des Mais manch Lied erschallt,
Der Winter wird gehöhnet.

DER VON KÜRENBERG

um 1170

6   *Entflogen*

ICH zog mir einen Falken   wohl länger als ein Jahr,
    Doch als ich ihn gezähmet   wie's mein Verlangen war,
Und ich ihm sein Gefieder   mit Golde reich umwand,
Da stieg er in die Lüfte   und flog davon in andres Land.

Jüngst habe ich ihn wieder   in hohem Flug erblickt,
Noch hielten seidne Fäden   die Füße ihm umstrickt,
Es glänzte sein Gefieder   noch hell vom roten Gold —
Gott führe sie zusammen,   die gerne lieb sich sind und hold.

2

DIETMAR VON AIST

7 ## *Frühlingstrost*

AHEI, nun kommt die schöne Zeit,
Der kleinen Vögel holder Sang!
Es grünt die Linde weit und breit,
Zergangen ist der Winter lang.
Schon üben Blumen zart und bunt
Auf grüner Heide ihren Schein.
Nun wird manch krankes Herz gesund,
Und Trost zieht auch in meines ein.

WALTHER VON DER VOGELWEIDE

um 1170-1230

8 ## *Halmorakel*

EIN Strohhalm macht mich heute froh,
Er sagt, viel Glück soll mir geschehen.
Ich maß an einem Stückchen Stroh,
Wie ich bei Kindern oft gesehen,
Ob sie mich liebt.   Schaut her, hört zu!
» Sie liebt, liebt nicht, sie liebt!« Wie oft ich's trieb,
» Sie liebt mich!« stets die Antwort blieb.
Drum bin ich froh.   Doch — Glaube 'hört dazu.

9 ## *Unter der Linde*

UNTER der Linden
Auf der Heide,
Wo mein Liebster bei mir saß,
Da könnt ihr finden
Gebrochen beide

3

Bunte Blumen und das Gras.
Im nahen Wald mit hellem Schall,
Tandaradei !
Sang so süß die Nachtigall.

Ich kam gegangen
Hin zur Aue,
Da harrte schon mein Liebster dort
Und hat mich empfangen —
Hehre Fraue —
Daß ich bin selig immerfort.
Küßt' er mich wohl auch zur Stund' ?
Tandaradei !
Seht, wie rot mir ist der Mund.

Da hat er gemachet
Hurtig voll Freude
Ein Ruheplätzchen für uns zwei.
Darob wird gelachet
Sicher noch heute,
Kommt jemand dort des Wegs vorbei.
An den Rosen er wohl mag —
Tandaradei !
Merken, wo das Haupt mir lag.

Daß er mich herzte,
Wüßte es einer,
Behüte Gott ! so schämte ich mich ;
Und wie er scherzte,
Keiner, keiner
Erfahre das als er und ich,
Und das kleine Vögelein —
Tandaradei !
Das wird wohl verschwiegen sein.

4

10 *Elegie*

O WEH, ihr langen Jahre, wohin entschwandet ihr?
War denn mein Leben Wahrheit, oder träumt' es mir?
Was mir für wirklich galt, war's denn auch Wirklichkeit?
Gewiß, ich hab' geschlafen, wer weiß, wie lange Zeit.
Doch nun bin ich erwachet, und mir ist unbekannt,
Was mir zuvor so kund war wie meine rechte Hand.
Die alten heim'schen Stätten, da ich erwuchs als Kind,
Wie ein erlogen Trugbild so fremd sie jetzt mir sind.
Die fröhlich mit mir spielten, sind langsam nun und alt;
Gepflügt ist weit die Heide und abgeholzt der Wald.
Wenn nicht der Fluß noch rauschte wie einstens dort
   dahin,
Ich wähnte, böser Zauber verwirrte mir den Sinn.
Kühl gehn an mir vorüber, die sonst mich kannten gut;
Die Welt ist allenthalben voll Trotz und Übermut.
Voll Wehmut muß ich denken an manchen schönen Tag,
Der spurlos hingegangen wie in das Meer ein Schlag.
O wehe mir, o weh!

FREIDANK

um 1230

11 *Aus der 'Bescheidenheit'*

i

W ER Gott stets dient mit treuem Sinn,
Hat aller Weisheit Anbeginn.

ii

Wer für die Freuden dieser Zeit
Die Freude gibt der Ewigkeit,
Der hat sich selber schwer betrogen
Und baut auf einen Regenbogen.

5

iii

Auf seinem Acker jeder mäht,
Was seine Hand einst ausgesät.

iv

Wer von Unrecht feiern mag,
Der feiert rechten Feiertag.

v

Man lobt im Tode manchen Mann,
Der lebend niemals Lob gewann.

vi

Mancher lobt ein fremdes Schwert;
Hätt' er's daheim, wär's ohne Wert.

vii

Man tadelt wohl an manchem Mann,
Was selber man nicht lassen kann.

viii

Man schelte nicht, was jemand tut,
Macht er es nur am Ende gut.

ix

Getreuer Freund, erprobtes Schwert,
Die sind in Nöten Goldes wert.

x

Der meint es mit dem Freund nicht gut,
Der alles lobt, was er auch tut.

xi

Wer sich selbst erkennen kann,
Der ist fürwahr ein weiser Mann.

xii

So guten Bogen gibt es nicht,
Der überspannt dir nicht zerbricht.

VOLKSLIEDER

15. und 16. Jahrhundert

12   *Verschneit*

ES ist ein Schnee gefallen,
Und ist es doch nit Zeit,
Man wirft mich mit den Ballen,
Der Weg ist mir verschneit.

Mein Haus hat keinen Giebel,
Es ist mir worden alt,
Zerbrochen sind die Riegel,
Mein Stüblein ist mir kalt.

Ach Lieb, laß dich's erbarmen,
Daß ich so elend bin,
Und schließ mich in dein' Arme !
So fährt der Winter hin.

13   *Winterrose*

ES ist ein' Ros' entsprungen
Aus einer Wurzel zart,
Als uns die Alten sungen;
Aus Jesse kam die Art
Und hat ein Blümlein bracht
Mitten im kalten Winter
Wohl zu der halben Nacht.

Das Röslein, das ich meine,
Davon Esaias sagt,
Hat uns gebracht alleine
Marie die reine Magd:
Aus Gottes ew'gem Rat'
Hat sie ein Kind geboren,
Wohl zu der halben Nacht.

14 *Das Mühlrad*

DORT hoch auf jenem Berge
Da geht ein Mühlenrad,
Das mahlet nichts denn Liebe
Die Nacht bis an den Tag.

Die Mühle ist zerbrochen,
Die Liebe hat ein End;
So segn' dich Gott, mein feines Lieb!
Jetzt fahr' ich ins Elend.

15 *Abschiedslied*

INNSBRUCK, ich muß dich lassen,
Ich fahr' dahin mein' Straßen,
In fremde Land' dahin.
Mein' Freud' ist mir genommen,
Die ich nit weiß bekommen,
Wo ich im Elend bin.

Groß Leid muß ich jetzt tragen,
Das ich allein tu klagen
Dem liebsten Buhlen mein.
Ach Lieb, nun laß mich Armen
Im Herzen dein erbarmen,
Daß ich muß dannen sein!

Mein Trost ob allen Weiben,
Dein tu ich ewig bleiben,
Stät, treu, der Ehren fromm.
Nun müss' dich Gott bewahren,
In aller Tugend sparen,
Bis daß ich wieder komm'.

16 *Zwischen Berg und tiefem Tal*

ZWISCHEN Berg und tiefem Tal
Da liegt ein' freie Straßen,
Wer seinen Buhlen nit haben mag,
Der soll ihn fahren lassen.

Fahr hin, fahr hin, du hast die Wahl,
Ich kann mich wohl dein maßen;
Im Jahr' sind noch viel lange Tag',
Glück ist in allen Gassen.

17 *Der liebste Buhle*

DER liebste Buhle, den ich han,
Der liegt beim Wirt im Keller.
Er hat ein hölzern Röcklein an
Und heißt der Muskateller.
Er hat mich nächten trunken g'macht
Und fröhlich heut den ganzen Tag.
Gott geb' ihm heut ein' gute Nacht!

Von diesem Buhlen, den ich mein',
Will ich dir bald eins bringen.
Es ist der allerbeste Wein,
Macht lustig mich zu singen.
Frischt mir das Blut, gibt freien Mut,
All's durch sein Kraft und Eigenschaft.
Nun grüß' dich Gott, mein Rebensaft!

18 *Tiefe Wasser*

ACH Elslein, liebes Elselein,
  Wie gern wär' ich bei dir!
So sind zwei tiefe Wasser
Wohl zwischen dir und mir.

» Das bringt mir große Schmerzen,
Herzallerliebster Gesell!
Red' ich von ganzem Herzen,
Hab's für groß Ungefäll.«

Hoff, Zeit werd' es wohl enden,
Hoff, Glück werd' kommen drein,
Sich in all's Gut's verwenden,
Herzliebstes Elselein!

19 *Hüt du dich!*

ICH weiß mir ein Maidlein hübsch und fein,
  Hüt du dich!
Es kann wohl falsch und freundlich sein,
  Hüt du dich! Hüt du dich!
Vertrau ihr nicht, sie narret dich.

Sie hat zwei Äuglein, die sind braun,
  Hüt du dich!
Sie werden dich überzwerch anschaun,
  Hüt du dich! Hüt du dich!
Vertrau ihr nicht, sie narret dich.

Sie hat ein licht goldfarbnes Haar,
  Hüt du dich!
Und was sie red't, das ist nicht wahr,
  Hüt du dich! Hüt du dich!
Vertrau ihr nicht, sie narret dich.

Sie gibt dir ein Kränzlein fein gemacht,
    Hüt du dich !
Für einen Narren wirst du geacht,
    Hüt du dich ! Hüt du dich !
Vertrau ihr nicht, sie narret dich.

20   *Macht der Feder*

AUS Schreibern und Studenten,
    Ein gemeines Sprichwort ist,
Werden der Welt Regenten,
Wie männiglich bewußt.
Sie kommen hoch zu Ehren
Mit ihrer freien Kunst ;
Man hat sie lieb und geren,
Zu ihnen trägt man Gunst.

Die Feder tut regieren
Die ganze weite Welt,
Tut manchen Menschen zieren,
Verdient ihm Gut und Geld.
Ihr kann man nicht entbehren,
Man braucht sie sonderlich
Bei Fürsten und bei Herren,
Ja jedermänniglich.

Die Feder soll man preisen,
Wenn man s' recht brauchen tut,
All' Ehr soll man beweisen
Der edlen Feder gut.
Denn sie tut viel verrichten
Bei jung, alt, arm und reich ;
Viel Sachen tut sie schlichten,
Nichts ist der Feder gleich.

Die Feder tut erschwingen
Den edlen Adler hoch;
So tut auch denen gelingen,
Die sie recht führen noch.
Denn sie tut hoch erheben
Zu Ruhm, Ehr, Preis und Lob,
Zu Geld und gutem Leben,
In Summ: sie schwebet ob.

21 *Liebesklagen*

i

NACH meiner Lieb' viel hundert Knaben trachten,
Allein den ich lieb hab', will mein nicht achten.
Ach weh mir armen Maid, vor Leid muß ich verschmachten.

Jeder begehrt zu mir sich zu verpflichten,
Allein den ich lieb hab', tut mich vernichten.
Ach weh mir armen Maid, was soll ich dann anrichten?

All' andre tun mir Gutes viel verjehen,
Allein den ich lieb hab', mag mich nicht sehen.
Ach weh mir armen Maid, wie muß mir dann geschehen!

Kein'r unter allen mag mir widerstreben,
Allein den ich lieb hab', will sich nicht geben.
Ach weh mir armen Maid, was soll mir dann das Leben?

22 ii

WER sehen will zween lebendige Brunnen,
Der soll mein' zwei betrübte Augen sehen,
Die mir vor Weinen schier sind ausgerunnen.

Wer sehen will viel groß' und tiefe Wunde,
Der soll mein sehr verwundtes Herz besehen,
So hat mich Lieb' verwundt im tiefsten Grunde.

MARTIN LUTHER

23   *Ein' feste Burg ist unser Gott*

EIN feste Burg ist unser Gott,
　Ein gute Wehr und Waffen;
Er hilft uns frei aus aller Not,
Die uns itzt hat betroffen.
Der alt böse Feind
Mit Ernst er's itzt meint;
Groß Macht und viel List
Sein grausam Rüstung ist,
Auf Erd ist nicht seins gleichen.

Mit unsrer Macht ist nichts getan,
Wir sind gar bald verloren;
Es streit für uns der rechte Mann,
Den Gott hat selbst erkoren.
Fragst du, wer der ist?
Er heißt Jesus Christ,
Der Herr Zebaoth,
Und ist kein andrer Gott,
Das Feld muß er behalten.

Und wenn die Welt voll Teufel wär'
Und wollt' uns gar verschlingen,
So fürchten wir uns nicht so sehr,
Es soll uns doch gelingen.
Der Fürst dieser Welt,
Wie sauer er sich stellt,
Tut er uns doch nicht;
Das macht, er ist gericht:
Ein Wörtlein kann ihn fällen.

Das Wort sie sollen lassen stahn
Und kein Dank dazu haben;
Er ist bei uns wohl auf dem Plan
Mit seinem Geist und Gaben.
Nehmen sie den Leib,
Gut, Ehr, Kind und Weib;
Laß fahren dahin!
Sie haben's kein Gewinn;
Das Reich muß uns doch bleiben.

24 *Frau Musica*

FÜR allen Freuden auf Erden
Kann niemand keine feiner werden,
Denn die ich geb' mit meinem Singen
Und mit manchem süßen Klingen.

Hie kann nicht sein ein böser Mut,
Wo da singen Gesellen gut;
Hie bleibt kein Zorn, Zank, Haß noch Neid,
Weichen muß alles Herzeleid;
Geiz, Sorg' und was sonst hart anleit,
Fährt hin mit aller Traurigkeit.

Auch ist ein jeder des wohl frei,
Daß solche Freud' kein Sünde sei,
Sondern auch Gott viel baß gefällt
Denn alle Freud' der ganzen Welt.
Dem Teufel sie sein Werk zerstört
Und verhindert viel böser Mörd.

Das zeugt David des Königs Tat,
Der dem Saul oft gewehret hat
Mit gutem, süßem Harfenspiel,
Daß er in großen Mord nicht fiel.

Zum göttlichen Wort und Wahrheit
Macht sie das Herz still und bereit ;
Solchs hat Eliseus bekannt,
Da er den Geist durchs Harfen fand.

Die beste Zeit im Jahr ist mein,
Da singen alle Vögelein ;
Himmel und Erden ist der voll,
Viel gut Gesang da lautet wohl.
Voran die liebe Nachtigall
Macht alles fröhlich überall
Mit ihrem lieblichen Gesang ;
Des muß sie haben immer Dank.

Viel mehr der liebe Herre Gott,
Der sie also geschaffen hat,
Zu sein die rechte Sängerin,
Der Musicen ein Meisterin.
Dem singt und springt sie Tag und Nacht,
Seins Lobes sie nichts müde macht.
Den ehrt und lobt auch mein Gesang
Und sagt ihm einen ewigen Dank.

HANS SACHS

1494-1576

25 *Sankt Peter mit der Geiß*

ALS noch auf Erden ging Christus
Und auch mit ihm wanderte Petrus,
Eins Tags aus einem Dorf mit ihm ging,
Bei einer Wegscheid' Petrus anfing :
» O Herre Gott und Meister mein,
Mich wundert sehr der Güte dein.
Weil du doch Gott allmächtig bist,
Läßt es doch gehn zu aller Frist
In aller Welt, gleich wie es geht.

Wie Habakuk sagt, der Prophet:
Gewalt und Frevel geht vor Recht!
Der Gottlose übervorteilt schlecht
Mit Schalkheit den Gerechten und Frommen,
Auch kann kein Recht zu End' mehr kommen.
Da siehst du zu und schweigest still,
Als kümmre dich die Sach' nicht viel. . . .
O sollt' ich ein Jahr Herrgott sein,
Und sollt' Gewalt haben wie du,
Ich wollte anders schauen dazu,
Führ'n ein viel besser Regiment
Auf dem Erdreich durch alle Ständ'.
Ich wollte steuern mit meiner Hand
Wucher, Betrug, Krieg, Raub und Brand;
Ich wollt' anrichten ein ruhig Leben!«

Der Herr sprach: »Petre, sag mir eben,
Meinst, du wolltest besser regieren,
All' Ding' auf Erden baß ordinieren,
Die Frommen schützen, die Bösen plagen?«
Sankt Peter tät hinwieder sagen:
»Ja, es müßt' in der Welt baß stehn,
Nicht also durch einander gehn.
Ich wollt' viel beßre Ordnung halten.«
Der Herr sprach: »Nun, so magst verwalten,
Petre, die hohe Herrschaft mein;
Heut den Tag sollst du Herrgott sein.
Schaff und gebeut all's, was du willt,
Sei hart, streng, gütig oder mild,
Gib aus den Fluch oder den Segen,
Gib schön Wetter, Wind oder Regen;
Du magst strafen oder belohnen,
Plagen, schützen oder verschonen:

In Summa, mein ganz Regiment
Sei heut den Tag in deiner Händ.«

Petrus war des gar wohlgemut,
Deucht' sich der Herrlichkeit sehr gut.
Indem kam her ein armes Weib,
Ganz mager, dürr und bleich von Leib,
Barfuß in einem zerrißnen Kleid,
Die trieb ihre Geiß hin auf die Weid'.
Da sie mit auf die Wegscheid' kam,
Sprach sie: »Geh hin in Gottes Nam!
Gott hüt' und schütz' dich immerdar,
Daß dir kein Übel widerfahr'.
Gott hüte dich mit seiner Hand!«
Mit dem die Frau sich wieder wandt'
Ins Dorf; so ging die Geiß ihre Straß',
Der Herr zu Petro sagend was:
»Petre, hast das Gebet der Armen
Gehört? Du mußt dich ihrer erbarmen,
Weil ja den Tag bist Herrgott du,
So stehet dir auch billig zu,
Daß du die Geiß nehmst in dein' Hut,
Wie sie von Herzen bitten tut,
Und behüte sie den ganzen Tag,
Daß sie sich nicht verirr' im Hag,
Nicht fall', noch mög' gestohlen werden,
Noch sie zerreißen Wölf' und Bären;
Daß auf den Abend wiederum
Die Geiß heim unbeschädigt komm'
Der armen Fraue in ihr Haus.
Geh hin und richt die Sach' wohl aus!«

Petrus nahm nach des Herren Wort
Die Geiß in sein' Hut an dem Ort

Und trieb sie an die Weid' hindann.
Da fing Sankt Peters Unruh an.
Die Geiß war mutig, jung und jäh
Und blieb drum gar nicht in der Näh',
Lief auf der Weide hin und wieder,
Stieg den Berg auf, den andern nieder,
Schlüpft' hierhin, dorthin durch die Stauden.
Petrus mit Ächzen, Blasen, Schnauden
Mußt' immer nachtrollen der Geiß;
Und schien die Sonn' gar überheiß,
Der Schweiß über seinen Leib abrann.
Mit Unruh verzehrt' der alte Mann
Den Tag, bis auf den Abend spat
Verdurstet, kraftlos, müd und matt
Die Geiß er wied'rum heim gebracht.

Der Herr sah Petrum an und lacht',
Sprach: »Petre, willst mein Regiment
Noch länger behalten in deiner Händ?«
Petrus sprach: »Lieber Herre mein,
Nimm wieder hin die Herrschaft dein
Und deine Gewalt; ich begehr' mit nichten
Forthin dein Amt mehr auszurichten.
Ich merk', daß meine Weisheit kaum töcht',
Daß ich eine Geiß regieren möcht'
Mit großer Angst, Müh und Arbeit.
O Herr, vergib mir meine Torheit!
Ich will fort der Regierung dein,
Weil ich leb', nicht mehr reden ein.«
Der Herr sprach: »Petre, dasselbe tu,
So lebst du fort mit stiller Ruh,
Vertraue mir in meine Händ'
Das allmächtige Regiment.«

JACOB VOGEL

1584-nach 1630

26   *Schlachtlied*

KEIN sel'grer Tod ist in der Welt,
Als wer vorm Feind erschlagen
Auf grüner Heid' in freiem Feld,
Darf nicht hör'n groß Wehklagen.
Im engen Bett, da einer allein
Muß an den Todesreihen ;
Hier aber findt er Gesellschaft fein,
Fallen mit wie Kräuter im Maien.
Ich sag' ohn' Spott :
Kein sel'grer Tod
Ist in der Welt,
Als so man fällt
Auf grüner Heid'
Ohn' Klag' und Leid !
Mit Trommelklang
Und Pfeifensang
Wird man begraben.
Davon tut haben
Unsterblichen Ruhm
Mancher Held frumm,
Hat zugesetzt Leib und Blute
Dem Vaterland zu Gute.

FRIEDRICH VON SPEE

1591-1635

27   *Der trübe Winter ist vorbei*

DER trübe Winter ist vorbei,
   Die Kranich' wiederkehren,
Nun reget sich der Vogelschrei,
Die Nester sich vermehren;
Laub mit Gemach
Nun schleicht an Tag,
Die Blümlein sich nun melden;
Wie Schlänglein krumm
Gehn lächelnd um
Die Bächlein kühl in Wälden.

Die Brünnlein klar und Quellen rein
Viel hie, viel dort erscheinen,
All' silberweiße Töchterlein
Der hohlen Berg und Steinen;
In großer Meng'
Sie mit Gedräng'
Wie Pfeil von Felsen zielen,
Bald rauschen s' her
Nit ohn' Geplärr
Und mit den Steinlein spielen.

Die Jägerin Diana stolz,
Auch Wald- und Wassernymphen
Nun wieder frisch im grünen Holz
Gehn spielen, scherzen, schimpfen:
Die reine Sonn'
Schmückt ihre Kron',

Den Köcher füllt mit Pfeilen ;
Ihre besten Ross'
Läßt laufen los
Auf marmorglatten Meilen.

Die Meng' der Vöglein hören laßt
Ihr Schir- und Tire-Lire,
Da sauset auch so mancher Ast,
Als ob er musiziere ;
Die Zweiglein schwank
Zum Vogelsang
Sich auf und nieder neigen,
Auch höret man
Auf grünem Plan
Spazieren Laut' und Geigen.

MARTIN OPITZ

1597-1639

28 *Auf Leid kommt Freud'*

SEI wohlgemut, laß Trauern sein,
Auf Regen folget Sonnenschein ;
Es gibet endlich doch das Glück
Nach Toben einen guten Blick.

Vor hat der rauhe Winter sich
An uns erzeiget grimmiglich,
Der ganzen Welt Revier gar tief
In einem harten Traume schlief.

Weil aber jetzt der Sonnen Licht
Mit vollem Glanz heraußer bricht
Und an dem Himmel höher steigt,
Auch alles fröhlich sich erzeigt,

So stelle du auch Trauern ein,
Mein Herz, und laß dein Zagen sein,
Vertraue Gott und glaube fest,
Daß er die Seinen nicht verläßt.

Ulysses auch, der freie Held,
Nachdem er zehn Jahr' in dem Feld
Vor Troja seine Macht versucht,
Zog noch zehn Jahr' um in der Flucht.

Durch Widerwärtigkeit im Meer
Ward er geworfen hin und her,
Noch blieb er standhaft allezeit,
In Not und Tod, in Lieb und Leid.

Er warf doch endlich von sich noch
Des rauhen Lebens schweres Joch,
Penelopen er wieder fand
Und Ithacen, sein Vaterland.

So sei du auch getrost, mein Herz,
Und übersteh des Glückes Scherz,
Trau Gott, sei nur auf ihn bedacht,
Die Hoffnung nicht zuschanden macht.

29 *Ich empfinde fast ein Grauen*

ICH empfinde fast ein Grauen,
Daß ich, Plato, für und für
Bin gesessen über dir;
Es ist Zeit hinaus zu schauen
Und sich bei den frischen Quellen
In dem Grünen zu ergehn,
Wo die schönen Blumen stehn,
Und die Fischer Netze stellen.

MARTIN OPITZ

Wozu dienet das Studieren
Als zu lauter Ungemach?
Unterdessen läuft der Bach
Unsers Lebens, das wir führen,
Ehe wir es inne werden
Auf sein letztes Ende hin;
Dann kommt ohne Geist und Sinn
Dieses alles in die Erden.

Holla, Junger, geh und frage,
Wo der beste Trunk mag sein,
Nimm den Krug und fülle Wein.
Alles Trauern, Leid und Klage,
Wie wir Menschen täglich haben,
Eh' uns Clotho fortgerafft,
Will ich in den süßen Saft,
Den die Traube gibt, vergraben.

Kaufe gleichfalls auch Melonen
Und vergiß des Zuckers nicht;
Schaue nur, daß nichts gebricht.
Jener mag der Heller schonen,
Der bei seinem Gold und Schätzen
Tolle sich zu kränken pflegt
Und nicht satt zu Bette legt;
Ich will, weil ich kann, mich letzen.

Bitte meine guten Brüder
Auf die Musik und ein Glas;
Nichts schickt, dünkt mich, nichts sich baß,
Als gut Trank und gute Lieder.
Lass' ich gleich nicht viel zu erben,
Ei, so hab' ich edlen Wein;
Will mit andern lustig sein,
Muß ich gleich alleine sterben.

23

FRIEDRICH VON LOGAU

1604-55

30   *Sinngedichte*

i

HOFFNUNG ist ein fester Stab
Und Geduld ein Reisekleid,
Da man mit durch Welt und Grab
Wandert in die Ewigkeit.

ii

Leichter träget, was er träget,
Wer Geduld zur Bürde leget.

iii

Die Freundschaft, die der Wein gemacht,
Wirkt, wie der Wein, nur eine Nacht.

iv

Wozu ist Geld doch gut?
Wer's nicht hat, hat nicht Mut;
Wer's hat, hat Sorglichkeit;
Wer's hat gehabt, hat Leid.

v

Freude, Mäßigkeit und Ruh
Schließt dem Arzt die Türe zu.

vi

Menschlich ist es Sünde treiben;
Teuflisch ist's in Sünden bleiben;
Christlich ist es, Sünden hassen;
Göttlich ist es, Sünd' erlassen.

vii

Willst du fremde Fehler zählen, heb an deinen an zu zählen;
Ist mir recht, dir wird die Weile zu den fremden Fehlern
fehlen.

viii
Der Mai

Dieser Monat ist ein Kuß, den der Himmel gibt der Erde,
Daß sie jetzund seine Braut, künftig eine Mutter werde.

ix

Gottes Mühlen mahlen langsam, mahlen aber trefflich klein;
Ob aus Langmut er sich säumet, bringt mit Schärf' er alles
ein.

x

Der kann andre nicht regieren,
Der sich selbst nicht recht kann führen.

xi

Nicht das viele wissen tut's,
Sondern wissen etwas gut's.

SIMON DACH

1605-59

31   *Ännchen von Tharau*

ÄNNCHEN von Tharau ist, die mir gefällt;
Sie ist mein Leben, mein Gut und mein Geld.

Ännchen von Tharau hat wieder ihr Herz
Auf mich gerichtet in Lieb' und in Schmerz.

Ännchen von Tharau, mein Reichtum, mein Gut,
Du meine Seele, mein Fleisch und mein Blut!

Käm' alles Wetter gleich auf uns zu schlahn,
Wir sind gesinnt bei einander zu stahn.

Krankheit, Verfolgung, Betrübnis und Pein
Soll unsrer Liebe Verknotigung sein.

Recht als ein Palmenbaum über sich steigt,
Je mehr ihn Hagel und Regen anficht;

So wird die Lieb' in uns mächtig und groß
Durch Kreuz, durch Leiden, durch allerlei Not.

Würdest du gleich einmal von mir getrennt,
Lebtest da, wo man die Sonne kaum kennt:

Ich will dir folgen durch Wälder, durch Meer,
Durch Eis, durch Eisen, durch feindliches Heer.

Ännchen von Tharau, mein Licht, meine Sonn',
Mein Leben schließ' ich um deines herum.

32   *Lob der Freundschaft*

Perstet amicitiae semper venerabile foedus.

DER Mensch hat nichts so eigen,
So wohl steht ihm nichts an,
Als daß er Treu erzeigen
Und Freundschaft halten kann;
Wenn er mit seines Gleichen
Soll treten in ein Band,
Verspricht sich, nicht zu weichen
Mit Herzen, Mund und Hand.

SIMON DACH

Die Red' ist uns gegeben,
Damit wir nicht allein
Für uns nur sollen leben
Und fern von Leuten sein;
Wir sollen uns befragen
Und sehn auf guten Rat,
Das Leid einander klagen,
So uns betreten hat.

Was kann die Freude machen,
Die Einsamkeit verhehlt?
Das gibt ein doppelt Lachen,
Was Freunden wird erzählt.
Der kann sein Leid vergessen,
Der es von Herzen sagt;
Der muß sich selbst auffressen,
Der in geheim sich nagt.

Gott stehet mir vor allen,
Die meine Seele liebt;
Dann soll mir auch gefallen,
Der mir sich herzlich gibt.
Mit diesem Bundsgesellen
Verlach' ich Pein und Not,
Geh' auf den Grund der Höllen
Und breche durch den Tod.

Ich hab', ich habe Herzen,
So treue, wie gebührt,
Die Heuchelei und Scherzen
Nie wissentlich berührt!
Ich bin auch ihnen wieder
Von Grund der Seele hold,
Und lieb' euch mehr, ihr Brüder,
Als alles Erdengold!

PAULUS GERHARDT

1607-76

33 *Abendlied*

NUN ruhen alle Wälder,
Vieh, Menschen, Stadt und Felder;
Es schläft die ganze Welt.
Ihr aber, meine Sinnen,
Auf, auf! ihr sollt beginnen,
Was eurem Schöpfer wohlgefällt.

Wo bist du, Sonne, blieben?
Die Nacht hat dich vertrieben,
Die Nacht, des Tages Feind.
Fahr hin! ein' andre Sonne,
Mein Jesus, meine Wonne,
Gar hell in meinem Herzen scheint.

Der Tag ist nun vergangen,
Die güldnen Sternlein prangen
Am blauen Himmels Saal.
Also werd' ich auch stehen,
Wenn mich wird heißen gehen
Mein Gott aus diesem Jammertal.

Der Leib eilt nun zur Ruhe,
Legt ab das Kleid und Schuhe,
Das Bild der Sterblichkeit.
Die zieh' ich aus: dagegen
Wird Christus mir anlegen
Den Rock der Ehr' und Herrlichkeit.

PAULUS GERHARDT

Das Haupt, die Füß' und Hände
Sind froh, daß nun zum Ende
Die Arbeit kommen sei.
Herz, freu dich, du sollst werden
Vom Elend dieser Erden
Und von der Sünden Arbeit frei.

Nun geht, ihr matten Glieder,
Geht hin und legt euch nieder,
Der Betten ihr begehrt.
Es kommen Stund' und Zeiten,
Da man euch wird bereiten
Zur Ruh ein Bettlein in der Erd'.

Mein' Augen stehn verdrossen,
Im Hui sind sie geschlossen;
Wo bleibt dann Leib und Seel?
Nimm sie zu deinen Gnaden,
Sei gut für allen Schaden,
Du Aug' und Wächter Israel!

Breit' aus die Flügel beide,
O Jesu, meine Freude,
Und nimm dein Küchlein ein!
Will Satan mich verschlingen,
So laß die Englein singen:
Dies Kind soll unverletzet sein.

Auch euch, ihr meine Lieben,
Soll heute nicht betrüben
Ein Unfall noch Gefahr!
Gott lass' euch ruhig schlafen,
Stell' euch die güldnen Waffen
Ums Bett und seiner Engel Schar!

34 *Zur Sommerzeit*

GEH aus, mein Herz, und suche Freud'
In dieser lieben Sommerzeit
An deines Gottes Gaben;
Schau an der schönen Gärten Zier
Und siehe, wie sie mir und dir
Sich ausgeschmücket haben.

Die Bäume stehen voller Laub,
Das Erdreich decket seinen Staub
Mit einem grünen Kleide;
Narzissus und die Tulipan,
Die ziehen sich viel schöner an
Als Salomonis Seide.

Die Lerche schwingt sich in die Luft,
Das Täublein fliegt aus seiner Kluft
Und macht sich in die Wälder;
Die hochbegabte Nachtigall
Ergötzt und füllt mit ihrem Schall
Berg, Hügel, Tal und Felder.

Die Glucke führt ihr Völklein aus,
Der Storch baut und bewohnt sein Haus,
Das Schwälblein speist die Jungen.
Der schnelle Hirsch, das leichte Reh
Ist froh und kommt aus seiner Höh'
Ins tiefe Gras gesprungen.

Die unverdroßne Bienenschar
Fliegt hin und her, sucht hier und dar
Ihr' edle Honigspeise;
Des süßen Weinstocks starker Saft
Bringt täglich neue Stärk' und Kraft
In seinem schwachen Reise.

Ich selber kann und mag nicht ruhn :
Des großen Gottes großes Tun
Erweckt mir alle Sinnen ;
Ich singe mit, wenn alles singt,
Und lasse, was dem Höchsten klingt,
Aus meinem Herzen rinnen.

Ach, denk' ich, bist Du hier so schön,
Und läßt Du's uns so lieblich gehn
Auf dieser armen Erden,
Was will doch wohl nach dieser Welt
Dort in dem reichen Himmelszelt
Und güldnem Schlosse werden ?

Welch hohe Lust, welch heller Schein
Wird wohl in Christi Garten sein ?
Wie muß es da wohl klingen,
Da so viel tausend Seraphim
Mit eingestimmtem Mund' und Stimm'
Ihr Allelujah singen ?

PAUL FLEMING

1609-40

35   *In allen meinen Taten*

IN allen meinen Taten
Lass' ich den Höchsten raten,
Der alles kann und hat ;
Er muß zu allen Dingen,
Soll's anders wohl gelingen,
Selbst geben Rat und Tat.

Nichts ist es spät und frühe
Um alle meine Mühe,
Mein Sorgen ist umsonst ;

Er mag's mit meinen Sachen
Nach seinem Willen machen,
Ich stell's in seine Gunst.

Es kann mir nichts geschehen,
Als was er hat versehen,
Und was mir selig ist,
Ich nehm' es, wie er's giebet.
Was ihm von mir geliebet,
Das hab' auch ich erkiest.

Ihm hab' ich mich ergeben,
Zu sterben und zu leben,
Sobald er mir gebeut;
Es sei heut oder morgen,
Dafür lass' ich ihn sorgen,
Er weiß die rechte Zeit.

So sei nun, Seele, deine
Und traue dem alleine,
Der dich geschaffen hat.
Es gehe, wie es gehe,
Dein Vater in der Höhe
Weiß allen Sachen Rat.

36   *Ergebenheit*

LASS dich nur nichts nicht dauern
        Mit Trauern !
            Sei stille !
        Wie Gott es fügt,
        So sei vergnügt
            Mein Wille !

Was willst du heute sorgen
Auf morgen?
Der Eine
Steht allem für,
Der gibt auch dir
Das Deine.

Sei nur in allem Handel
Ohn' Wandel!
Steh feste!
Was Gott beschleußt,
Das ist und heißt
Das Beste.

37   *Ein getreues Herze wissen*

EIN getreues Herze wissen
Hat des höchsten Schatzes Preis.
Der ist selig zu begrüßen,
Der ein treues Herze weiß.
Mir ist wohl bei höchstem Schmerze,
Denn ich weiß ein treues Herze.

Läuft das Glücke gleich zu Zeiten
Anders als man will und meint,
Ein getreues Herz hilft streiten
Wider alles, was ist feind.
Mir ist wohl bei höchstem Schmerze,
Denn ich weiß ein treues Herze.

Sein Vergnügen steht alleine
In des andern Redlichkeit,
Hält des andern Not für seine,
Weicht nicht auch bei böser Zeit.
Mir ist wohl bei höchstem Schmerze,
Denn ich weiß ein treues Herze.

Gunst, die kehrt sich nach dem Glücke,
Geld und Reichtum, das zerstäubt,
Schönheit läßt uns bald zurücke :
Ein getreues Herze bleibt.
Mir ist wohl bei höchstem Schmerze,
Denn ich weiß ein treues Herze.

Eins ist da sein und geschieden.
Ein getreues Herze hält,
Gibt sich allezeit zufrieden,
Steht auf, wenn es niederfällt.
Ich bin froh bei höchstem Schmerze,
Denn ich weiß ein treues Herze.

Nichts ist süßers als zwei Treue,
Wenn sie eines worden sein.
Dies ist's, des ich mich erfreue,
Und sie gibt ihr Ja auch drein.
Mir ist wohl bei höchstem Schmerze,
Denn ich weiß ein treues Herze.

38   *Mahnung*

SEI dennoch unverzagt !   Gib dennoch unverloren !
Weich keinem Glücke nicht, steh höher als der Neid !
Vergnüge dich an dir und acht es für kein Leid,
Hat sich gleich wider dich Glück, Ort und Zeit ver-
          schworen !

Was dich betrübt und labt, halt alles für erkoren,
Nimm dein Verhängnis an ! Laß alles unbereut !
Tu, was getan muß sein und eh' man dir's gebeut ;
Was du noch hoffen kannst, das wird noch stets geboren.

Was klagt, was lobt man doch? Sein Unglück und sein
    Glücke
Ist ihm ein jeder selbst. Schau alle Sachen an.
Dies alles ist in dir, laß deinen eiteln Wahn,

Und eh' du fürder gehst, so geh in dich zurücke.
Wer sein selbst Meister ist und sich beherrschen kann,
Dem ist die weite Welt und alles untertan.

ANDREAS GRYPHIUS

1616-64

39   *Vanitas! Vanitatum Vanitas!*

DIE Herrlichkeit der Erden
Muß Rauch und Asche werden,
Nicht Fels, nicht Erz bestehn.
Das, was uns kann ergötzen,
Was wir für ewig schätzen,
Wird als ein leichter Traum vergehn.

Es hilft kein weises Wissen,
Wir werden hingerissen
Ohn' einen Unterscheid.
Was nützt der Schlösser Menge?
Dem hier die Welt zu enge,
Dem wird ein enges Grab zu weit.

Was pocht man auf die Throne,
Da keine Macht noch Krone
Kann unvergänglich sein?
Es mag vom Totenreihen
Kein Scepter dich befreien,
Kein Purpur, Gold, noch edler Stein.

Wie eine Rose blühet,
Wenn man die Sonne siehet
Begrüßen diese Welt,
Die, eh' der Tag sich neiget,
Eh' sich der Abend zeiget,
Verwelkt und unversehns zerfällt,

So wachsen wir auf Erden,
Und hoffen groß zu werden
Und schmerz- und sorgenfrei.
Doch eh' wir zugenommen
Und recht zur Blüte kommen,
Bricht uns des Todes Sturm entzwei.

Auf, Herz, wach und bedenke,
Daß dieser Zeit Geschenke
Den Augenblick nur dein!
Was du zuvor genossen,
Ist als ein Strom verschossen;
Was künftig, — wessen wird es sein?

40 *Abend*

DER schnelle Tag ist hin; die Nacht schwingt ihre
Fahn'
Und führt die Sterne auf. Der Menschen müde Scharen
Verlassen Feld und Werk; wo Tier' und Vögel waren,
Trau'rt jetzt die Einsamkeit. Wie ist die Zeit vertan!

Dem Port naht mehr und mehr der wildbewegte Kahn.
Gleich wie dies Licht verfiel, so wird in wenig Jahren
Ich, du, und was man hat, und was man sieht, hinfahren.
Dies Leben kommt mir vor als eine Rennebahn.

36

Laß, höchster Gott, mich doch nicht auf dem Laufplatz
    gleiten !
Laß mich nicht Schmerz, nicht Pracht, nicht Lust, nicht
    Angst verleiten !
Dein ewig heller Glanz sei vor und neben mir !

Laß, wenn der müde Leib entschläft, die Seele wachen,
Und wenn der letzte Tag wird mit mir Abend machen,
So reiß mich aus dem Tal der Finsternis zu Dir !

41   *Eitelkeit der Welt*

DU siehst, wohin du siehst, nur Eitelkeit auf Erden.
Was dieser heute baut, reißt jener morgen ein ;
Wo jetzund Städte stehn, wird eine Wiese sein,
Auf der ein Schäferkind wird spielen mit den Herden.

Was jetzund prächtig blüht, soll bald zertreten werden ;
Was jetzt so pocht und trotzt, ist morgen Asch' und Bein ;
Nichts ist, das ewig sei, kein Erz, kein Marmorstein.
Jetzt lacht das Glück uns an, bald donnern die Beschwerden.

Der hohen Taten Ruhm muß wie ein Traum vergehn.
Soll denn das Spiel der Zeit, der leichte Mensch, bestehn ?
Ach, was ist alles dies, was wir für köstlich achten,

Als schlechte Nichtigkeit, als Schatten, Staub und Wind,
Als eine Wiesenblum', die man nicht wieder findt !
Noch will, was ewig ist, kein einig Mensch betrachten.

1617-79

42 *Wo sind die Stunden*

WO sind die Stunden
Der süßen Zeit,
Da ich zuerst empfunden,
Wie deine Lieblichkeit
Mich dir verbunden?
Sie sind verrauscht, es bleibet doch dabei,
Daß alle Lust vergänglich sei.

Ich schwamm in Freude,
Der Liebe Hand
Spann mir ein Kleid von Seide.
Das Blatt hat sich gewandt,
Ich geh' im Leide.
Ich wein' jetzund, daß Lieb' und Sonnenschein
Stets voller Angst und Wolken sein.

CHRISTOPH VON GRIMMELSHAUSEN

1625-76

43 *Komm, Trost der Nacht, o Nachtigall*

KOMM, Trost der Nacht, o Nachtigall!
Laß deine Stimm' mit Freudenschall
Aufs lieblichste erklingen;
Komm, komm und lob den Schöpfer dein,
Weil andre Vögel schlafen sein,
Und nicht mehr mögen singen;
Laß dein Stimmlein
Laut erschallen, denn vor allen
Kannst du loben
Gott im Himmel, hoch dort oben.

38

CHRISTOPH VON GRIMMELSHAUSEN

Obschon ist hin der Sonnenschein
Und wir im Finstern müssen sein,
So können wir doch singen
Von Gottes Güt' und seiner Macht,
Weil uns kann hindern keine Nacht
Sein Loben zu vollbringen.
Drum dein Stimmlein
Laß erschallen, denn vor allen
Kannst du loben
Gott im Himmel, hoch dort oben.

Echo, der wilde Widerhall,
Will sein bei diesem Freudenschall
Und lässet sich auch hören;
Verweist uns alle Müdigkeit,
Der wir ergeben allezeit,
Lehrt uns den Schlaf betören.
Drum dein Stimmlein
Laß erschallen, denn vor allen
Kannst du loben
Gott im Himmel, hoch dort oben.

Die Sterne, so am Himmel stehn,
Sich lassen Gott zum Lobe sehn
Und Ehre ihm beweisen;
Die Eul' auch, die nicht singen kann,
Zeigt doch mit ihrem Heulen an,
Daß sie auch Gott tu' preisen.
Drum dein Stimmlein
Laß erschallen, denn vor allen
Kannst du loben
Gott im Himmel, hoch dort oben.

Nur her, mein liebstes Vögelein,
Wir wollen nicht die faulsten sein
Und schlafend liegen bleiben ;
Vielmehr, bis daß die Morgenröt'
Erfreuet diese Wälder öd,
In Gottes Lob vertreiben.
Laß dein Stimmlein
Laut erschallen, denn vor allen
Kannst du loben
Gott im Himmel, hoch dort oben.

JOACHIM NEANDER

1650-80

44   *Lobe den Herren*

LOBE den Herren, den mächtigen König der Ehren,
Meine geliebete Seele, das ist mein Begehren !
Kommet zu Hauf !
Psalter und Harfe, wacht auf,
Lasset die Musicam hören !

Lobe den Herren, der alles so herrlich regieret,
Der dich auf Adelers Fittichen sicher geführet,
Der dich erhält,
Wie es dir selber gefällt !
Hast du nicht dieses verspüret ?

Lobe den Herren, der künstlich und fein dich bereitet,
Der dir Gesundheit verliehen, dich freundlich geleitet !
In wie viel Not
Hat nicht der gnädige Gott
Über dir Flügel gebreitet !

Lobe den Herren, der deinen Stand sichtbar gesegnet,
Der aus dem Himmel mit Strömen der Liebe geregnet!
Denke daran,
Was der Allmächtige kann,
Der dir mit Liebe begegnet!

Lobe den Herren, was in mir ist, lobe den Namen!
Alles was Odem hat, lobe mit Abrahams Samen!
Er ist dein Licht;
Seele, vergiß es ja nicht,
Lobende, schließe mit Amen!

BARTHOLD HEINRICH BROCKES

1680–1747

45   *Kirschblüte bei Nacht*

ICH sahe mit betrachtendem Gemüte
Jüngst einen Kirschbaum, welcher blühte,
In kühler Nacht beim Mondenschein;
Ich glaubt', es könne nichts von größrer Weiße sein.
Es schien, als wär' ein Schnee gefallen;
Ein jeder, auch der kleinste Ast,
Trug gleichsam eine rechte Last
Von zierlich weißen runden Ballen.
Es ist kein Schwan so weiß, da nämlich jedes Blatt
— Indem daselbst des Mondes sanftes Licht
Selbst durch die zarten Blätter bricht —
Sogar den Schatten weiß und sonder Schwärze hat.
Unmöglich, dacht' ich, kann auf Erden
Was Weißres aufgefunden werden.

Indem ich nun bald hin, bald her
Im Schatten dieses Baumes gehe,
Sah ich von ungefähr
Durch alle Blumen in die Höhe
Und ward noch einen weißern Schein,
Der tausendmal so weiß, der tausendmal so klar,
Fast halb darob erstaunt, gewahr.
Der Blüte Schnee schien schwarz zu sein
Bei diesem weißen Glanz.   Es fiel mir ins Gesicht
Von einem hellen Stern ein weißes Licht,
Das mir recht in die Seele strahlte.

Wie sehr ich mich am Irdischen ergötze,
Dacht' ich, hat Gott dennoch weit größre Schätze.
Die größte Schönheit dieser Erden
Kann mit der himmlischen doch nicht verglichen werden.

CHRISTIAN GÜNTHER

1695-1723

46   *Studentenlied*

BRÜDER, laßt uns lustig sein,
Weil der Frühling währet
Und der Jugend Sonnenschein
Unser Laub verkläret;
Grab und Bahre warten nicht,
Wer die Rosen jetzo bricht,
Dem ist der Kranz bescheret.

Unsers Lebens schnelle Flucht
Leidet keinen Zügel,
Und des Schicksals Eifersucht
Macht ihr stetig Flügel;

Zeit und Jahre fliehn davon,
Und vielleichte schnitzt man schon
An unsers Grabes Riegel.

Wo sind diese, sagt es mir,
Die vor wenig Jahren
Eben also, gleich wie wir,
Jung und fröhlich waren?
Ihre Leiber deckt der Sand,
Sie sind in ein ander Land
Aus dieser Welt gefahren.

Wer nach unsern Vätern forscht,
Mag den Kirchhof fragen;
Ihr Gebein, so längst vermorscht,
Wird ihm Antwort sagen.
Kann uns doch der Himmel bald,
Eh' die Morgenglocke schallt,
In unsre Gräber tragen.

47   *Am Abend*

ABERMAL ein Teil vom Jahre,
Abermal ein Tag vollbracht:
Abermal ein Brett zur Bahre
Und ein Schritt zur Gruft gemacht.
Also nähert sich die Zeit
Nach und nach der Ewigkeit;
Also müssen wir auf Erden
Zu dem Tode reifer werden.

48 *Gott*

DIE Größe Deiner Majestät
Erkenn' ich aus den kleinsten Dingen.
Dein Arm, der über alles geht,
Kann Wasser aus dem Felsen zwingen;
Du sprichst ein Wort, so wird es Licht;
Bedroh das Meer, es regt sich nicht;
Befiehl, so wird die Flut zu Flammen;
Du winkst, so steht der Sonnenlauf,
So tun sich Tief' und Abgrund auf
Und werfen Erd' und Stern' zusammen.

49 *Gerne tragen schwächt die Last*

GERNE tragen schwächt die Last,
Willig leiden stärkt die Hände.
Wer das Ruder mutig faßt,
Macht der Schiffahrt bald ein Ende,
Welche man in dieser Welt
Durch das Meer der Trübsal hält.

VOLKSLIEDER

17. und 18. Jahrhundert

50 *Es waren zwei Königskinder*

ES waren zwei Königskinder,
Die hatten einander so lieb;
Sie konnten zusammen nicht kommen,
Das Wasser war viel zu tief.

» Ach Liebster, könntest du schwimmen,
So schwimm doch herüber zu mir!
Drei Kerzen will ich anzünden,
Und die sollen leuchten dir. «

Das hört' ein falsches Nönnchen,
Die tät, als wenn sie schlief';
Sie tät die Kerzlein auslöschen,
Der Jüngling ertrank so tief.

51 *Schnitter Tod*

ES ist ein Schnitter, heißt der Tod,
Hat Gewalt vom großen Gott,
Heut wetzt er das Messer,
Es schneidt schon viel besser,
Bald wird er drein schneiden,
Wir müssen's nur leiden.
Hüt dich, schönes Blümelein!

Was heut noch grün und frisch dasteht,
Wird morgen weggemäht:
Die edel Narcissel,
Die englische Schlüssel,
Der schön' Hyazynth,
Die türkische Bind'.
Hüt dich, schönes Blümelein!

Das himmelfarbne Ehrenpreis,
Die Tulipanen gelb und weiß,
Die silbernen Glocken,
Die goldenen Flocken,
Sinkt alles zur Erden;
Was wird nur draus werden?
Hüt dich, schönes Blümelein!

Er macht so gar kein Unterschied,
Geht alles in einem Schnitt,
Der stolze Rittersporn
Und Blumen im Korn,

Da liegen s' beisammen,
Man weiß kaum den Namen.
Hüt dich schönes Blümelein!

Trutz, Tod! komm her, ich fürcht' dich nit,
Trutz! komm und tu ein Schnitt.
Wenn er mich verletzet,
So werd' ich versetzet,
Ich will es erwarten,
In den himmlischen Garten.
Freu dich, schönes Blümelein!

52 *Sonntag*

SO hab' ich doch die ganze Woche
Mein feines Liebchen nicht gesehn,
Ich sah es an einem Sonntag
Wohl vor der Türe stehn:
  Das tausendschöne Jungfräulein,
  Das tausendschöne Herzelein,
  Wollte Gott, ich wär' heute bei ihr

So will mir doch die ganze Woche
Das Lachen nicht vergehn,
Ich sah es an einem Sonntag
Wohl in die Kirche gehn:
  Das tausendschöne Jungfräulein,
  Das tausendschöne Herzelein,
  Wollte Gott, ich wär' heute bei ihr!

53 *Drei Reiter am Tore*

ES ritten drei Reiter zum Tore hinaus,
    Ade !
Feinsliebchen das schaute zum Fenster hinaus,
    Ade !
Und wenn es denn soll geschieden sein,
So reich mir dein goldenes Ringelein !
     Ade, Ade, Ade !
Ja, Scheiden und Meiden tut weh.

Und der uns scheidet, das ist der Tod,
    Ade !
Er scheidet so manches Mündlein rot,
    Ade !
Er scheidet so manchen Mann vom Weib,
Die konnten sich machen viel Zeitvertreib.
     Ade, Ade, Ade !
Ja, Scheiden und Meiden tut weh.

Er scheidet das Kindlein wohl in der Wieg'n,
    Ade !
Wann werd' ich mein schwarzbraun's Mädel doch krieg'n ?
    Ade !
Und ist es nicht morgen, ach, wär' es doch heut,
Es macht' uns allbeiden gar große Freud'.
     Ade, Ade, Ade !
Ja, Scheiden und Meiden tut weh.

54 *Lebewohl*

MORGEN muß ich fort von hier
Und muß Abschied nehmen;
O du allerschönste Zier,
Scheiden das bringt Grämen.
Da ich dich so treu geliebt
Über alle Maßen,
Soll ich dich verlassen.

Wenn zwei gute Freunde sind,
Die einander kennen,
Sonn' und Mond bewegen sich,
Ehe sie sich trennen.
Noch viel größer ist der Schmerz,
Wenn ein treu verliebtes Herz
In die Fremde ziehet.

Küsset dir ein Lüftelein
Wangen oder Hände,
Denke, daß es Seufzer sein,
Die ich zu dir sende,
Tausend schick' ich täglich aus,
Die da wehen um dein Haus,
Weil ich dein gedenke.

55 *Traum*

ICH hab' die Nacht geträumet
Wohl einen schweren Traum;
Es wuchs in meinem Garten
Ein Rosmarienbaum.

Ein Kirchhof war der Garten,
Ein Blumenbeet das Grab,

48

Und von dem grünen Baume
Fiel Kron' und Blüte ab.

Die Blüten tät ich sammeln
In einen goldnen Krug ;
Der fiel mir aus den Händen,
Daß er in Stücke schlug.

Draus sah ich Perlen rinnen
Und Tröpflein rosenrot.
Was mag der Traum bedeuten ?
Ach Liebster, bist du tot ?

56   *Wenn ich ein Vöglein wär'*

WENN ich ein Vöglein wär'
       Und auch zwei Flüglein hätt',
Flög' ich zu dir.
Weil's aber nicht kann sein,
Bleib' ich allhier.

Bin ich gleich weit von dir,
Bin ich doch im Schlaf bei dir
Und red' mit dir.
Wenn ich erwachen tu,
Bin ich allein.

Es vergeht keine Stund' in der Nacht,
Da mein Herze nicht erwacht
Und an dich gedenkt,
Daß du mir viel tausendmal
Dein Herz geschenkt.

57 *An einen Boten*

WENN du zu mei'm Schätzel kommst,
Sag: ich ließ sie grüßen;
Wenn sie fraget, wie mir's geht,
Sag: auf beiden Füßen.

Wenn sie fraget, ob ich krank,
Sag: ich sei gestorben;
Wenn sie an zu weinen fangt,
Sag: ich käme morgen.

58 *O Straßburg*

O STRASSBURG, o Straßburg,
Du wunderschöne Stadt,
Darinnen liegt begraben
So mannicher Soldat.

So mancher und schöner
Auch tapferer Soldat,
Der Vater und lieb Mutter
Böslich verlassen hat.

Verlassen, verlassen,
Es kann nicht anders sein!
Zu Straßburg, ja zu Straßburg
Soldaten müssen sein.

Der Vater, die Mutter,
Die gingen vor's Hauptmanns Haus:
» Ach Hauptmann, lieber Herr Hauptmann,
Gebt mir meinen Sohn heraus! « —

» Euern Sohn kann ich nicht geben
Für noch so vieles Geld,
Euer Sohn, der muß marschieren
Ins weit und breite Feld.

Ins weite, ins breite,
Allvorwärts vor den Feind,
Wenngleich sein schwarzbraun Mädchen
So bitter um ihn weint.« —

Sie weinet, sie greinet,
Sie klaget gar zu sehr :
»Ade, mein herzig Schätzchen,
Ich seh' dich nimmermehr !«

59 *Zu Straßburg auf der Schanz*

ZU Straßburg auf der Schanz,
Da fing mein Unglück an ;
Da wollt' ich den Franzosen desertiern
Und wollt' es bei den Preußen probiern.
Ei, das ging nicht an.

Eine Stund' wohl in der Nacht
Haben sie mich gefangen 'bracht.
Sie führten mich vor's Hauptmanns Haus,
O Himmel, was soll werden daraus !
Mit mir ist's aus.

Früh morgens um zehn Uhr
Stellt man mich dem Regimente vor.
Da soll ich bitten um Pardon
Und werd' ich kriegen meinen Lohn,
Das weiß ich schon.

Ihr Brüder allzumal,
Heut seht ihr mich zum letztenmal.
Unser Korporal, der gestrenge Mann,
Ist meines Todes Schuld daran,
Den klag' ich an.

Ihr Brüder alle drei,
Ich bitt' schießt allzugleich!
Verschont mein junges Leben nicht,
Schießt, daß das rote Blut 'raus spritzt,
Das bitt' ich euch!

O Himmelskönigin,
Nimm meine Seel' dahin!
Nimm sie zu dir in Himmel hinein,
Allwo die lieben Englein sein,
Vergiß nicht mein.

60   *Heimliche Liebe*

KEIN Feuer, keine Kohle
Kann brennen so heiß
Als heimliche Liebe,
Von der niemand nichts weiß.

Keine Rose, keine Nelke
Kann blühen so schön,
Als wenn zwei verliebte Seelen
Bei einander tun stehn.

Setz du einen Spiegel
Ins Herz mir hinein,
Damit du kannst sehen,
Wie so treu ich es mein'!

61   *Es fiel ein Reif*

ES fiel ein Reif in der Frühlingsnacht,
Er fiel auf die zarten Blaublümelein,
Sie sind verwelket, verdorret.

Ein Jüngling hatte ein Mädchen lieb,
Sie flohen heimlich von Hause fort,
Es wußt' weder Vater noch Mutter.

Sie sind gewandert hin und her,
Sie haben gehabt weder Glück noch Stern,
Sie sind verdorben, gestorben.

62 *Treue Liebe*

ACH, wie ist's möglich dann,
Daß ich dich lassen kann!
Hab' dich von Herzen lieb,
Das glaube mir!
Du hast die Seele mein
So ganz genommen ein,
Daß ich kein andren lieb'
Als dich allein.

Stoß mir das Herz entzwei,
Wenn du ein' falsche Treu',
Oder nur falsche Lieb'
Spürest an mir!
Dir will ich jederzeit
Zu Diensten sein bereit,
Bis daß ich kommen werd'
Unter die Erd'.

Nach meinem Tod alsdann,
Auf daß du denkst daran,
Nimm an der Totenbahr
Dies Reimlein wahr:
Hier liegt begraben drein
Die dich geliebt allein,
Die dich geliebet hat
Bis in das Grab.

63 *Willst au dein Herz mir schenken*

WILLST du dein Herz mir schenken, so fang es
      heimlich an,
Daß unser beider Denken niemand erraten kann.
Die Liebe muß bei beiden allzeit verschwiegen sein,
Drum schließ die größten Freuden in deinem Herzen ein.

Behutsam sei und schweige und traue keiner Wand,
Lieb innerlich und zeige dich außen unbekannt.
Kein Argwohn mußt du geben, Verstellung nötig ist,
Genug, daß du, mein Leben, der Treu versichert bist.

Begehre keine Blicke von meiner Liebe nicht,
Der Neid hat viele Tücke auf unsern Bund gericht.
Du mußt die Brust verschließen, halt deine Neigung ein;
Die Lust, die wir genießen, muß ein Geheimnis sein.

Zu frei sein, sich ergehen, hat oft Gefahr gebracht.
Man muß sich wohl verstehen, weil ein falsch Auge wacht.
Du mußt den Spruch bedenken, den ich vorher getan:
Willst du dein Herz mir schenken, so fang es heimlich an.

FRIEDRICH VON HAGEDORN

1708-54

64 *Der erste Mai*

DER erste Tag im Monat Mai
    Ist mir der glücklichste von allen.
Dich sah ich und gestand dir frei,
Den ersten Tag im Monat Mai,
Daß dir mein Herz ergeben sei.
Wenn mein Geständnis dir gefallen,
So ist der erste Tag im Mai
Für mich der glücklichste von allen.

65 *Der Mai*

DER Nachtigall reizende Lieder
Ertönen und locken schon wieder
Die fröhlichsten Stunden ins Jahr.
Nun singet die steigende Lerche,
Nun klappern die reisenden Störche,
Nun schwatzet der gaukelnde Star.

Wie munter sind Schäfer und Herde!
Wie lieblich beblümt sich die Erde!
Wie lebhaft ist itzo die Welt!
Die Tauben verdoppeln die Küsse,
Der Entrich besuchet die Flüsse,
Der lustige Sperling sein Feld.

Nun heben sich Binsen und Keime,
Nun kleiden die Blätter die Bäume,
Nun schwindet des Winters Gestalt;
Nun rauschen lebendige Quellen
Und tränken mit spielenden Wellen
Die Triften, den Anger, den Wald.

66 *Das Hühnchen und der Diamant*

EIN verhungert Hühnchen fand
Einen feinen Diamant
Und verscharrt' ihn in den Sand.

» Möchte doch, mich zu erfreun, «
Sprach es, » dieser schöne Stein
Nur ein Weizenkörnchen sein! «

Unglücksel'ger Überfluß,
Wo der nötigste Genuß
Unsern Schätzen fehlen muß!

67 *Johann der Seifensieder*

JOHANN, der muntre Seifensieder,
Erlernte viele schöne Lieder
Und sang mit unbesorgtem Sinn
Vom Morgen bis zum Abend hin.
Sein Tagwerk konnt' ihm Nahrung bringen;
Und wann er aß, so mußt' er singen,
Und wann er sang, so war's mit Lust,
Aus vollem Hals und freier Brust.
Beim Morgenbrot, beim Abendessen
Blieb Ton und Triller unvergessen;
Der schallte recht, und seine Kraft
Durchdrang die halbe Nachbarschaft.
Man horcht, man fragt: Wer singt schon wieder?
Wer ist's? Der muntre Seifensieder.

Es wohnte diesem in der Nähe
Ein Sprößling eigennütz'ger Ehe,
Der, stolz und steif und bürgerlich,
Im Schmausen keinem Fürsten wich.

Kaum hatte mit den Morgenstunden
Sein erster Schlaf sich eingefunden,
So ließ ihm den Genuß der Ruh
Der nahe Sänger nimmer zu.
» Zum Henker! lärmst du dort schon wieder,
Vermaledeiter Seifensieder?
Ach wäre doch zu meinem Heil
Der Schlaf hier wie die Austern feil! «

Den Sänger, den er früh vernommen,
Läßt er an einem Morgen kommen

Und spricht: » Mein lustiger Johann !
Wie geht es Euch ? Wie fangt Ihr's an ?
Es rühmt ein jeder Eure Ware ;
Sagt, wie viel bringt sie Euch im Jahre ? «

» Im Jahre, Herr ? Mir fällt nicht bei,
Wie groß im Jahr mein Vorteil sei.
So rechn' ich nicht ! Ein Tag bescheret,
Was der, so auf ihn kömmt, verzehret.
Das folgt im Jahr (ich weiß die Zahl)
Dreihundertfünfundsechzigmal. «

» Ganz recht ! Doch könnt Ihr mir's nicht sagen,
Was pflegt ein Tag wohl einzutragen ? «
» Mein Herr, Ihr forschet allzusehr ;
Der eine wenig, mancher mehr,
So wie's dann fällt. Mich zwingt zur Klage
Nichts als die vielen Feiertage !
Und wer sie alle rot gefärbt,
Der hatte wohl wie Ihr geerbt,
Dem war die Arbeit sehr zuwider,
Das war gewiß kein Seifensieder. «

Dies schien den Reichen zu erfreun.
» Hans « spricht er, » du sollst glücklich sein.
Itzt bist du nur ein schlechter Prahler ;
Da hast du bare fünfzig Taler,
Nur unterlasse den Gesang.
Das Geld hat einen bessern Klang. «

Er dankt und schleicht mit scheuem Blicke,
Mit mehr als dieb'scher Furcht zurücke.
Er herzt den Beutel, den er hält,
Und zählt und wägt und schwenkt das Geld,
Das Geld, den Ursprung seiner Freude
Und seiner Augen neue Weide.

Es wird mit stummer Lust beschaut
Und einem Kasten anvertraut,
Den Band und starke Schlösser hüten,
Beim Einbruch Dieben Trotz zu bieten,
Den auch der karge Tor bei Nacht
Aus banger Vorsicht selbst bewacht.
Sobald sich nur der Haushund reget,
Sobald der Kater sich beweget,
Durchsucht er alles, bis er glaubt,
Daß ihn kein frecher Dieb beraubt.

Er lernt zuletzt, je mehr er spart,
Wie oft sich Sorg' und Reichtum paart
Und manches Zärtlings dunkle Freuden
Ihn ewig von der Freiheit scheiden,
Die nur in reine Seelen strahlt,
Und deren Glück kein Gold bezahlt.

Dem Nachbar, den er stets gewecket,
Bis er das Geld ihm zugestecket,
Dem stellt er bald, aus Lust zur Ruh,
Den vollen Beutel wieder zu
Und spricht: » Herr, lehrt mich beßre Sachen
Als, statt des Singens, Geld bewachen.
Nehmt immer Euren Beutel hin
Und laßt mir meinen frohen Sinn.
Fahrt fort mich heimlich zu beneiden,
Ich tausche nicht mit Euren Freuden.
Der Himmel hat mich recht geliebt,
Der mir die Stimme wieder gibt.
Was ich gewesen, werd' ich wieder:
Johann, der muntre Seifensieder. «

CHRISTIAN FÜRCHTEGOTT GELLERT

1715-69

68   *Der Zeisig*

EIN Zeisig war's und eine Nachtigall,
Die einst zu gleicher Zeit vor Damons Fenster hingen.
Die Nachtigall fing an ihr göttlich Lied zu singen,
Und Damons kleinem Sohn gefiel der süße Schall.
» Ach, welcher singt von beiden doch so schön ?
Den Vogel möcht' ich wirklich sehn ! «
Der Vater macht ihm diese Freude,
Er nimmt die Vögel gleich herein.
» Hier «, spricht er, » sind sie alle beide ;
Doch welcher wird der schöne Sänger sein ?
Getraust du dich, mir das zu sagen ? «
Der Sohn läßt sich nicht zweimal fragen,
Schnell weist er auf den Zeisig hin.
» Der «, spricht er, » muß es sein, so wahr ich ehrlich bin.
Wie schön und gelb ist sein Gefieder !
Drum singt er auch so schöne Lieder ;
Dem andern sieht man's gleich an seinen Federn an,
Daß er nichts Kluges singen kann. «

69   *Der Tanzbär*

EIN Bär, der lange Zeit sein Brot ertanzen müssen,
Entrann und wählte sich den ersten Aufenthalt.
Die Bären grüßten ihn mit brüderlichen Küssen
Und brummten freudig durch den Wald.
Und wo ein Bär den andern sah,
So hieß es : Petz ist wieder da !
Der Bär erzählte drauf, was er in fremden Landen

59

Für Abenteuer ausgestanden,
Was er gesehn, gehört, getan,
Und fing, da er vom Tanzen red'te,
Als ging er noch an seiner Kette,
Auf polnisch schön zu tanzen an.
Die Brüder, die ihn tanzen sahn,
Bewunderten die Wendung seiner Glieder,
Und gleich versuchten es die Brüder.
Allein anstatt wie er zu gehn,
So konnten sie kaum aufrecht stehn,
Und mancher fiel die Länge lang danieder.
Um desto mehr ließ sich der Tänzer sehn.
Doch seine Kunst verdroß den ganzen Haufen.
» Fort «, schrieen alle, » fort mit dir !
Du Narr willst klüger sein als wir ? «
Man zwang den Petz, davon zu laufen.

70   *Das Land der Hinkenden*

VOR Zeiten gab's ein kleines Land,
Worin man keinen Menschen fand,
Der nicht gestottert, wenn er red'te,
Nicht, wenn er ging, gehinket hätte ;
Denn beides hielt man für galant.
Ein Fremder sah den Übelstand ;
Hier, dacht' er, wird man dich im Gehn bewundern müssen,
Und ging einher mit steifen Füßen.
Er ging, und jeder sah ihn an,
Und alle lachten, die ihn sahn,
Und jeder blieb vor Lachen stehen
Und schrie : » Lehrt doch den Fremden gehen ! «

Der Fremde hielt's für seine Pflicht,
Den Vorwurf von sich abzulehnen.
» Ihr«, rief er, » hinkt ; ich aber nicht :
Den Gang müßt ihr euch abgewöhnen !«
Der Lärmen wird noch mehr vermehrt,
Da man den Fremden sprechen hört.
Er stammelt nicht ! Genug zur Schande !
Man spottet sein im ganzen Lande.

71   *Die Geschichte von dem Hute*

Das erste Buch

DER erste, der mit kluger Hand
Der Männer Schmuck, den Hut, erfand,
Trug seinen Hut unaufgeschlagen ;
Die Krempen hingen flach herab,
Und dennoch wußt' er ihn zu tragen,
Daß ihm der Hut ein Ansehn gab.

Er starb und ließ bei seinem Sterben
Den runden Hut dem nächsten Erben.

Der Erbe weiß den runden Hut
Nicht recht gemächlich anzugreifen ;
Er sinnt, und wagt es kurz und gut,
Er wagt's, zwo Krempen aufzusteifen.
Drauf läßt er sich dem Volke sehn ;
Das Volk bleibt vor Verwundrung stehn
Und schreit : » Nun läßt der Hut erst schön ! «

Er starb und ließ bei seinem Sterben
Den ausgesteiften Hut dem Erben.

Der Erbe nimmt den Hut und schmält:
» Ich «, spricht er, » sehe wohl, was fehlt. «
Er setzt darauf mit weisem Mute
Die dritte Krempe zu dem Hute.
» O «, rief das Volk, » der hat Verstand!
Seht, was ein Sterblicher erfand!
Er, er erhöht sein Vaterland! «

Er starb und ließ bei seinem Sterben
Den dreifach spitzen Hut dem Erben.

Der Hut war freilich nicht mehr rein;
Doch sagt, wie konnt' es anders sein?
Er ging schon durch die vierten Hände.
Der Erbe färbt ihn schwarz, damit er was erfände.
» Beglückter Einfall! « rief die Stadt,
» So weit sah keiner noch, als der gesehen hat.
Ein weißer Hut ließ lächerlich,
Schwarz, Brüder, schwarz, so schickt es sich. «

Er starb und ließ bei seinem Sterben
Den schwarzen Hut dem nächsten Erben.

Der Erbe trägt ihn in sein Haus
Und sieht, er ist sehr abgetragen;
Er sinnt, und sinnt das Kunststück aus
Ihn über einen Stock zu schlagen.
Durch heiße Bürsten wird er rein;
Er faßt ihn gar mit Schnüren ein.
Nun geht er aus und alle schreien:
» Was sehn wir? Sind es Zaubereien?
Ein neuer Hut! O glücklich Land,
Wo Wahn und Finsternis verschwinden!
Mehr kann kein Sterblicher erfinden,
Als dieser große Geist erfand! «

Er starb und ließ bei seinem Sterben
Den umgewandten Hut dem Erben.

Erfindung macht den Künstler groß
Und bei der Nachwelt unvergessen;
Der Erbe reißt die Schnüre los,
Umzieht den Hut mit goldnen Tressen,
Verherrlicht ihn durch einen Knopf
Und drückt ihn seitwärts auf den Kopf.
Ihn sieht das Volk und taumelt vor Vergnügen.
Nun ist die Kunst erst hoch gestiegen!
» Ihm «, schrie es, » ihm allein ist Witz und Geist verliehn!
Nichts sind die andern gegen ihn! «
Er starb und ließ bei seinem Sterben
Den eingefaßten Hut dem Erben.
Und jedesmal ward die erfundne Tracht
Im ganzen Lande nachgemacht.

Ende des ersten Buchs

Was mit dem Hute sich noch ferner zugetragen,
Will ich im zweiten Buche sagen.
Der Erbe ließ ihm nie die vorige Gestalt.
Das Außenwerk ward neu, er selbst, der Hut, blieb alt;
Und, daß ich's kurz zusammenzieh',
Es ging dem Hute fast wie der Philosophie.

72 *Der Maler*

EIN kluger Maler in Athen,
Der minder, weil man ihn bezahlte,
Als, weil er Ehre suchte, malte,
Ließ einen Kenner einst den Mars im Bilde sehn
Und bat sich seine Meinung aus.
Der Kenner sagt' ihm frei heraus,
Daß ihm das Bild nicht ganz gefallen wollte,

Und daß es, um recht schön zu sein,
Weit minder Kunst verraten sollte.
Der Maler wandte vieles ein ;
Der Kenner stritt mit ihm aus Gründen,
Und konnt' ihn doch nicht überwinden.

Gleich trat ein junger Geck herein
Und nahm das Bild in Augenschein.
» O ! « rief er, bei dem ersten Blicke,
» Ihr Götter, welch ein Meisterstücke !
Ach, welcher Fuß ! O wie geschickt
Sind nicht die Nägel ausgedrückt !
Mars lebt durchaus in diesem Bilde !
Wie viele Kunst, wie viele Pracht
Ist in dem Helm und in dem Schilde
Und in der Rüstung angebracht ! «

Der Maler ward beschämt gerühret,
Und sah den Kenner kläglich an.
» Nun «, sprach er, » bin ich überführet !
Ihr habt mir nicht zu viel getan. «
Der junge Geck war kaum hinaus,
So strich er seinen Kriegsgott aus.

.   .   .   .   .   .

Wenn deine Schrift dem Kenner nicht gefällt,
So ist es schon ein böses Zeichen ;
Doch wenn sie gar des Narren Lob erhält,
So ist es Zeit, sie auszustreichen.

73 *Die Ehre Gottes aus der Natur*

DIE Himmel rühmen des Ewigen Ehre;
Ihr Schall pflanzt seinen Namen fort.
Ihn rühmt der Erdkreis, ihn preisen die Meere;
Vernimm, o Mensch, ihr göttlich Wort!

Wer trägt der Himmel unzählbare Sterne?
Wer führt die Sonn' aus ihrem Zelt?
Sie kommt und leuchtet und lacht uns von ferne
Und läuft den Weg gleich als ein Held.

Vernimm's und siehe die Wunder der Werke,
Die die Natur dir aufgestellt!
Verkündigt Weisheit und Ordnung und Stärke
Dir nicht den Herrn, den Herrn der Welt?

Kannst du der Wesen unzählbare Heere,
Den kleinsten Staub fühllos beschaun?
Durch wen ist alles? O gib ihm die Ehre!
»Mir«, ruft der Herr, »sollst du vertraun.

Mein ist die Kraft, mein ist Himmel und Erde;
An meinen Werken kennst du mich.
Ich bin's und werde sein, der ich sein werde,
Dein Gott und Vater ewiglich.

Ich bin dein Schöpfer, bin Weisheit und Güte,
Ein Gott der Ordnung und dein Heil;
Ich bin's! Mich liebe von ganzem Gemüte
Und nimm an meiner Gnade teil!«

1719–1803

74 · *Vorsatz*

DEN flüchtigen Tagen
Wehrt keine Gewalt;
Die Räder am Wagen
Entfliehn nicht so bald.

Wie Blitze verfliegen,
So sind sie dahin!
Ich will mich vergnügen,
So lang ich noch bin!

75 *Ermahnung zur Weisheit*

LASST uns weise sein
Beim Geruch der Nelken!
Freunde, zieht ihn ein,
Ehe sie verwelken!

Laßt uns weise sein,
Weil uns Lust und Leben,
Weil uns Durst und Wein
Noch die Götter geben!

76 *An Leukon*

ROSEN pflücke, Rosen blühn,
Morgen ist nicht heut!
Keine Stunde laß entfliehn,
Flüchtig ist die Zeit!

Trinke, küsse! Sieh, es ist
Heut Gelegenheit;
Weißt du, wo du morgen bist?
Flüchtig ist die Zeit!

Aufschub einer guten Tat
Hat schon oft gereut —
Hurtig leben ist mein Rat,
Flüchtig ist die Zeit!

77 *Der Greis und der Tod*

EIN Greis von achtundachtzig Jahren,
Ein armer, abgelebter Greis
Mit wenigen schneeweißen Haaren
Kam aus dem Walde, trug
Auf seinem krummen Rücken
Ein Bündel Reis.

Ach Gott, der arme Greis!
Er mußte wohl sehr oft sich bücken,
Eh' er's zusammenlas?
Er hatte keinen Sohn, sonst hätte der's getan.

Und weil vor Mattigkeit er nun nicht weiter kann,
So setzt er ab, und als er nun da saß
Bei seinem Bündel und bedachte,
Wie viel Beschwerde, Müh und Not
Das Bündel Reis ihm machte,
Wie viel sein bißchen täglich Brot,
Da seufzt er lebenssatt und weint und ruft den Tod.

»Befreie mich«, spricht er, »von aller meiner Not
Und bringe mich zur Ruh!«

Der Tod kommt an, geht auf den Rufer zu.
»Was willst du?« fragt er, »du,
Daß du mich hergerufen hast?
Du trägst auch eine schwere Last!«
»Ach lieber Tod«, versetzt darauf
Der arme Greis, »hilf sie mir auf!«

78   *Die Milchfrau*

AUF leichten Füßen lief ein artig Bauerweib,
    Geliebt von ihrem Mann, gesund an Seel' und Leib,
Frühmorgens in die Stadt und trug auf ihrem Kopfe
Vier Stübchen süße Milch in einem großen Topfe;
Lief, wollte gar zu gern: » Kauft Milch!« am ersten
    schrein.
»Die erste « dachte sie, »die erste Milch ist teuer;
Will's Gott, so nehm' ich heut sechs bare Groschen ein.
Dafür kauf' ich mir dann ein halbes Hundert Eier;
Mein Hühnchen brütet sie mir all' auf einmal aus;
Gras eine Menge steht um unser kleines Haus;
Die kleinen Küchelchen, die meine Stimme hören,
Die werden herrlich da sich letzen und sich nähren,
Und, ganz gewiß, der Fuchs, der müßte listig sein,
Ließ' er mir nicht so viel, daß ich ein kleines Schwein
Dafür ertauschen könnte!   Seht nur an!
Wenn ich mich etwa schon darauf im Geiste freue,
So denk' ich nur dabei an meinen lieben Mann.
Zu mästen kostet's mir ja nur ein wenig Kleie.
Hab' ich das Schweinchen fett, dann kauf' ich eine Kuh
In meinen kleinen Stall, ein Kälbchen wohl dazu;
Das Kälbchen will ich dann auf meine Weide bringen,
Und munter hüpft's und springt's, wie da die Lämmer
    springen!«

»Hei« sagt sie und springt auf. Und von dem Kopfe fällt
Der Topf.   Das bare Geld
Und Kalb und Kuh und Reichtum und Vergnügen
Sieht nun das arme Weib vor sich in Scherben liegen.
Erschrocken bleibt sie stehn und sieht die Scherben an.
»Die schöne weiße Milch«, sagt sie, »auf schwarzer Erde!«

JOHANN WILHELM LUDWIG GLEIM

Weint, geht nach Haus, erzählt's dem lieben Mann,
Der ihr entgegenkommt, mit ernstlicher Gebärde.
»Kind « sagt der Mann, »schon gut! Bau nur ein andermal
Nicht Schlösser in die Luft! Man bauet seine Qual.
Geschwinder drehet sich um sich kein Wagenrad,
Als sie verschwinden in den Wind!
Wir haben all das Glück, das unser Junker hat,
Wenn wir zufrieden sind.«

FRIEDRICH GOTTLIEB KLOPSTOCK

1724-1803

79   *Das Rosenband*

IM Frühlingsschatten fand ich sie,
Da band ich sie mit Rosenbändern:
Sie fühlt' es nicht und schlummerte.

Ich sah sie an; mein Leben hing
Mit diesem Blick an ihrem Leben:
Ich fühlt' es wohl und wußt' es nicht.

Doch lispelt' ich ihr sprachlos zu
Und rauschte mit den Rosenbändern:
Da wachte sie vom Schlummer auf.

Sie sah mich an; ihr Leben hing
Mit diesem Blick an meinem Leben,
Und um uns ward's Elysium.

80   *Die Frühlingsfeier*

NICHT in den Ozean der Welten alle
   Will ich mich stürzen, schweben nicht,
Wo die ersten Erschaffnen, die Jubelchöre der Söhne des
      Lichts,
Anbeten, tief anbeten und in Entzückung vergehn.

Nur um den Tropfen am Eimer,
Um die Erde nur will ich schweben und anbeten.
Halleluja! Halleluja! Der Tropfen am Eimer
Rann aus der Hand des Allmächtigen auch.

Da der Hand des Allmächtigen
Die größeren Erden entquollen,
Die Ströme des Lichts rauschten und Siebengestirne
      wurden,
Da entrannest du, Tropfen, der Hand des Allmächtigen!

Mit tiefer Ehrfurcht schau' ich die Schöpfung an,
Denn Du,
Namenloser, Du
Schufest sie!

Lüfte, die um mich wehn und sanfte Kühlung
Auf mein glühendes Angesicht hauchen,
Euch, wunderbare Lüfte,
Sandte der Herr, der Unendliche!

Aber jetzt werden sie still, kaum atmen sie.
Die Morgensonne wird schwül;
Wolken strömen herauf;
Sichtbar ist, der kommt, der Ewige!

FRIEDRICH GOTTLIEB KLOPSTOCK

Nun schweben sie, rauschen sie, wirbeln die Winde.
Wie beugt sich der Wald, wie hebt sich der Strom!
Sichtbar, wie Du es Sterblichen sein kannst,
Ja, das bist Du, sichtbar, Unendlicher!

Seht ihr den Zeugen des Nahen, den zückenden Strahl?
Hört ihr Jehovahs Donner?
Hört ihr ihn, hört ihr ihn,
Den erschütternden Donner des Herrn?

Und die Gewitterwinde?   Sie tragen den Donner!
Wie sie rauschen, wie sie mit lauter Woge den Wald
        durchströmen!
Und nun schweigen sie.   Langsam wandelt
Die schwarze Wolke.

Seht ihr den neuen Zeugen des Nahen, den fliegenden
        Strahl?
Höret ihr hoch in der Wolke den Donner des Herrn?
Er ruft: Jehovah! Jehovah!
Und der geschmetterte Wald dampft.

Ach, schon rauscht, schon rauscht
Himmel und Erde vom gnädigen Regen.
Nun ist — wie dürstete sie — die Erd' erquickt
Und der Himmel der Segensfüll' entlastet.

Siehe, nun kommt Jehovah nicht mehr im Wetter:
In stillem, sanftem Säuseln
Kommt Jehovah,
Und unter ihm neigt sich der Bogen des Friedens.

81   *Die frühen Gräber*

WILLKOMMEN, o silberner Mond,
  Schöner, stiller Gefährt' der Nacht!
Du entfliehst? Eile nicht, bleib, Gedankenfreund!
Sehet, er bleibt, das Gewölk wallte nur hin.

Des Maies Erwachen ist nur
Schöner noch wie die Sommernacht,
Wenn ihm Tau, hell wie Licht, aus der Locke träuft,
Und zu dem Hügel herauf rötlich er kommt.

Ihr Edleren, ach es bewächst
Eure Male schon ernstes Moos!
O wie war glücklich ich, als ich noch mit euch
Sahe sich röten den Tag, schimmern die Nacht!

82   *Edone*

DEIN süßes Bild, Edone,
  Schwebt stets vor meinem Blick;
Allein ihn trüben Zähren,
Daß du es selbst nicht bist.

Ich seh' es, wenn der Abend
Mir dämmert; wenn der Mond
Mir glänzt, seh' ich's und weine,
Daß du es selbst nicht bist.

Bei jenes Tales Blumen,
Die ich ihr lesen will,
Bei jenen Myrtenzweigen,
Die ich ihr flechten will,

Beschwör' ich dich, Erscheinung,
Auf, und verwandle dich!
Verwandle dich, Erscheinung,
Und werd' Edone selbst!

1729-81

83   *Die drei Ringe*

VOR grauen Jahren lebt' ein Mann im Osten,
  Der einen Ring von unschätzbarem Wert
Aus lieber Hand besaß. Der Stein war ein
Opal, der hundert schöne Farben spielte,
Und hatte die geheime Kraft, vor Gott
Und Menschen angenehm zu machen, wer
In dieser Zuversicht ihn trug. Was Wunder,
Daß ihn der Mann im Osten darum nie
Vom Finger ließ und die Verfügung traf,
Auf ewig ihn bei seinem Hause zu
Erhalten? Nämlich so. Er ließ den Ring
Von seinen Söhnen dem geliebtesten;
Und setzte fest, daß dieser wiederum
Den Ring von seinen Söhnen dem vermache,
Der ihm der liebste sei; und stets der liebste,
Ohn' Ansehn der Geburt, in Kraft allein
Des Rings, das Haupt, der Fürst des Hauses werde.
So kam nun dieser Ring, von Sohn zu Sohn,
Auf einen Vater endlich von drei Söhnen,
Die alle drei ihm gleich gehorsam waren,
Die alle drei er folglich gleich zu lieben
Sich nicht entbrechen konnte. Nur von Zeit
Zu Zeit schien ihm bald der, bald dieser, bald
Der dritte — so wie jeder sich mit ihm
Allein befand, und sein ergießend Herz
Die andern zwei nicht teilten — würdiger
Des Ringes, den er denn auch einem jeden
Die fromme Schwachheit hatte zu versprechen.
Das ging nun so, solang es ging. Allein

Es kam zum Sterben, und der gute Vater
Kommt in Verlegenheit. Es schmerzt ihn, zwei
Von seinen Söhnen, die sich auf sein Wort
Verlassen, so zu kränken. — Was zu tun? —
Er sendet in geheim zu einem Künstler,
Bei dem er, nach dem Muster seines Ringes,
Zwei andere bestellt und weder Kosten
Noch Mühe sparen heißt, sie jenem gleich,
Vollkommen gleich zu machen. Das gelingt
Dem Künstler. Da er ihm die Ringe bringt,
Kann selbst der Vater seinen Musterring
Nicht unterscheiden. Froh und freudig ruft
Er seine Söhne, jeden insbesondre;
Gibt jedem insbesondre seinen Segen —
Und seinen Ring — und stirbt.

Kaum war der Vater tot, so kommt ein jeder
Mit seinem Ring, und jeder will der Fürst
Des Hauses sein. Man untersucht, man zankt,
Man klagt. Umsonst; der rechte Ring war nicht
Erweislich.
                    Die Söhne
Verklagen sich, und jeder schwur dem Richter,
Unmittelbar aus seines Vaters Hand
Den Ring zu haben, wie auch wahr, nachdem
Er von ihm lange das Versprechen schon
Gehabt, des Ringes Vorrecht einmal zu
Genießen, wie nicht minder wahr. Der Vater,
Beteu'rte jeder, könne gegen ihn
Nicht falsch gewesen sein; und eh' er dieses
Von ihm, von einem solchen lieben Vater,
Argwohnen lass', eh' müss' er seine Brüder,
So gern er sonst von ihnen nur das Beste

Bereit zu glauben sei, des falschen Spiels
Bezeihen, und er wolle die Verräter
Schon aufzufinden wissen, sich schon rächen.

Der Richter sprach: »Wenn ihr mir nun den Vater
Nicht bald zur Stelle schafft, so weis' ich euch
Von meinem Stuhle. Denkt ihr, daß ich Rätsel
Zu lösen da bin? Oder harret ihr,
Bis daß der rechte Ring den Mund eröffne? —
Doch halt! Ich höre ja, der rechte Ring
Besitzt die Wunderkraft, beliebt zu machen,
Vor Gott und Menschen angenehm. Das muß
Entscheiden! Denn die falschen Ringe werden
Doch das nicht können! — Nun, wen lieben zwei
Von euch am meisten? Macht, sagt an! Ihr schweigt?
Die Ringe wirken nur zurück? und nicht
Nach außen? Jeder liebt sich selber nur
Am meisten? O, so seid ihr alle drei
Betrogene Betrüger! Eure Ringe
Sind alle drei nicht echt. Der echte Ring
Vermutlich ging verloren. Den Verlust
Zu bergen, zu ersetzen, ließ der Vater
Die drei für einen machen.«
»Und also,« fuhr der Richter fort, »wenn ihr
Nicht meinen Rat, statt meines Spruches, wollt:
Geht nur! Mein Rat ist aber der: ihr nehmt
Die Sache völlig, wie sie liegt. Hat von
Euch jeder seinen Ring von seinem Vater,
So glaube jeder sicher seinen Ring
Den echten. Möglich, daß der Vater nun
Die Tyrannei des *einen* Rings nicht länger
In seinem Hause dulden wollen! Und gewiß,
Daß er euch alle drei geliebt und gleich

Geliebt: indem er zwei nicht drücken mögen,
Um einen zu begünstigen. Wohlan!
Es eifre jeder seiner unbestochnen,
Von Vorurteilen freien Liebe nach!
Es strebe von euch jeder um die Wette,
Die Kraft des Steins in seinem Ring an Tag
Zu legen, komme dieser Kraft mit Sanftmut,
Mit herzlicher Verträglichkeit, mit Wohltun,
Mit innigster Ergebenheit in Gott
Zu Hilf'! Und wenn sich dann der Steine Kräfte
Bei euern Kindes-Kindeskindern äußern,
So lad' ich über tausend tausend Jahre
Sie wiederum vor diesen Stuhl. Da wird
Ein weis'rer Mann auf diesem Stuhle sitzen
Als ich und sprechen. Geht!« — So sagte der
Bescheidne Richter.

MATTHIAS CLAUDIUS

1740-1815

84   *Der Säemann säet*

DER Säemann säet den Samen,
Die Erd' empfängt ihn, und über ein kleines
Keimet die Blume herauf.

Du liebtest sie. Was auch dies Leben
Sonst für Gewinn hat, war klein dir geachtet,
Und sie entschlummerte dir.

Was weinest du neben dem Grabe
Und hebst die Hände zur Wolke des Todes
Und der Verwesung empor?

Wie Gras auf dem Felde sind Menschen
Dahin, wie Blätter; nur wenige Tage
Gehn wir verkleidet einher.

Der Adler besuchet die Erde,
Doch säumt nicht, schüttelt vom Flügel den Staub und
Kehret zur Sonne zurück.

85   *Der Frühling*

Am ersten Maimorgen

HEUTE will ich fröhlich, fröhlich sein,
Keine Weis' und keine Sitte hören;
Will mich wälzen und vor Freude schrein,
Und der König soll mir das nicht wehren.

Denn er kommt mit seiner Freuden Schar
Heute aus der Morgenröte Hallen,
Einen Blumenkranz um Brust und Haar,
Und auf seiner Schulter Nachtigallen.

Und sein Antlitz ist ihm rot und weiß,
Und er träuft von Tau und Duft und Segen —
Ha! Mein Thyrsus sei ein Knospenreis,
Und so tauml' ich meinem Freund entgegen.

86   *Der Tod und das Mädchen*

Das Mädchen:

VORÜBER, ach vorüber
Geh, wilder Knochenmann!
Ich bin noch jung! Geh, Lieber,
Und rühre mich nicht an!

Der Tod:

Gib deine Hand, du schön und zart Gebild!
Bin Freund und komme nicht zu strafen.
Sei gutes Muts! Ich bin nicht wild!
Sollst sanft in meinen Armen schlafen!

87 *Abendlied*

DER Mond ist aufgegangen,
Die goldnen Sternlein prangen
Am Himmel hell und klar;
Der Wald steht schwarz und schweiget,
Und aus den Wiesen steiget
Der weiße Nebel wunderbar.

Wie ist die Welt so stille
Und in der Dämmrung Hülle
So traulich und so hold
Als eine stille Kammer,
Wo ihr des Tages Jammer
Verschlafen und vergessen sollt.

Seht ihr den Mond dort stehen?
Er ist nur halb zu sehen
Und ist doch rund und schön!
So sind wohl manche Sachen,
Die wir getrost belachen,
Weil unsre Augen sie nicht sehn.

Wir stolze Menschenkinder
Sind eitel arme Sünder
Und wissen gar nicht viel;
Wir spinnen Luftgespinste,
Und suchen viele Künste
Und kommen weiter von dem Ziel.

Gott, laß uns dein Heil schauen,
Auf nichts Vergänglich's trauen,
Nicht Eitelkeit uns freun!
Laß uns einfältig werden
Und vor dir hier auf Erden
Wie Kinder fromm und fröhlich sein!

Wollst endlich sonder Grämen
Aus dieser Welt uns nehmen
Durch einen sanften Tod!
Und wenn du uns genommen,
Laß uns in Himmel kommen,
Du unser Herr und unser Gott!

So legt euch denn, ihr Brüder,
In Gottes Namen nieder!
Kalt ist der Abendhauch.
Verschon uns, Gott, mit Strafen
Und laß uns ruhig schlafen
Und unsern kranken Nachbar auch!

88   *Die Sternseherin*

ICH sehe oft um Mitternacht,
Wenn ich mein Werk getan
Und niemand mehr im Hause wacht,
Die Stern' am Himmel an.

Sie gehn da, hin und her zerstreut,
Als Lämmer auf der Flur;
In Rudeln auch, und aufgereiht
Wie Perlen an der Schnur;

Und funkeln alle weit und breit
Und funkeln rein und schön.
Ich seh' die große Herrlichkeit
Und kann nicht satt mich sehn.

Dann saget unterm Himmelszelt
Mein Herz mir in der Brust:
»Es gibt was Bessers in der Welt
Als all ihr Schmerz und Lust.«

Ich werf' mich auf mein Lager hin
Und liege lange wach,
Und suche es in meinem Sinn
Und sehne mich darnach.

JOHANN GOTTFRIED HERDER

1744-1803

89   *Erlkönigs Tochter*

HERR Oluf reitet spät und weit,
Zu bieten auf seine Hochzeitleut';

Da tanzen die Elfen auf grünem Land,
Erlkönigs Tochter reicht ihm die Hand.

»Willkommen, Herr Oluf!   Was eilst von hier?
Tritt her in den Reihen und tanz mit mir.«

»Ich darf nicht tanzen, nicht tanzen ich mag,
Frühmorgen ist mein Hochzeittag.«

»Hör an, Herr Oluf, tritt tanzen mit mir,
Zwei güldne Sporne schenk' ich dir;

Ein Hemd von Seide so weiß und fein,
Meine Mutter bleicht's mit Mondenschein.«

»Ich darf nicht tanzen, nicht tanzen ich mag,
Frühmorgen ist mein Hochzeittag.«

» Hör an, Herr Oluf, tritt tanzen mit mir,
Einen Haufen Goldes schenk' ich dir.«

» Einen Haufen Goldes nähm' ich wohl,
Doch tanzen ich nicht darf noch soll.«

» Und willst, Herr Oluf, nicht tanzen mit mir,
Soll Seuch' und Krankheit folgen dir.«

Sie tät einen Schlag ihm auf sein Herz,
Noch nimmer fühlt' er solchen Schmerz.

Sie hob ihn bleichend auf sein Pferd:
» Reit heim nun zu deinem Fräulein wert.«

Und als er kam vor Hauses Tür,
Seine Mutter zitternd stand dafür.

» Hör an, mein Sohn, sag an mir gleich,
Wie ist deine Farbe blaß und bleich?«

» Und sollt' sie nicht sein blaß und bleich?
Ich traf in Erlenkönigs Reich.«

» Hör an, mein Sohn, so lieb und traut,
Was soll ich nun sagen deiner Braut!«

» Sagt ihr, ich sei im Wald zur Stund',
Zu proben da mein Pferd und Hund.«

Frühmorgen und als es Tag kaum war,
Da kam die Braut mit der Hochzeitschar.

Sie schenkten Met, sie schenkten Wein.
» Wo ist Herr Oluf, der Bräut'gam mein?«

» Herr Oluf, er ritt in Wald zur Stund',
Er probt allda sein Pferd und Hund.«

Die Braut hob auf den Scharlach rot,
Da lag Herr Oluf, und er war tot.

GOTTFRIED AUGUST BÜRGER

1747-94

90 *Lenore*

LENORE fuhr ums Morgenrot
Empor aus schweren Träumen:
» Bist untreu, Wilhelm, oder tot?
Wie lange willst du säumen? « —
Er war mit König Friedrichs Macht
Gezogen in die Prager Schlacht
Und hatte nicht geschrieben,
Ob er gesund geblieben.

Der König und die Kaiserin,
Des langen Haders müde,
Erweichten ihren harten Sinn
Und machten endlich Friede;
Und jedes Heer, mit Sing und Sang,
Mit Paukenschlag und Kling und Klang,
Geschmückt mit grünen Reisern,
Zog heim zu seinen Häusern.

Und überall, allüberall,
Auf Wegen und auf Stegen,
Zog alt und jung dem Jubelschall
Der Kommenden entgegen.
» Gottlob! « rief Kind und Gattin laut,
» Willkommen! « manche frohe Braut.
Ach! aber für Lenoren
War Gruß und Kuß verloren.

Sie frug den Zug wohl auf und ab
Und frug nach allen Namen ;
Doch keiner war, der Kundschaft gab,
Von allen, so da kamen.
Als nun das Heer vorüber war,
Zerraufte sie ihr Rabenhaar
Und warf sich hin zur Erde
Mit wütiger Gebärde.

Die Mutter lief wohl hin zu ihr :
» Ach, daß sich Gott erbarme !
Du trautes Kind, was ist mit dir ? «
Und schloß sie in die Arme. —
» O Mutter, Mutter ! hin ist hin !
Nun fahre Welt und alles hin !
Bei Gott ist kein Erbarmen ;
O weh, o weh mir Armen !« —

» Hilf Gott, hilf ! Sieh uns gnädig an !
Kind, bet ein Vaterunser !
Was Gott tut, das ist wohlgetan.
Gott, Gott erbarmt sich unser !« —
» O Mutter, Mutter ! eitler Wahn !
Gott hat an mir nicht wohl getan !
Was half, was half mein Beten ?
Nun ist's nicht mehr von nöten.« —

» Hilf Gott, hilf ! Wer den Vater kennt,
Der weiß, er hilft den Kindern.
Das hochgelobte Sakrament
Wird deinen Jammer lindern.« —
» O Mutter, Mutter, was mich brennt,
Das lindert mir kein Sakrament !
Kein Sakrament mag Leben
Den Toten wiedergeben.« —

» Hör, Kind! Wie, wenn der falsche Mann
Im fernen Ungarlande
Sich seines Glaubens abgetan
Zum neuen Ehebande?
Laß fahren, Kind, sein Herz dahin!
Er hat es nimmermehr Gewinn!
Wann Seel' und Leib sich trennen,
Wird ihn sein Meineid brennen.« —

» O Mutter, Mutter, hin ist hin!
Verloren ist verloren!
Der Tod, der Tod ist mein Gewinn!
O wär' ich nie geboren!
Lisch aus, mein Licht, auf ewig aus!
Stirb hin, stirb hin in Nacht und Graus!
Bei Gott ist kein Erbarmen;
O weh, o weh mir Armen!« —

» Hilf Gott, hilf! Geh nicht ins Gericht
Mit deinem armen Kinde!
Sie weiß nicht, was die Zunge spricht;
Behalt ihr nicht die Sünde!
Ach, Kind, vergiß dein irdisch Leid
Und denk an Gott und Seligkeit,
So wird doch deiner Seelen
Der Bräutigam nicht fehlen.« —

» O Mutter! was ist Seligkeit?
O Mutter! was ist Hölle?
Bei ihm, bei ihm ist Seligkeit
Und ohne Wilhelm Hölle! —
Lisch aus, mein Licht, auf ewig aus!
Stirb hin, stirb hin in Nacht und Graus!
Ohn' ihn mag ich auf Erden,
Mag dort nicht selig werden.« —

So wütete Verzweifelung
Ihr in Gehirn und Adern.
Sie fuhr mit Gottes Vorsehung
Vermessen fort zu hadern,
Zerschlug den Busen und zerrang
Die Hand bis Sonnenuntergang,
Bis auf am Himmelsbogen
Die goldnen Sterne zogen.

Und außen, horch! ging's trapp trapp trapp
Als wie von Rosseshufen,
Und klirrend stieg ein Reiter ab
An des Geländers Stufen.
Und horch! und horch den Pfortenring,
Ganz lose, leise, klinglingling!
Dann kamen durch die Pforte
Vernehmlich diese Worte:

» Holla, holla! Tu auf, mein Kind!
Schläfst, Liebchen, oder wachst du?
Wie bist noch gegen mich gesinnt?
Und weinest oder lachst du?« —
» Ach, Wilhelm, du? . . So spät bei Nacht?.
Geweinet hab' ich und gewacht;
Ach, großes Leid erlitten!
Wo kommst du hergeritten?« —

» Wir satteln nur um Mitternacht.
Weit ritt ich her von Böhmen.
Ich habe spät mich aufgemacht
Und will dich mit mir nehmen.« —
» Ach, Wilhelm, erst herein geschwind!
Den Hagedorn durchsaust der Wind,
Herein, in meinen Armen,
Herzliebster, zu erwarmen!«—

85

GOTTFRIED AUGUST BÜRGER

» Laß sausen durch den Hagedorn,
Laß sausen, Kind, laß sausen!
Der Rappe scharrt; es klirrt der Sporn.
Ich darf allhier nicht hausen.
Komm, schürze, spring und schwinge dich
Auf meinen Rappen hinter mich!
Muß heut noch hundert Meilen
Mit dir ins Brautbett eilen.« —

» Ach, wolltest hundert Meilen noch
Mich heut ins Brautbett tragen?
Und horch! es brummt die Glocke noch,
Die elf schon angeschlagen.« —
» Sieh hin, sieh her! der Mond scheint hell.
Wir und die Toten reiten schnell.
Ich bringe dich, zur Wette,
Noch heut ins Hochzeitbette.« —

» Sag an, wo ist dein Kämmerlein?
Wo? wie dein Hochzeitbettchen?« —
» Weit, weit von hier! . . Still, kühl und klein! . .
Sechs Bretter und zwei Brettchen!« —
» Hat's Raum für mich?« — » Für dich und mich!
Komm, schürze, spring und schwinge dich!
Die Hochzeitgäste hoffen;
Die Kammer steht uns offen.«

Schön Liebchen schürzte, sprang und schwang
Sich auf das Roß behende;
Wohl um den trauten Reiter schlang
Sie ihre Lilienhände;
Und hurre hurre, hopp hopp hopp!
Ging's fort in sausendem Galopp,
Daß Roß und Reiter schnoben,
Und Kies und Funken stoben.

GOTTFRIED AUGUST BÜRGER

Zur rechten und zur linken Hand
Vorbei vor ihren Blicken,
Wie flogen Anger, Heid' und Land !
Wie donnerten die Brücken !
»Graut Liebchen auch ? . . Der Mond scheint hell !
Hurra ! Die Toten reiten schnell !
Graut Liebchen auch vor Toten ? « —
»Ach nein ! . . . Doch laß die Toten !« —

Was klang dort für Gesang und Klang ?
Was flatterten die Raben ? . .
Horch Glockenklang ! Horch Totensang :
»Laßt uns den Leib begraben !«
Und näher zog ein Leichenzug,
Der Sarg und Totenbahre trug.
Das Lied war zu vergleichen
Dem Unkenruf in Teichen.

»Nach Mitternacht begrabt den Leib
Mit Klang und Sang und Klage !
Jetzt führ' ich heim mein junges Weib ;
Mit, mit zum Brautgelage !
Komm, Küster, hier ! komm mit dem Chor
Und gurgle mir das Brautlied vor !
Komm, Pfaff', und sprich den Segen,
Eh' wir zu Bett uns legen !«

Still Klang und Sang . . Die Bahre schwand . .
Gehorsam seinem Rufen
Kam's hurre hurre ! nachgerannt
Hart hinter's Rappen Hufen.
Und immer weiter, hopp hopp hopp !
Ging's fort in sausendem Galopp,
Daß Roß und Reiter schnoben
Und Kies und Funken stoben.

Wie flogen rechts, wie flogen links
Gebirge, Bäum' und Hecken!
Wie flogen links und rechts und links
Die Dörfer, Städt' und Flecken! —
» Graut Liebchen auch? . . Der Mond scheint hell!
Hurra! Die Toten reiten schnell!
Graut Liebchen auch vor Toten?« —
» Ach! Laß sie ruhn, die Toten.« —

Sieh da! sieh da! Am Hochgericht
Tanzt' um des Rades Spindel,
Halb sichtbarlich bei Mondenlicht,
Ein luftiges Gesindel.
» Sa sa! Gesindel, hier! komm hier!
Gesindel komm und folge mir!
Tanz uns den Hochzeitreigen,
Wann wir zu Bette steigen!« —

Und das Gesindel, husch husch husch!
Kam hinten nachgeprasselt,
Wie Wirbelwind am Haselbusch
Durch dürre Blätter rasselt.
Und weiter, weiter, hopp hopp hopp!
Ging's fort in sausendem Galopp,
Daß Roß und Reiter schnoben
Und Kies und Funken stoben.

Wie flog, was rund der Mond beschien,
Wie flog es in die Ferne!
Wie flogen oben überhin
Der Himmel und die Sterne! —
» Graut Liebchen auch? . . Der Mond scheint hell!
Hurra! Die Toten reiten schnell! —
Graut Liebchen auch vor Toten?« —
» O weh! Laß ruhn die Toten!« —

» Rapp'! Rapp'! mich dünkt, der Hahn schon ruft..
Bald wird der Sand verrinnen . .
Rapp'! Rapp'! ich wittre Morgenluft . .
Rapp'! tummle dich von hinnen !
Vollbracht, vollbracht ist unser Lauf !
Das Hochzeitbette tut sich auf !
Die Toten reiten schnelle !
Wir sind, wir sind zur Stelle. «

Rasch auf ein eisern Gittertor
Ging's mit verhängtem Zügel ;
Mit schwanker Gert' ein Schlag davor
Zersprengte Schloß und Riegel.
Die Flügel flogen klirrend auf,
Und über Gräber ging der Lauf.
Es blinkten Leichensteine
Rundum im Mondenscheine.

Ha sieh ! Ha sieh ! Im Augenblick,
Huhu ! ein gräßlich Wunder !
Des Reiters Koller, Stück für Stück,
Fiel ab wie mürber Zunder.
Zum Schädel ohne Zopf und Schopf,
Zum nackten Schädel ward sein Kopf,
Sein Körper zum Gerippe
Mit Stundenglas und Hippe.

Hoch bäumte sich, wild schnob der Rapp'
Und sprühte Feuerfunken ;
Und hui ! war's unter ihr hinab
Verschwunden und versunken.
Geheul ! Geheul aus hoher Luft,
Gewinsel kam aus tiefer Gruft.
Lenorens Herz mit Beben
Rang zwischen Tod und Leben.

Nun tanzten wohl bei Mondenglanz
Rundum herum im Kreise
Die Geister einen Kettentanz
Und heulten diese Weise:
» Geduld! Geduld! Wenn's Herz auch bricht!
Mit Gott im Himmel hadre nicht!
Des Leibes bist du ledig;
Gott sei der Seele gnädig!«

91 *Der Kaiser und der Abt*

ICH will euch erzählen ein Märchen gar schnurrig.
Es war 'mal ein Kaiser, der Kaiser war kurrig;
Auch war 'mal ein Abt, ein gar stattlicher Herr,
Nur schade! sein Schäfer war klüger als er.

Dem Kaiser ward's sauer in Hitz' und in Kälte;
Oft schlief er bepanzert im Kriegesgezelte;
Oft hatt' er kaum Wasser zu Schwarzbrot and Wurst,
Und öfter noch litt er gar Hunger und Durst.

Das Pfäfflein, das wußte sich besser zu hegen
Und weidlich am Tisch und im Bette zu pflegen.
Wie Vollmond glänzte sein feistes Gesicht;
Drei Männer umspannten den Schmerbauch ihm nicht.

Drob suchte der Kaiser am Pfäfflein oft Hader.
Einst ritt er mit reisigem Kriegesgeschwader
In brennender Hitze des Sommers vorbei;
Das Pfäfflein spazierte vor seiner Abtei.

» Ha, « dachte der Kaiser, » zur glücklichen Stunde!«
Und grüßte das Pfäfflein mit höhnischem Munde.
» Knecht Gottes, wie geht's dir? Mir deucht wohl ganz recht,
Das Beten und Fasten bekomme nicht schlecht.

Doch deucht mir daneben, Euch plage viel Weile;
Ihr dankt mir's wohl, wenn ich Euch Arbeit erteile.
Man rühmet, Ihr wäret der pfiffigste Mann,
Ihr höret das Gräschen fast wachsen, sagt man.

So geb' ich denn Euern zwei tüchtigen Backen
Zur Kurzweil drei artige Nüsse zu knacken.
Drei Monden von nun an bestimm' ich zur Zeit,
Dann will ich auf diese drei Fragen Bescheid.

Zum ersten: Wann hoch ich im fürstlichen Rate
Zu Throne mich zeige im Kaiserornate,
Dann sollt Ihr mir sagen, ein treuer Wardein,
Wie viel ich wohl wert bis zum Heller mag sein.

Zum zweiten sollt Ihr mir berechnen und sagen,
Wie bald ich zu Rosse die Welt mag umjagen,
Um keine Minute zu wenig und viel!
Ich weiß, der Bescheid darauf ist Euch nur Spiel.

Zum dritten noch sollst du, o Preis der Prälaten,
Aufs Härchen mir meine Gedanken erraten;
Die will ich dann treulich bekennen, allein
Es soll auch kein Tüttelchen Wahres dran sein.

Und könnt Ihr diese drei Fragen nicht lösen,
So seid Ihr die längste Zeit Abt hier gewesen;
So lass' ich Euch führen zu Esel durchs Land,
Verkehrt, statt des Zaumes den Schwanz in der Hand.«

Drauf trabte der Kaiser mit Lachen von hinnen.
Das Pfäfflein zerriß und zerspliß sich mit Sinnen.
Kein armer Verbrecher fühlt mehr Schwulität,
Der vor hochnotpeinlichem Halsgericht steht.

Er schickte nach ein, zwei, drei, vier Un'vers'täten,
Er fragte bei ein, zwei, drei, vier Fakultäten;
Er zahlte Gebühren und Sporteln vollauf,
Doch löste kein Doktor die Fragen ihm auf.

Schnell wuchsen, bei herzlichem Zagen und Pochen,
Die Stunden zu Tagen, die Tage zu Wochen,
Die Wochen zu Monden; schon kam der Termin!
Ihm ward's vor den Augen bald gelb und bald grün.

Nun sucht' er, ein bleicher, hohlwangiger Werther,
In Wäldern und Feldern die einsamsten Örter.
Da traf ihn auf selten betretener Bahn
Hans Bendix, sein Schäfer, am Felsenhang an.

» Herr Abt, « sprach Hans Bendix, » was mögt Ihr Euch
    grämen ?
Ihr schwindet ja wahrlich dahin wie ein Schemen.
Maria und Joseph! Wie hotzelt Ihr ein!
Mein Sixchen! Es muß Euch was angetan sein! «

» Ach, guter Hans Bendix, so muß sich's wohl schicken.
Der Kaiser will gern mir am Zeuge was flicken
Und hat mir drei Nüss' auf die Zähne gepackt,
Die schwerlich Beelzebub selber wohl knackt.

Zum ersten : Wann hoch er im fürstlichen Rate
Zu Throne sich zeiget im Kaiserornate,
Dann soll ich ihm sagen, ein treuer Wardein,
Wie viel er wohl wert bis zum Heller mag sein.

Zum zweiten soll ich ihm berechnen und sagen,
Wie bald er zu Rosse die Welt mag umjagen;
Um keine Minute zu wenig und viel!
Er meint, der Bescheid darauf wäre nur Spiel.

GOTTFRIED AUGUST BÜRGER

Zum dritten, ich ärmster von allen Prälaten,
Soll ich ihm gar seine Gedanken erraten;
Die will er mir treulich bekennen; allein
Es soll auch kein Tüttelchen Wahres dran sein.

Und kann ich ihm diese drei Fragen nicht lösen,
So bin ich die längste Zeit Abt hier gewesen;
So läßt er mich führen zu Esel durchs Land,
Verkehrt, statt des Zaumes den Schwanz in der Hand.«

»Nichts weiter?« erwidert Hans Bendix mit Lachen.
»Herr, gebt Euch zufrieden, das will ich schon machen.
Nur borgt mir Eu'r Käppchen, Eu'r Kreuzchen und Kleid;
So will ich schon geben den rechten Bescheid.

Versteh' ich gleich nichts von lateinischen Brocken,
So weiß ich den Hund doch vom Ofen zu locken.
Was Ihr Euch, Gelehrte, für Geld nicht erwerbt,
Das hab' ich von meiner Frau Mutter geerbt.«

Da sprang wie ein Böcklein der Abt vor Behagen.
Mit Käppchen und Kreuzchen, mit Mantel und Kragen
Ward stattlich Hans Bendix zum Abte geschmückt
Und hurtig zum Kaiser nach Hofe geschickt.

Hier thronte der Kaiser im fürstlichen Rate,
Hoch prangt' er mit Scepter und Kron' im Ornate:
»Nun sagt mir, Herr Abt, als ein treuer Wardein,
Wie viel ich wohl wert bis zum Heller mag sein.«

»Für dreißig Reichsgulden ward Christus verschachert;
Drum geb' ich, so sehr Ihr auch pochet und prachert,
Für Euch keinen Deut mehr als zwanzig und neun,
Denn einen müßt Ihr doch wohl minder wert sein.«

GOTTFRIED AUGUST BÜRGER

» Hum, « sagte der Kaiser, » der Grund läßt sich hören
Und mag den durchlauchtigsten Stolz wohl bekehren.
Nie hätt' ich, bei meiner hochfürstlichen Ehr'!
Geglaubet, daß so spottwohlfeil ich wär'.

Nun aber sollst du mir berechnen und sagen,
Wie bald ich zu Rosse die Welt mag umjagen,
Um keine Minute zu wenig und viel!
Ist der Bescheid darauf auch nur ein Spiel? «

» Herr, wenn mit der Sonn' Ihr früh sattelt und reitet
Und stets sie in einerlei Tempo begleitet,
So setz' ich mein Kreuz und mein Käppchen daran,
In zweimal zwölf Stunden ist alles getan.«

» Ha, « lachte der Kaiser, » vortrefflicher Haber!
Ihr füttert die Pferde mit Wenn und mit Aber.
Der Mann, der das Wenn und das Aber erdacht,
Hat sicher aus Häckerling Gold schon gemacht.

Nun aber zum dritten, nun nimm dich zusammen!
Sonst muß ich dich dennoch zum Esel verdammen:
Was denk' ich, das falsch ist?   Das bringe heraus!
Nur bleib mir mit Wenn und mit Aber zu Haus! «

» Ihr denket, ich sei der Herr Abt von Sankt Gallen.«
» Ganz recht! und das kann von der Wahrheit nicht fallen.«
» Sein Diener, Herr Kaiser!   Euch trüget Eu'r Sinn;
Denn wißt, daß ich Bendix, sein Schäfer, nur bin! «

» Was Henker! Du bist nicht der Abt von Sankt-Gallen? «
Rief hurtig, als wär' er vom Himmel gefallen,
Der Kaiser mit frohem Erstaunen darein;
» Wohlan denn, so sollst du von nun an es sein!

Ich will dich belehnen mit Ring und mit Stabe,
Dein Vorfahr besteige den Esel und trabe
Und lerne fortan erst quid juris verstehn!
Denn wenn man will ernten, so muß man auch sä'n.«

» Mit Gunsten, Herr Kaiser! Das laßt nur hübsch bleiben!
Ich kann ja nicht lesen, noch rechnen und schreiben;
Auch weiß ich kein sterbendes Wörtchen Latein.
Was Hänschen versäumet, holt Hans nicht mehr ein.«

» Ach, guter Hans Bendix, das ist ja recht schade!
Erbitte demnach dir ein' andere Gnade!
Sehr hat mich ergötzet dein lustiger Schwank;
Drum soll dich auch wieder ergötzen mein Dank.«

» Herr Kaiser, groß hab' ich so eben nichts nötig;
Doch seid Ihr im Ernst mir zu Gnaden erbötig,
So will ich mir bitten zum ehrlichen Lohn
Für meinen hochwürdigen Herren Pardon.«

» Ha bravo! Du trägst, wie ich merke, Geselle,
Das Herz wie den Kopf auf der richtigsten Stelle;
Drum sei der Pardon ihm in Gnaden gewährt
Und obenein dir ein Panisbrief bescheert.

Wir lassen den Abt von Sankt Gallen entbieten:
Hans Bendix soll ihm nicht die Schafe mehr hüten.
Der Abt soll sein pflegen, nach unserm Gebot,
Umsonst bis an seinen sanftseligen Tod.«

92 *Die Schatzgräber*

EIN Winzer, der am Tode lag,
Rief seine Kinder an und sprach:
» In unserm Weinberg liegt ein Schatz;
Grabt nur danach!« — »An welchem Platz?«
Schrie alles laut den Vater an.
» Grabt nur!« — O weh! da starb der Mann.

Kaum war der Alte beigeschafft,
So grub man nach aus Leibeskraft.
Mit Hacke, Karst und Spaten ward
Der Weinberg um und um gescharrt.
Da war kein Kloß, der ruhig blieb;
Man warf die Erde gar durchs Sieb
Und zog die Harken kreuz und quer
Nach jedem Steinchen hin und her.
Allein da ward kein Schatz verspürt,
Und jeder hielt sich angeführt.

Doch kaum erschien das nächste Jahr,
So nahm man mit Erstaunen wahr,
Daß jede Rebe dreifach trug.
Da wurden erst die Söhne klug
Und gruben nun jahrein, jahraus
Des Schatzes immer mehr heraus.

LUDWIG HÖLTY
1748–76

Frühlingslied

93

DIE Luft ist blau, das Tal ist grün,
Die kleinen Maienglocken blühn,
Und Schlüsselblumen drunter;
Der Wiesengrund
Ist schon so bunt
Und malt sich täglich bunter.

Drum komme wem der Mai gefällt,
Und schaue froh die schöne Welt
Und Gottes Vatergüte,
Die solche Pracht
Hervorgebracht,
Den Baum und seine Blüte.

94 *Minnelied*

HOLDER klingt der Vogelsang,
　Wann die Engelreine,
Die mein Jünglingsherz bezwang,
Wandelt durch die Haine.

Röter blühet Tal und Au,
Grüner wird der Rasen,
Wo die Finger meiner Frau
Maienblumen lasen.

Ohne sie ist alles tot,
Welk sind Blüt' und Kräuter;
Und kein Frühlingsabendrot
Dünkt mich schön und heiter.

Traute, minnigliche Frau,
Wollest nimmer fliehen,
Daß mein Herz, gleich dieser Au,
Mög' in Wonne blühen!

95 *Die Liebe*

EINE Schale des Harms, eine der Freuden wog
Gott dem Menschengeschlecht; aber der lastende
　Kummer senket die Schale,
　　Immer hebet die andere sich.

Irren, traurigen Tritts wanken wir unsern Weg
Durch das Leben hinab, bis sich die Liebe naht,
　Eine Fülle der Freuden
　　In die steigende Schale geußt.

Wie dem Pilger der Quell silbern entgegen rinnt,
Wie der Regen des Mais über die Blüten träuft,
 Naht die Liebe: des Jünglings
  Seele zittert, und huldigt ihr!

Nähm' er Kronen und Gold, mißte der Liebe? Gold
Ist ihm fliegende Spreu; Kronen ein Flittertand;
 Alle Hoheit der Erde,
  Sonder herzliche Liebe, Staub!

Los der Engel! Kein Sturm düstert die Seelenruh
Des Beglückten! Der Tag hüllt sich in lichtes Blau;
 Kuß und Flüstern und Lächeln
  Flügelt Stunden an Stunden fort!

Herrscher neideten ihn, kosteten sie des Glücks,
Das dem Liebenden ward, würfen den Königsstab
 Aus den Händen und suchten
  Sich ein friedliches Hüttendach.

Unter Rosengesträuch spielet ein Quell und mischt
Dem begegnenden Bach Silber. So strömen flugs
 Seel' und Seele zusammen,
  Wann allmächtige Liebe naht.

96   *Die Mainacht*

WENN der silberne Mond durch die Gesträuche blickt
Und sein schlummerndes Licht über den Rasen geußt
Und die Nachtigall flötet,
 Wandl' ich traurig von Busch zu Busch.

Überhüllet von Laub, girret ein Taubenpaar
Sein Entzücken mir vor; aber ich wende mich;
 Suche dunklere Schatten,
  Und die einsame Träne rinnt.

98

Wann, o lächelndes Bild, welches wie Morgenrot
Durch die Seele mir strahlt, find' ich auf Erden dich?
  Und die einsame Träne
    Bebt mir heißer die Wang' herab!

97   *Der alte Landmann an seinen Sohn*

ÜB immer Treu' und Redlichkeit
  Bis an dein kühles Grab
Und weiche keinen Finger breit
  Von Gottes Wegen ab!
Dann wirst du wie auf grünen Aun
  Durchs Pilgerleben gehn,
Dann kannst du sonder Furcht und Graun
  Dem Tod ins Antlitz sehn.

Dann wird die Sichel und der Pflug
  In deiner Hand so leicht;
Dann singest du beim Wasserkrug,
  Als wär' dir Wein gereicht.
Dem Bösewicht wird alles schwer,
  Er tue, was er tu';
Der Teufel treibt ihn hin und her
  Und läßt ihm keine Ruh.

Der schöne Frühling lacht ihm nicht,
  Ihm lacht kein Ährenfeld;
Er ist auf Lug und Trug erpicht
  Und wünscht sich nichts als Geld.
Der Wind im Hain, das Laub am Baum
  Saust ihm Entsetzen zu;
Er findet nach des Lebens Raum
  Im Grabe keine Ruh.

Üb immer Treu und Redlichkeit
Bis an dein kühles Grab
Und weiche keinen Finger breit
Von Gottes Wegen ab!
Dann suchen Enkel deine Gruft
Und weinen Tränen drauf,
Und Sommerblumen, voll von Duft,
Blühn aus den Tränen auf.

98 *Lebenspflichten*

ROSEN auf den Weg gestreut,
Und des Harms vergessen!
Eine kleine Spanne Zeit
Ward uns zugemessen.

Heute hüpft im Frühlingstanz
Noch der frohe Knabe;
Morgen weht der Totenkranz
Schon auf seinem Grabe.

Wonne führt die junge Braut
Heute zum Altare;
Eh' die Abendwolke taut,
Ruht sie auf der Bahre.

Ungewisser, kurzer Dau'r
Ist dies Erdeleben
Und zur Freude, nicht zur Trau'r
Uns von Gott gegeben.

Gebet Harm und Grillenfang,
Gebet ihn den Winden;
Ruht bei frohem Becherklang
Unter grünen Linden.

Lasset keine Nachtigall
Unbehorcht verstummen,
Keine Bien' im Frühlingstal
Unbelauschet summen.

Fühlt, so lang es Gott erlaubt,
Kuß und süße Trauben,
Bis der Tod, der alles raubt,
Kommt sie euch zu rauben.

Unser schlummerndes Gebein,
In die Gruft gesäet,
Fühlet nicht den Rosenhain,
Der das Grab umwehet;

Fühlet nicht den Wonneklang
Angestoßner Becher,
Nicht den frohen Rundgesang
Weingelehrter Zecher.

99   *Aufmunterung zur Freude*

WER wollte sich mit Grillen plagen,
So lang uns Lenz und Jugend blühn?
Wer wollt' in seinen Blütentagen
Die Stirn in düstre Falten ziehn?

Die Freude winkt auf allen Wegen,
Die durch dies Pilgerleben gehn;
Sie bringt uns selbst den Kranz entgegen,
Wenn wir am Scheidewege stehn.

Noch rinnt und rauscht die Wiesenquelle,
Noch ist die Laube kühl und grün;
Noch scheint der liebe Mond so helle,
Wie er durch Adams Bäume schien.

Noch macht der Saft der Purpurtraube
Des Menschen krankes Herz gesund,
Noch schmecket in der Abendlaube
Der Kuß auf einen roten Mund.

Noch tönt der Busch voll Nachtigallen
Dem Jüngling süße Fühlung zu;
Noch strömt, wenn ihre Lieder schallen,
Selbst in zerrißne Seelen Ruh.

O wunderschön ist Gottes Erde
Und wert darauf vergnügt zu sein;
Drum will ich, bis ich Asche werde,
Mich dieser schönen Erde freun.

100 *Auftrag*

IHR Freunde, hänget, wann ich gestorben bin,
Die kleine Harfe hinter dem Altar auf,
    Wo an der Wand die Totenkränze
        Manches verstorbenen Mädchens schimmern.

Der Küster zeigt dann freundlich dem Reisenden
Die kleine Harfe, rauscht mit dem roten Band,
    Das, an der Harfe festgeschlungen,
        Unter den goldenen Saiten flattert.

»Oft«, sagt er staunend, »tönen im Abendrot
Von selbst die Saiten leise wie Bienenton;
    Die Kinder, hergelockt vom Kirchhof,
        Hörten's, und sahn, wie die Kränze bebten.«

JOHANN WOLFGANG VON GOETHE

1749–1832

101   *Heidenröslein*

SAH ein Knab' ein Röslein stehn,
Röslein auf der Heiden,
War so jung und morgenschön,
Lief er schnell, es nah zu sehn,
Sah's mit vielen Freuden.
Röslein, Röslein, Röslein rot,
Röslein auf der Heiden.

Knabe sprach : »Ich breche dich,
Röslein auf der Heiden!«
Röslein sprach : »Ich steche dich,
Daß du ewig denkst an mich,
Und ich will's nicht leiden.«
Röslein, Röslein, Röslein rot,
Röslein auf der Heiden.

Und der wilde Knabe brach
's Röslein auf der Heiden;
Röslein wehrte sich und stach,
Half ihm doch kein Weh und Ach,
Mußt' es eben leiden.
Röslein, Röslein, Röslein rot,
Röslein auf der Heiden.

102 *Willkommen und Abschied*

ES schlug mein Herz, geschwind zu Pferde!
Es war getan fast eh' gedacht;
Der Abend wiegte schon die Erde,
Und an den Bergen hing die Nacht:
Schon stand im Nebelkleid die Eiche
Ein aufgetürmter Riese da,
Wo Finsternis aus dem Gesträuche
Mit hundert schwarzen Augen sah.

Der Mond von einem Wolkenhügel
Sah kläglich aus dem Duft hervor;
Die Winde schwangen leise Flügel,
Umsausten schauerlich mein Ohr;
Die Nacht schuf tausend Ungeheuer,
Doch frisch und fröhlich war mein Mut:
In meinen Adern welches Feuer!
In meinem Herzen welche Glut!

Dich sah ich, und die milde Freude
Floß von dem süßen Blick auf mich;
Ganz war mein Herz an deiner Seite,
Und jeder Atemzug für dich.
Ein rosenfarbnes Frühlingswetter
Umgab das liebliche Gesicht,
Und Zärtlichkeit für mich — ihr Götter!
Ich hofft' es, ich verdient' es nicht!

Doch ach, schon mit der Morgensonne
Verengt der Abschied mir das Herz:
In deinen Küssen welche Wonne!
In deinem Auge welcher Schmerz!

Ich ging, du standst und sahst zur Erden
Und sahst mir nach mit nassem Blick :
Und doch, welch Glück, geliebt zu werden !
Und lieben, Götter, welch ein Glück !

103   *Mit einem gemalten Band*

KLEINE Blumen, kleine Blätter
Streuen mir mit leichter Hand
Gute junge Frühlingsgötter
Tändelnd auf ein luftig Band.

Zephyr, nimm's auf deine Flügel,
Schling's um meiner Liebsten Kleid !
Und so tritt sie vor den Spiegel
All in ihrer Munterkeit.

Sieht mit Rosen sich umgeben,
Selbst wie eine Rose jung.
Einen Blick, geliebtes Leben !
Und ich bin belohnt genung.

Fühle, was dies Herz empfindet,
Reiche frei mir deine Hand,
Und das Band, das uns verbindet,
Sei kein schwaches Rosenband !

104   *Mailied*

WIE herrlich leuchtet
Mir die Natur !
Wie glänzt die Sonne !
Wie lacht die Flur !

Es dringen Blüten
Aus jedem Zweig
Und tausend Stimmen
Aus dem Gesträuch,

E 3   105

Und Freud' und Wonne
Aus jeder Brust.
O Erd', o Sonne!
O Glück, o Lust!

O Lieb', o Liebe!
So golden schön,
Wie Morgenwolken
Auf jenen Höhn!

Du segnest herrlich
Das frische Feld,
Im Blütendampfe
Die volle Welt.

O Mädchen, Mädchen,
Wie lieb' ich dich!
Wie blickt dein Auge!
Wie liebst du mich!

So liebt die Lerche
Gesang und Luft,
Und Morgenblumen
Den Himmelsduft,

Wie ich dich liebe
Mit warmem Blut,
Die du mir Jugend
Und Freud' und Mut

Zu neuen Liedern
Und Tänzen gibst.
Sei ewig glücklich,
Wie du mich liebst!

105   *Das Veilchen*

EIN Veilchen auf der Wiese stand
Gebückt in sich und unbekannt;
Es war ein herzigs Veilchen.
Da kam eine junge Schäferin
Mit leichtem Schritt und munterm Sinn
Daher, daher,
Die Wiese her und sang.

»Ach,« denkt das Veilchen, »wär' ich nur
Die schönste Blume der Natur,
Ach, nur ein kleines Weilchen,
Bis mich das Liebchen abgepflückt
Und an dem Busen matt gedrückt!
Ach nur, ach nur
Ein Viertelstündchen lang!«

Ach! aber ach! das Mädchen kam
Und nicht in acht das Veilchen nahm,
Ertrat das arme Veilchen.
Es sank und starb und freut' sich noch:
»Und sterb' ich denn, so sterb' ich doch
Durch sie, durch sie,
Zu ihren Füßen doch.«

106   *Der König in Thule*

ES war ein König in Thule,
Gar treu bis an das Grab,
Dem sterbend seine Buhle
Einen goldnen Becher gab.

Es ging ihm nichts darüber,
Er leert' ihn jeden Schmaus;
Die Augen gingen ihm über,
So oft er trank daraus.

Und als er kam zu sterben,
Zählt' er seine Städt' im Reich,
Gönnt' alles seinem Erben,
Den Becher nicht zugleich.

Er saß beim Königsmahle,
Die Ritter um ihn her,
Auf hohem Vätersaale
Dort auf dem Schloß am Meer.

Dort stand der alte Zecher,
Trank letzte Lebensglut
Und warf den heil'gen Becher
Hinunter in die Flut.

Er sah ihn stürzen, trinken
Und sinken tief ins Meer.
Die Augen täten ihm sinken;
Trank nie einen Tropfen mehr.

107   *Meine Ruh ist hin*

Meine Ruh ist hin,
Mein Herz ist schwer;
Ich finde sie nimmer
Und nimmermehr.

Wo ich ihn nicht hab',
Ist mir das Grab,
Die ganze Welt
Ist mir vergällt.

Mein armer Kopf
Ist mir verrückt,
Mein armer Sinn
Ist mir zerstückt.

Meine Ruh ist hin,
Mein Herz ist schwer;
Ich finde sie nimmer
Und nimmermehr.

Nach ihm nur schau' ich
Zum Fenster hinaus,
Nach ihm nur geh' ich
Aus dem Haus.

Sein hoher Gang,
Sein' edle Gestalt,
Seines Mundes Lächeln,
Seiner Augen Gewalt,

Und seiner Rede
Zauberfluß,
Sein Händedruck,
Und ach, sein Kuß!

Meine Ruh ist hin,
Mein Herz ist schwer;
Ich finde sie nimmer
Und nimmermehr.

Mein Busen drängt
Sich nach ihm hin;
Ach dürft' ich fassen
Und halten ihn

Und küssen ihn,
So wie ich wollt',
An seinen Küssen
Vergehen sollt'!

108   *Neue Liebe, neues Leben*

HERZ, mein Herz, was soll das geben?
Was bedränget dich so sehr?
Welch ein fremdes, neues Leben!
Ich erkenne dich nicht mehr.
Weg ist alles, was du liebtest,
Weg warum du dich betrübtest,
Weg dein Fleiß und deine Ruh —
Ach, wie kamst du nur dazu!

Fesselt dich die Jugendblüte,
Diese liebliche Gestalt,
Dieser Blick voll Treu' und Güte
Mit unendlicher Gewalt?
Will ich rasch mich ihr entziehen,
Mich ermannen, ihr entfliehen,
Führet mich im Augenblick,
Ach, mein Weg zu ihr zurück.

Und an diesem Zauberfädchen,
Das sich nicht zerreißen läßt,
Hält das liebe, lose Mädchen
Mich so wider Willen fest;
Muß in ihrem Zauberkreise
Leben nun auf ihre Weise.
Die Verändrung, ach wie groß!
Liebe! Liebe! laß mich los!

109   *Freudvoll und leidvoll*

FREUDVOLL
Und leidvoll,
Gedankenvoll sein;
Langen
Und bangen
In schwebender Pein;
Himmelhoch jauchzend,
Zum Tode betrübt;
Glücklich allein
Ist die Seele, die liebt.

110   *Jägers Abendlied*

IM Felde schleich' ich still und wild,
Gespannt mein Feuerrohr.
Da schwebt so licht dein liebes Bild,
Dein süßes Bild mir vor.

Du wandelst jetzt wohl still und mild
Durch Feld und liebes Tal,
Und ach, mein schnell verrauschend Bild,
Stellt sich dir's nicht einmal?

Des Menschen, der die Welt durchstreift
Voll Unmuth und Verdruß,
Nach Osten und nach Westen schweift,
Weil er dich lassen muß.

Mir ist es, denk' ich nur an dich,
Als in den Mond zu sehn;
Ein stiller Friede kommt auf mich,
Weiß nicht, wie mir geschehn.

111   *Wandrers Nachtlied*

DER du von dem Himmel bist,
Alles Leid und Schmerzen stillest,
Den, der doppelt elend ist,
Doppelt mit Erquickung füllest,
Ach, ich bin des Treibens müde !
Was soll all der Schmerz und Lust ?
Süßer Friede,
Komm, ach komm in meine Brust !

112   *Rastlose Liebe*

DEM Schnee, dem Regen,
Dem Wind entgegen,
Im Dampf der Klüfte,
Durch Nebeldüfte,
Immer zu ! Immer zu !
Ohne Rast und Ruh !

Lieber durch Leiden
Möcht' ich mich schlagen,
Als so viel Freuden
Des Lebens ertragen.
Alle das Neigen
Von Herzen zu Herzen,
Ach, wie so eigen
Schaffet das Schmerzen !

Wie, soll ich fliehen ?
Wälderwärts ziehen ?
Alles vergebens !
Krone des Lebens,
Glück ohne Ruh,
Liebe, bist du !

113   *Beherzigung*

FEIGER Gedanken
Bängliches Schwanken,
Weibisches Zagen,
Ängstliches Klagen
Wendet kein Elend,
Macht dich nicht frei.

Allen Gewalten
Zum Trutz sich erhalten,
Nimmer sich beugen,
Kräftig sich zeigen,
Rufet die Arme
Der Götter herbei.

114   *An den Mond*

FÜLLEST wieder Busch und Tal
Still mit Nebelglanz,
Lösest endlich auch einmal
Meine Seele ganz;

Breitest über mein Gefild
Lindernd deinen Blick,
Wie des Freundes Auge mild
Über mein Geschick.

Jeden Nachklang fühlt mein Herz
Froh- und trüber Zeit,
Wandle zwischen Freud' und Schmerz
In der Einsamkeit.

Fließe, fließe, lieber Fluß!
Nimmer werd' ich froh;
So verrauschte Scherz und Kuß
Und die Treue so.

Ich besaß es doch einmal,
Was so köstlich ist!
Daß man doch zu seiner Qual
Nimmer es vergißt!

Rausche, Fluß, das Tal entlang,
Ohne Rast und Ruh,
Rausche, flüstre meinem Sang
Melodien zu,

Wenn du in der Winternacht
Wütend überschwillst,
Oder um die Frühlingspracht
Junger Knospen quillst.

Selig, wer sich vor der Welt
Ohne Haß verschließt,
Einen Freund am Busen hält
Und mit dem genießt,

Was, von Menschen nicht gewußt
Oder nicht bedacht,
Durch das Labyrinth der Brust
Wandelt in der Nacht.

115   *Der Fischer*

DAS Wasser rauscht', das Wasser schwoll,
Ein Fischer saß daran,
Sah nach dem Angel ruhevoll,
Kühl bis ans Herz hinan.
Und wie er sitzt und wie er lauscht,
Teilt sich die Flut empor;
Aus dem bewegten Wasser rauscht
Ein feuchtes Weib hervor.

Sie sang zu ihm, sie sprach zu ihm:
» Was lockst du meine Brut
Mit Menschenwitz und Menschenlist
Hinauf in Todesglut?
Ach wüßtest du, wie's Fischlein ist
So wohlig auf dem Grund,
Du stiegst herunter, wie du bist,
Und würdest erst gesund.

Labt sich die liebe Sonne nicht,
Der Mond sich nicht im Meer?
Kehrt wellenatmend ihr Gesicht
Nicht doppelt schöner her?
Lockt dich der tiefe Himmel nicht.
Das feuchtverklärte Blau?
Lockt dich dein eigen Angesicht
Nicht her in ew'gen Tau? «

Das Wasser rauscht', das Wasser schwoll,
Netzt' ihm den nackten Fuß;
Sein Herz wuchs ihm so sehnsuchtsvoll
Wie bei der Liebsten Gruß.
Sie sprach zu ihm, sie sang zu ihm;
Da war's um ihn geschehn:
Halb zog sie ihn, halb sank er hin
Und ward nicht mehr gesehn.

116   Gesang der Geister über den Wassern

DES Menschen Seele
Gleicht dem Wasser:
Vom Himmel kommt es,
Zum Himmel steigt es,
Und wieder nieder
Zur Erde muß es,
Ewig wechselnd.

Strömt von der hohen
Steilen Felswand
Der reine Strahl,
Dann stäubt er lieblich
In Wolkenwellen
Zum glatten Fels,
Und leicht empfangen
Wallt er verschleiernd,
Leisrauschend,
Zur Tiefe nieder.

Ragen Klippen
Dem Sturz entgegen,
Schäumt er unmutig
Stufenweise
Zum Abgrund.

Im flachen Bette
Schleicht er das Wiesental hin,
Und in dem glatten See
Weiden ihr Antlitz
Alle Gestirne.

Wind ist der Welle
Lieblicher Buhler;
Wind mischt vom Grund aus
Schäumende Wogen.

Seele des Menschen,
Wie gleichst du dem Wasser!
Schicksal des Menschen,
Wie gleichst du dem Wind!

117 *Wandrers Nachtlied*

ÜBER allen Gipfeln
Ist Ruh,
In allen Wipfeln
Spürest du
Kaum einen Hauch;
Die Vögelein schweigen im Walde.
Warte nur, balde
Ruhest du auch.

118 *Meine Göttin*

WELCHER Unsterblichen
Soll der höchste Preis sein?
Mit niemand streit' ich,
Aber ich geb' ihn
Der ewig beweglichen,
Immer neuen,
Seltsamen Tochter Jovis,
Seinem Schoßkinde,
Der Phantasie.

Denn ihr hat er
Alle Launen,
Die er sonst nur allein
Sich vorbehält,
Zugestanden
Und hat seine Freude
An der Törin.

Sie mag rosenbekränzt
Mit dem Lilienstengel
Blumentäler betreten,
Sommervögeln gebieten
Und leichtnährenden Tau
Mit Bienenlippen
Von Blüten saugen;

Oder sie mag
Mit fliegendem Haar
Und düsterm Blicke
Im Winde sausen
Um Felsenwände,
Und tausendfarbig
Wie Morgen und Abend,
Immer wechselnd
Wie Mondesblicke,
Den Sterblichen scheinen.

Laßt uns alle
Den Vater preisen,
Den alten, hohen,
Der solch eine schöne
Unverwelkliche Gattin
Dem sterblichen Menschen
Gesellen mögen!

Denn uns allein
Hat er sie verbunden
Mit Himmelsband
Und ihr geboten,
In Freud' und Elend
Als treue Gattin
Nicht zu entweichen.

Alle die andern
Armen Geschlechter
Der kinderreichen
Lebendigen Erde
Wandeln und weiden
In dunkelm Genuß
Und trüben Schmerzen
Des augenblicklichen
Beschränkten Lebens,
Gebeugt vom Joche
Der Notdurft.

Uns aber hat er
Seine gewandteste
Verzärtelte Tochter,
Freut euch! gegönnt.
Begegnet ihr lieblich,
Wie einer Geliebten!
Laßt ihr die Würde
Der Frauen im Haus!

Und daß die alte
Schwiegermutter Weisheit
Das zarte Seelchen
Ja nicht beleid'ge!

Doch kenn' ich ihre Schwester,
Die ältere, gesetztere,
Meine stille Freundin:
O, daß die erst
Mit dem Lichte des Lebens
Sich von mir wende,
Die edle Treiberin,
Trösterin, Hoffnung!

119 *Erlkönig*

WER reitet so spät durch Nacht und Wind?
Es ist der Vater mit seinem Kind;
Er hat den Knaben wohl in dem Arm,
Er faßt ihn sicher, er hält ihn warm.

Mein Sohn, was birgst du so bang dein Gesicht? —
Siehst, Vater, du den Erlkönig nicht?
Den Erlenkönig mit Kron' und Schweif? —
Mein Sohn, es ist ein Nebelstreif. —

» Du liebes Kind, komm, geh mit mir!
Gar schöne Spiele spiel' ich mit dir,
Manch bunte Blumen sind an dem Strand,
Meine Mutter hat manch gülden Gewand.«

Mein Vater, mein Vater, und hörest du nicht,
Was Erlenkönig mir leise verspricht? —
Sei ruhig, bleibe ruhig, mein Kind:
In dürren Blättern säuselt der Wind. —

» Willst, feiner Knabe, du mit mir gehn?
Meine Töchter sollen dich warten schön;
Meine Töchter führen den nächtlichen Reihn
Und wiegen und tanzen und singen dich ein.«

Mein Vater, mein Vater, und siehst du nicht dort
Erlkönigs Töchter am düstern Ort? —
Mein Sohn, mein Sohn, ich seh' es genau:
Es scheinen die alten Weiden so grau. —

» Ich liebe dich, mich reizt deine schöne Gestalt;
Und bist du nicht willig, so brauch' ich Gewalt.«—
Mein Vater, mein Vater, jetzt faßt er mich an!
Erlkönig hat mir ein Leids getan! —

Dem Vater grauset's, er reitet geschwind,
Er hält in Armen das ächzende Kind,
Erreicht den Hof mit Mühe und Not;
In seinen Armen das Kind war tot.

120 *Grenzen der Menschheit*

WENN der uralte
Heilige Vater
Mit gelassener Hand
Aus rollenden Wolken
Segnende Blitze
Über die Erde sät,
Küss' ich den letzten
Saum seines Kleides,
Kindliche Schauer
Treu in der Brust.

Denn mit Göttern
Soll sich nicht messen
Irgend ein Mensch.
Hebt er sich aufwärts
Und berührt
Mit dem Scheitel die Sterne,

Nirgends haften dann
Die unsichern Sohlen,
Und mit ihm spielen
Wolken und Winde.

Steht er mit festen
Markigen Knochen
Auf der wohlgegründeten
Dauernden Erde ;
Reicht er nicht auf,
Nur mit der Eiche
Oder der Rebe
Sich zu vergleichen.

Was unterscheidet
Götter von Menschen ?
Daß viele Wellen
Vor jenen wandeln,
Ein ewiger Strom :
Uns hebt die Welle,
Verschlingt die Welle,
Und wir versinken.

Ein kleiner Ring
Begrenzt unser Leben,
Und viele Geschlechter
Reihen sich dauernd
An ihres Daseins
Unendliche Kette.

Das Göttliche

121

EDEL sei der Mensch,
Hilfreich und gut !
Denn das allein
Unterscheidet ihn
Von allen Wesen,
Die wir kennen.

Heil den unbekannten
Höhern Wesen,
Die wir ahnen !
Ihnen gleiche der Mensch ;
Sein Beispiel lehr' uns
Jene glauben.

Denn unfühlend
Ist die Natur :
Es leuchtet die Sonne
Über Bös' und Gute,
Und dem Verbrecher
Glänzen, wie dem Besten,
Der Mond und die Sterne.

Wind und Ströme,
Donner und Hagel
Rauschen ihren Weg
Und ergreifen,
Vorüber eilend,
Einen um den andern.

Auch so das Glück
Tappt unter die Menge,
Faßt bald des Knaben
Lockige Unschuld,
Bald auch den kahlen
Schuldigen Scheitel.

Nach ewigen, ehrnen,
Großen Gesetzen
Müssen wir alle
Unseres Daseins
Kreise vollenden.

Nur allein der Mensch
Vermag das Unmögliche:
Er unterscheidet,
Wählet und richtet;
Er kann dem Augenblick
Dauer verleihen.

Er allein darf
Den Guten lohnen,
Den Bösen strafen,
Heilen und retten,
Alles Irrende, Schweifende
Nützlich verbinden.

Und wir verehren
Die Unsterblichen,
Als wären sie Menschen,
Täten im großen,
Was der Beste im kleinen
Tut oder möchte.

Der edle Mensch
Sei hilfreich und gut !
Unermüdet schaff' er
Das Nützliche, Rechte,
Sei uns ein Vorbild
Jener geahneten Wesen !

122   *Der Sänger*

» WAS hör' ich draußen vor dem Tor,
    Was auf der Brücke schallen ?
Laß den Gesang vor unserm Ohr
Im Saale widerhallen ! «
Der König sprach's, der Page lief ;
Der Knabe kam, der König rief :
» Laßt mir herein den Alten ! «

» Gegrüßet seid mir, edle Herrn,
Gegrüßt ihr, schöne Damen !
Welch reicher Himmel !   Stern bei Stern !
Wer kennet ihre Namen ?
Im Saal voll Pracht und Herrlichkeit
Schließt, Augen, euch ; hier ist nicht Zeit
Sich staunend zu ergötzen. «

Der Sänger drückt' die Augen ein
Und schlug in vollen Tönen ;
Die Ritter schauten mutig drein,
Und in den Schoß die Schönen.
Der König, dem das Lied gefiel,
Ließ, ihn zu ehren für sein Spiel,
Eine goldne Kette holen.

»Die goldne Kette gib mir nicht,
Die Kette gib den Rittern,
Vor deren kühnem Angesicht
Der Feinde Lanzen splittern;
Gib sie dem Kanzler, den du hast,
Und laß ihn noch die goldne Last
Zu andern Lasten tragen.

Ich singe, wie der Vogel singt,
Der in den Zweigen wohnet;
Das Lied, das aus der Kehle dringt,
Ist Lohn, der reichlich lohnet.
Doch darf ich bitten, bitt' ich eins:
Laß mir den besten Becher Weins
In purem Golde reichen.«

Er setzt' ihn an, er trank ihn aus:
»O Trank voll süßer Labe!
O wohl dem hochbeglückten Haus,
Wo das ist kleine Gabe!
Ergeht's euch wohl, so denkt an mich,
Und danket Gott so warm, als ich
Für diesen Trunk euch danke.«

123   *Mignons Lieder*

i

KENNST du das Land, wo die Zitronen blühn,
Im dunkeln Laub die Gold-Orangen glühn,
Ein sanfter Wind vom blauen Himmel weht,
Die Myrte still und hoch der Lorbeer steht?
Kennst du es wohl? — Dahin! Dahin
Möcht' ich mit dir, o mein Geliebter, ziehn.

JOHANN WOLFGANG VON GOETHE

Kennst du das Haus? Auf Säulen ruht sein Dach,
Es glänzt der Saal, es schimmert das Gemach,
Und Marmorbilder stehn und sehn mich an:
Was hat man dir, du armes Kind, getan?
Kennst du es wohl? — Dahin! Dahin
Möcht' ich mit dir, o mein Beschützer, ziehn.

Kennst du den Berg und seinen Wolkensteg?
Das Maultier sucht im Nebel seinen Weg;
In Höhlen wohnt der Drachen alte Brut;
Es stürzt der Fels und über ihn die Flut.
Kennst du ihn wohl? — Dahin! Dahin
Geht unser Weg! o Vater, laß uns ziehn!

NUR wer die Sehnsucht kennt,
   Weiß, was ich leide!
Allein und abgetrennt
Von aller Freude
Seh' ich ans Firmament
Nach jener Seite.
Ach! der mich liebt und kennt,
Ist in der Weite.
Es schwindelt mir, es brennt
Mein Eingeweide.
Nur wer die Sehnsucht kennt,
   Weiß, was ich leide!

125 *Lied des Harfners*

WER nie sein Brot mit Tränen aß,
   Wer nie die kummervollen Nächte
Auf seinem Bette weinend saß,
Der kennt euch nicht, ihr himmlischen Mächte.

Ihr führt ins Leben uns hinein,
Ihr laßt den Armen schuldig werden,
Dann überlaßt ihr ihn der Pein ;
Denn alle Schuld rächt sich auf Erden.

Ihm färbt der Morgensonne Licht
Den reinen Horizont mit Flammen,
Und über seinem schuld'gen Haupte bricht
Das schöne Bild der ganzen Welt zusammen.

126 *Gesang der Parzen*

ES fürchte die Götter
   Das Menschengeschlecht !
Sie halten die Herrschaft
In ewigen Händen
Und können sie brauchen,
Wie's ihnen gefällt.

Der fürchte sie doppelt,
Den je sie erheben !
Auf Klippen und Wolken
Sind Stühle bereitet
Um goldene Tische.

Erhebet ein Zwist sich,
So stürzen die Gäste,
Geschmäht und geschändet,
In nächtliche Tiefen
Und harren vergebens,
Im Finstern gebunden,
Gerechten Gerichtes.

Sie aber, sie bleiben
In ewigen Festen
An goldenen Tischen.
Sie schreiten vom Berge
Zu Bergen hinüber:
Aus Schlünden der Tiefe
Dampft ihnen der Atem
Erstickter Titanen,
Gleich Opfergerüchen,
Ein leichtes Gewölke.

Es wenden die Herrscher
Ihr segnendes Auge
Von ganzen Geschlechtern
Und meiden, im Enkel
Die ehmals geliebten,
Still redenden Züge
Des Ahnherrn zu sehn.

. . .

So sangen die Parzen.
Es horcht der Verbannte
In nächtlichen Höhlen,
Der Alte, die Lieder,
Denkt Kinder und Enkel
Und schüttelt das Haupt.

127   *Meeres Stille, Glückliche Fahrt*

TIEFE Stille herrscht im Wasser,
  Ohne Regung ruht das Meer,
Und bekümmert sieht der Schiffer
Glatte Fläche rings umher.
Keine Luft von keiner Seite!
Todesstille fürchterlich!
In der ungeheuern Weite
Reget keine Welle sich.

. . .

Die Nebel zerreißen,
Der Himmel ist helle,
Und Äolus löset
Das ängstliche Band.
Es säuseln die Winde,
Es rührt sich der Schiffer.
Geschwinde! Geschwinde!
Es teilt sich die Welle,
Es naht sich die Ferne;
Schon seh' ich das Land!

128   *Nähe des Geliebten*

ICH denke dein, wenn mir der Sonne Schimmer
    Vom Meere strahlt;
Ich denke dein, wenn sich des Mondes Flimmer
    In Quellen malt.

Ich sehe dich, wenn auf dem fernen Wege
    Der Staub sich hebt;
In tiefer Nacht, wenn auf dem schmalen Stege
    Der Wandrer bebt.

Ich höre dich, wenn dort in dumpfem Rauschen
    Die Welle steigt.
Im stillen Haine geh' ich oft zu lauschen,
    Wenn alles schweigt.

Ich bin bei dir, du seist auch noch so ferne,
    Du bist mir nah!
Die Sonne sinkt, bald leuchten mir die Sterne.
    O wärst du da!

129   *Der Schatzgräber*

ARM am Beutel, krank am Herzen
Schleppt' ich meine langen Tage.
Armut ist die größte Plage,
Reichtum ist das höchste Gut!
Und zu enden meine Schmerzen,
Ging ich einen Schatz zu graben.
»Meine Seele sollst du haben!«
Schrieb ich hin mit eignem Blut.

Und so zog ich Kreis' um Kreise,
Stellte wunderbare Flammen,
Kraut und Knochenwerk zusammen:
Die Beschwörung war vollbracht.
Und auf die gelernte Weise
Grub ich nach dem alten Schatze
Auf dem angezeigten Platze.
Schwarz und stürmisch war die Nacht.

Und ich sah ein Licht von weiten;
Und es kam gleich einem Sterne
Hinten aus der fernsten Ferne,
Eben als es zwölfe schlug.

Und da galt kein Vorbereiten.
Heller ward's mit einem Male
Von dem Glanz der vollen Schale,
Die ein schöner Knabe trug.

Holde Augen sah ich blinken
Unter dichtem Blumenkranze;
In des Trankes Himmelsglanze
Trat er in den Kreis herein.
Und er hieß mich freundlich trinken;
Und ich dacht': es kann der Knabe
Mit der schönen lichten Gabe
Wahrlich nicht der Böse sein.

»Trinke Mut des reinen Lebens!
Dann verstehst du die Belehrung,
Kommst mit ängstlicher Beschwörung
Nicht zurück an diesen Ort.
Grabe hier nicht mehr vergebens!
Tages Arbeit, abends Gäste!
Saure Wochen, frohe Feste!
Sei dein künftig Zauberwort.«

130   *Legende vom Hufeisen*

ALS noch, verkannt und sehr gering,
Unser Herr auf der Erde ging
Und viele Jünger sich zu ihm fanden,
Die sehr selten sein Wort verstanden,
Liebt' er sich gar über die Maßen
Seinen Hof zu halten auf der Straßen,
Weil unter des Himmels Angesicht
Man immer besser und freier spricht.
Er ließ sie da die höchsten Lehren
Aus seinem heiligen Munde hören;

Besonders durch Gleichnis und Exempel
Macht' er einen jeden Markt zum Tempel.

So schlendert' er in Geistesruh
Mit ihnen einst einem Städtchen zu,
Sah etwas blinken auf der Straß',
Das ein zerbrochen Hufeisen was.
Er sagte zu Sankt Peter drauf:
»Heb doch einmal das Eisen auf!«
Sankt Peter war nicht aufgeräumt,
Er hatte soeben im Gehen geträumt,
So was vom Regiment der Welt,
Was einem jeden wohlgefällt;
Denn im Kopf hat das keine Schranken;
Das waren so seine liebsten Gedanken.
Nun war der Fund ihm viel zu klein,
Hätte müssen Kron' und Scepter sein;
Aber wie sollt' er seinen Rücken
Nach einem halben Hufeisen bücken?
Er also sich zur Seite kehrt
Und tut, als hätt' er's nicht gehört.
Der Herr nach seiner Langmut drauf
Hebt selber das Hufeisen auf
Und tut auch weiter nicht dergleichen.
Als sie nun bald die Stadt erreichen,
Geht er vor eines Schmiedes Tür,
Nimmt von dem Mann drei Pfennig dafür.
Und als sie über den Markt nun gehen,
Sieht er daselbst schöne Kirschen stehen,
Kauft ihrer so wenig oder so viel,
Als man für einen Dreier geben will,
Die er sodann nach seiner Art
Ruhig im Ärmel auf bewahrt.

133

Nun ging's zum andern Tor hinaus,
Durch Wies' und Felder ohne Haus,
Auch war der Weg von Bäumen bloß;
Die Sonne schien, die Hitz' war groß,
So daß man viel an solcher Stätt'
Für einen Trunk Wasser gegeben hätt'.
Der Herr geht immer voraus vor allen,
Läßt unversehens eine Kirsche fallen.
Sankt Peter war gleich dahinter her,
Als wenn es ein goldner Apfel wär';
Das Beerlein schmeckte seinem Gaum.
Der Herr nach einem kleinen Raum
Ein ander Kirschlein zur Erde schickt,
Wonach Sankt Peter schnell sich bückt.
So läßt der Herr ihn seinen Rücken
Gar vielmal nach den Kirschen bücken.
Das dauert eine ganze Zeit.
Dann sprach der Herr mit Heiterkeit:
»Tätst du zur rechten Zeit dich regen,
Hättst du's bequemer haben mögen.
Wer geringe Ding' wenig acht't,
Sich um geringere Mühe macht.«

131   *Der Zauberlehrling*

HAT der alte Hexenmeister
Sich doch einmal wegbegeben!
Und nun sollen seine Geister
Auch nach meinem Willen leben.
Seine Wort' und Werke
Merkt' ich und den Brauch,
Und mit Geistesstärke
Tu' ich Wunder auch.

> Walle! walle
> Manche Strecke,
> Daß zum Zwecke
> Wasser fließe
> Und mit reichem, vollem Schwalle
> Zu dem Bade sich ergieße.

Und nun komm, du alter Besen!
Nimm die schlechten Lumpenhüllen!
Bist schon lange Knecht gewesen;
Nun erfülle meinen Willen!
Auf zwei Beinen stehe,
Oben sei ein Kopf,
Eile nun und gehe
Mit dem Wassertopf!

> Walle! walle
> Manche Strecke,
> Daß zum Zwecke
> Wasser fließe
> Und mit reichem vollem Schwalle
> Zu dem Bade sich ergieße.

Seht, er läuft zum Ufer nieder;
Wahrlich! ist schon an dem Flusse,
Und mit Blitzesschnelle wieder
Ist er hier mit raschem Gusse.
Schon zum zweiten Male!
Wie das Becken schwillt!
Wie sich jede Schale
Voll mit Wasser füllt!

> Stehe! stehe!
> Denn wir haben
> Deiner Gaben

Vollgemessen! —
Ach, ich merk' es! Wehe! Wehe!
Hab' ich doch das Wort vergessen!

Ach das Wort, worauf am Ende
Er das wird, was er gewesen.
Ach, er läuft und bringt behende!
Wärst du doch der alte Besen!
Immer neue Güsse
Bringt er schnell herein,
Ach! und hundert Flüsse
Stürzen auf mich ein.

Nein, nicht länger
Kann ich's lassen,
Will ihn fassen.
Das ist Tücke!
Ach! nun wird mir immer bänger!
Welche Miene! welche Blicke!

O, du Ausgeburt der Hölle!
Soll das ganze Haus ersaufen?
Seh' ich über jede Schwelle
Doch schon Wasserströme laufen.
Ein verruchter Besen,
Der nicht hören will!
Stock, der du gewesen,
Steh doch wieder still!

Willst's am Ende
Gar nicht lassen?
Will dich fassen,
Will dich halten
Und das alte Holz behende
Mit dem scharfen Beile spalten.

Seht, da kommt er schleppend wieder!
Wie ich mich nur auf dich werfe,
Gleich, o Kobold, liegst du nieder;
Krachend trifft die glatte Schärfe.
Wahrlich! brav getroffen!
Seht, er ist entzwei!
Und nun kann ich hoffen,
Und ich atme frei!

  Wehe! wehe!
  Beide Teile
  Stehn in Eile
  Schon als Knechte
  Völlig fertig in die Höhe!
  Helft mir, ach! ihr hohen Mächte!

Und sie laufen! Naß und nässer
Wird's im Saal und auf den Stufen.
Welch entsetzliches Gewässer!
Herr und Meister! hör mich rufen! —
Ach, da kommt der Meister!
Herr, die Not ist groß!
Die ich rief, die Geister,
Werd' ich nun nicht los.

  »In die Ecke,
  Besen! Besen!
  Seid's gewesen!
  Denn als Geister
  Ruft euch nur zu seinem Zwecke
  Erst hervor der alte Meister.«

132 *Schäfers Klagelied*

DA droben auf jenem Berge
Da steh' ich tausendmal,
An meinem Stabe gebogen,
Und schaue hinab in das Tal.

Dann folg' ich der weidenden Herde,
Mein Hündchen bewahret mir sie.
Ich bin herunter gekommen
Und weiß doch selber nicht wie.

Da stehet von schönen Blumen
Die ganze Wiese so voll.
Ich breche sie, ohne zu wissen,
Wem ich sie geben soll.

Und Regen, Sturm und Gewitter
Verpass' ich unter dem Baum.
Die Türe dort bleibet verschlossen;
Doch alles ist leider ein Traum.

Es stehet ein Regenbogen
Wohl über jenem Haus!
Sie aber ist weggezogen
Und weit in das Land hinaus.

Hinaus in das Land und weiter,
Vielleicht gar über die See.
Vorüber, ihr Schafe, vorüber!
Dem Schäfer ist gar so weh.

133   *Gefunden*

ICH ging im Walde
So für mich hin,
Und nichts zu suchen,
Das war mein Sinn.

Im Schatten sah ich
Ein Blümchen stehn,
Wie Sterne leuchtend,
Wie Äuglein schön.

Ich wollt' es brechen,
Da sagt' es fein:
Soll ich zum Welken
Gebrochen sein?

Ich grub's mit allen
Den Würzlein aus,
Zum Garten trug ich's
Am hübschen Haus

Und pflanzt' es wieder
Am stillen Ort;
Nun zweigt es immer
Und blüht so fort.

134   *An vollen Büschelzweigen*

AN vollen Büschelzweigen,
Geliebte, sieh nur hin!
Laß dir die Früchte zeigen
Umschalet stachlig grün.

Sie hängen längst geballet,
Still, unbekannt mit sich;
Ein Ast, der schaukelnd wallet,
Wiegt sie geduldiglich.

Doch immer reift von innen
Und schwillt der braune Kern,
Er möchte Luft gewinnen
Und säh' die Sonne gern.

Die Schale platzt und nieder
Macht er sich freudig los;
So fallen meine Lieder
Gehäuft in deinen Schoß.

135   *Lied des Türmers*

ZUM Sehen geboren,
Zum Schauen bestellt,
Dem Turme geschworen,
Gefällt mir die Welt.
Ich blick' in die Ferne,
Ich seh' in der Näh'
Den Mond und die Sterne,
Den Wald und das Reh.
So seh' ich in allen
Die ewige Zier,
Und wie mir's gefallen,
Gefall' ich auch mir.
Ihr glücklichen Augen,
Was je ihr gesehn,
Es sei wie es wolle,
Es war doch so schön!

136   *Sprüche*

i

GOTTES ist der Orient !
Gottes ist der Occident !
Nord- und südliches Gelände
Ruht im Frieden seiner Hände.

ii

Wär' nicht das Auge sonnenhaft,
Die Sonne könnt' es nie erblicken ;
Läg' nicht in uns des Gottes eigne Kraft,
Wie könnt' uns Göttliches entzücken ?

iii

Was wär' ein Gott, der nur von außen stieße,
Im Kreis das All am Finger laufen ließe ?
Ihm ziemt's, die Welt im Innern zu bewegen,
Natur in Sich, Sich in Natur zu hegen,
So daß, was in Ihm lebt und webt und ist,
Nie Seine Kraft, nie Seinen Geist vermißt.

iv

Nichts vom Vergänglichen,
Wie's auch geschah !
Uns zu verewigen
Sind wir ja da.

v

Kein Wesen kann zu nichts zerfallen !
Das Ew'ge regt sich fort in allen,
Am Sein erhalte dich beglückt !
Das Sein ist ewig : denn Gesetze
Bewahren die lebend'gen Schätze,
Aus welchen sich das All geschmückt.

vi

Willst du ins Unendliche schreiten,
Geh nur im Endlichen nach allen Seiten.

vii

Willst du dich am Ganzen erquicken,
So mußt du das Ganze im Kleinsten erblicken.

viii

Willst du immer weiter schweifen?
Sieh, das Gute liegt so nah.
Lerne nur das Glück ergreifen,
Denn das Glück ist immer da.

ix

Wie fruchtbar ist der kleinste Kreis,
Wenn man ihn wohl zu pflegen weiß!

x

Zwischen heut und morgen
Liegt eine lange Frist;
Lerne schnell besorgen,
Da du noch munter bist.

xi

Liegt dir Gestern klar und offen,
Wirkst du heute kräftig frei,
Kannst auch auf ein Morgen hoffen,
Das nicht minder glücklich sei.

xii

Tue nur das Rechte in deinen Sachen;
Das andre wird sich von selber machen.

xiii

Eines schickt sich nicht für alle.
Sehe jeder, wie er's treibe,
Sehe jeder, wo er bleibe,
Und wer steht, daß er nicht falle!

xiv

Es ließe sich alles trefflich schlichten,
Könnte man die Sachen zweimal verrichten.

xv

Entzwei' und gebiete! Tüchtig Wort.
Verein' und leite! Beßrer Hort.

xvi

Wer mit dem Leben spielt,
Kommt nie zurecht;
Wer sich nicht selbst befiehlt,
Bleibt immer Knecht.

xvii

Wer ist ein unbrauchbarer Mann?
Der nicht befehlen und auch nicht gehorchen kann.

xviii

Mann mit zugeknöpften Taschen,
Dir tut niemand was zulieb:
Hand wird nur von Hand gewaschen —
Wenn du nehmen willst, so gib!

xix

Alles in der Welt läßt sich ertragen,
Nur nicht eine Reihe von schönen Tagen.

xx

Seh' ich die Werke der Meister an,
So seh' ich das, was sie getan ;
Betracht' ich meine Siebensachen,
Seh' ich, was ich hätt' sollen machen.

xxi

Vor den Wissenden sich stellen,
Sicher ist's in allen Fällen.
Wenn du lange dich gequälet,
Weiß er gleich, wo dir es fehlet ;
Auch auf Beifall darfst du hoffen,
Denn er weiß, wo du's getroffen.

xxii

Vergebens werden ungebundne Geister
Nach der Vollendung reiner Höhe streben.
Wer Großes will, muß sich zusammenraffen ;
In der Beschränkung zeigt sich erst der Meister,
Und das Gesetz nur kann uns Freiheit geben.

xxiii

Wie sich Verdienst und Glück verketten,
Das fällt den Toren niemals ein ;
Wenn sie den Stein der Weisen hätten,
Der Weise mangelte dem Stein.

xxiv

Das ist der Weisheit letzter Schluß :
Nur der verdient sich Freiheit wie das Leben,
Der täglich sie erobern muß.

FRIEDRICH VON SCHILLER

1759–1805

137   *Die Größe der Welt*

DIE der schaffende Geist einst aus dem Chaos schlug,
Durch die schwebende Welt flieg' ich des Windes Flug,
    Bis am Strande
    Ihrer Wogen ich lande,
Anker werf', wo kein Hauch mehr weht
Und der Markstein der Schöpfung steht.

Sterne sah ich bereits jugendlich auferstehn,
Tausendjährigen Gangs durchs Firmament zu gehn,
    Sah sie spielen
    Nach den lockenden Zielen;
Irrend suchte mein Blick umher,
Sah die Räume schon — sternenleer.

Anzufeuern den Flug weiter zum Reich des Nichts,
Steur' ich mutiger fort, nehme den Flug des Lichts,
    Neblicht trüber
    Himmel an mir vorüber,
Weltsysteme, Fluten im Bach,
Strudeln dem Sonnenwanderer nach.

Sieh, den einsamen Pfad wandelt ein Pilger mir
Rasch entgegen—: » Halt an! Waller, was suchst du
    hier?« —

Zum Gestade
Seiner Welt meine Pfade!
Segle hin, wo kein Hauch mehr weht
Und der Markstein der Schöpfung steht! —

» Steh! du segelst umsonst — vor dir Unendlichkeit!« —
Steh! du segelst umsonst — Pilger, auch hinter mir! —
Senke nieder,
Adlergedank', dein Gefieder!
Kühne Seglerin, Phantasie,
Wirf ein mutloses Anker hie!

138 *Die Schlacht*

SCHWER und dumpfig,
Eine Wetterwolke,
Durch die grüne Ebne schwankt der Marsch.
Zum wilden eisernen Würfelspiel
Streckt sich unabsehlich das Gefilde.
Blicke kriechen niederwärts,
An die Rippen pocht das Männerherz,
Vorüber an hohlen Totengesichtern
Niederjagt die Front der Major:
Halt!
Und Regimenter fesselt das starre Kommando.

Lautlos steht die Front.

Prächtig im glühenden Morgenrot
Was blickt dort her vom Gebirge?
Seht ihr des Feindes Fahnen wehn?
Wir sehn des Feindes Fahnen wehn,

Gott mit euch, Weib und Kinder!
Lustig! hört ihr den Gesang?
Trommelwirbel, Pfeifenklang
Schmettert durch die Glieder;
Wie braust es fort im schönen wilden Takt
Und braust durch Mark und Bein!

Gott befohlen, Brüder!
In einer andern Welt wieder!

Schon fleugt es fort wie Wetterleucht,
Dumpf brüllt der Donner schon dort,
Die Wimper zuckt, hier kracht er laut,
Die Losung braust von Heer zu Heer —
Laß brausen in Gottes Namen fort!
Freier schon atmet die Brust.

Der Tod ist los—schon wogt sich der Kampf
Eisern im wolkichten Pulverdampf,
Eisern fallen die Würfel.

Nah umarmen die Heere sich;
Fertig! heult's von Peloton zu Peloton.
Auf die Kniee geworfen
Feuern die Vordern, viele stehen nicht mehr auf,
Lücken reißt die streifende Kartätsche,
Auf Vormanns Rumpfe springt der Hintermann,
Verwüstung rechts und links und um und um,
Bataillone niederwälzt der Tod.

Die Sonne löscht aus, heiß brennt die Schlacht,
Schwarz brütet auf dem Heer die Nacht —
Gott befohlen, Brüder!
In einer andern Welt wieder!

Hoch spritzt an den Nacken das Blut,
Lebende wechseln mit Toten, der Fuß
Strauchelt über den Leichnamen.
»Und auch du, Franz?« — »Grüße mein Lottchen, Freund!«
Wilder immer wütet der Streit;
»Grüßen will ich« — Gott! Kameraden, seht!
Hinter uns wie die Kartätsche springt! —
»Grüßen will ich dein Lottchen, Freund!
Schlummre sanft! wo die Kugelsaat
Regnet, stürz' ich Verlaßner hinein.«

Hierher, dorthin schwankt die Schlacht,
Finstrer brütet auf dem Heer die Nacht —
Gott befohlen, Brüder!
In einer andern Welt wieder!

Horch! was strampft im Galopp vorbei?
Die Adjutanten fliegen,
Dragoner rasseln in den Feind,
Und seine Donner ruhen.
Viktoria, Brüder!
Schrecken reißt die feigen Glieder,
Und seine Fahne sinkt. —

Entschieden ist die scharfe Schlacht,
Der Tag blickt siegend durch die Nacht!
Horch! Trommelwirbel, Pfeifenklang
Stimmen schon Triumphgesang!
Lebt wohl, ihr gebliebenen Brüder!
In einer andern Welt wieder!

139 *An die Freude*

FREUDE, schöner Götterfunken,
 Tochter aus Elysium,
Wir betreten feuertrunken,
Himmlische, dein Heiligtum.
Deine Zauber binden wieder,
Was die Mode streng geteilt,
Alle Menschen werden Brüder,
Wo dein sanfter Flügel weilt.
  Seid umschlungen, Millionen!
  Diesen Kuß der ganzen Welt!
  Brüder — überm Sternenzelt
  Muß ein lieber Vater wohnen.

Wem der große Wurf gelungen,
Eines Freundes Freund zu sein,
Wer ein holdes Weib errungen,
Mische seinen Jubel ein!
Ja—wer auch nur *eine* Seele
Sein nennt auf dem Erdenrund!
Und wer's nie gekonnt, der stehle
Weinend sich aus diesem Bund.
  Was den großen Ring bewohnet,
  Huldige der Sympathie!
  Zu den Sternen leitet sie,
  Wo der Unbekannte thronet.

Freude trinken alle Wesen
An den Brüsten der Natur,
Alle Guten, alle Bösen
Folgen ihrer Rosenspur.
Küsse gab sie uns und Reben,
Einen Freund, geprüft im Tod,

Wollust ward dem Wurm gegeben,
Und der Cherub steht vor Gott.
   Ihr stürzt nieder, Millionen?
   Ahnest du den Schöpfer, Welt?
   Such ihn überm Sternenzelt!
   Über Sternen muß er wohnen.

Freude heißt die starke Feder
In der ewigen Natur.
Freude, Freude treibt die Räder
In der großen Weltenuhr.
Blumen lockt sie aus den Keimen,
Sonnen aus dem Firmament,
Sphären rollt sie in den Räumen,
Die des Sehers Rohr nicht kennt.
   Froh, wie seine Sonnen fliegen
   Durch des Himmels prächt'gen Plan,
   Wandelt, Brüder, eure Bahn,
   Freudig wie ein Held zum Siegen.

Aus der Wahrheit Feuerspiegel
Lächelt sie den Forscher an.
Zu der Tugend steilem Hügel
Leitet sie des Dulders Bahn.
Auf des Glaubens Sonnenberge
Sieht man ihre Fahnen wehn,
Durch den Riß gesprengter Särge
Sie im Chor der Engel stehn.
   Duldet mutig, Millionen!
   Duldet für die beßre Welt!
   Droben überm Sternenzelt
   Wird ein großer Gott belohnen.

140   *Pegasus im Joche*

AUF einen Pferdemarkt — vielleicht zu Haymarket,
Wo andre Dinge noch in Ware sich verwandeln —
Bracht' einst ein hungriger Poet
Der Musen Roß, es zu verhandeln.

Hell wieherte der Hippogryph
Und bäumte sich in prächtiger Parade,
Erstaunt blieb jeder stehn und rief :
»Das edle, königliche Tier ! Nur schade,
Daß seinen schlanken Wuchs ein häßlich Flügelpaar
Entstellt ! Den schönsten Postzug würd' es zieren.
Die Rasse, sagen sie, sei rar,
Doch wer wird durch die Luft kutschieren ?«
Und keiner will sein Geld verlieren.
Ein Pachter endlich faßte Mut.
»Die Flügel zwar«, spricht er, »die schaffen keinen Nutzen;
Doch die kann man ja binden oder stutzen,
Dann ist das Pferd zum Ziehen immer gut.
Ein zwanzig Pfund, die will ich wohl dran wagen.«
Der Täuscher, hochvergnügt, die Ware loszuschlagen,
Schlägt hurtig ein. » Ein Mann, ein Wort !«
Und Hans trabt frisch mit seiner Beute fort.

Das edle Tier wird eingespannt.
Doch fühlt es kaum die ungewohnte Bürde,
So rennt es fort mit wilder Flugbegierde
Und wirft, von edelm Grimm entbrannt,
Den Karren um an eines Abgrunds Rand.
»Schon gut«, denkt Hans. »Allein darf ich dem tollen Tiere
Kein Fuhrwerk mehr vertraun. Erfahrung macht schon klug.

Doch morgen fahr' ich Passagiere,
Da stell' ich es als Vorspann in den Zug.
Die muntre Krabbe soll zwei Pferde mir ersparen,
Der Koller gibt sich mit den Jahren.«

Der Anfang ging ganz gut. Das leichtbeschwingte Pferd
Belebt der Klepper Schritt, und pfeilschnell fliegt der Wagen.
Doch was geschieht? Den Blick den Wolken zugekehrt
Und ungewohnt, den Grund mit festem Huf zu schlagen,
Verläßt es bald der Räder sichre Spur,
Und treu der stärkeren Natur
Durchrennt es Sumpf und Moor, geackert Feld und Hecken;
Der gleiche Taumel faßt das ganze Postgespann,
Kein Rufen hilft, kein Zügel hält es an,
Bis endlich zu der Wandrer Schrecken
Der Wagen, wohlgerüttelt und zerschellt,
Auf eines Berges steilem Gipfel hält.

»Das geht nicht zu mit rechten Dingen!«
Spricht Hans mit sehr bedenklichem Gesicht,
»So wird es nimmermehr gelingen;
Laß sehn, ob wir den Tollwurm nicht
Durch magre Kost und Arbeit zwingen.«
Die Probe wird gemacht. Bald ist das schöne Tier,
Eh' noch drei Tage hingeschwunden,
Zum Schatten abgezehrt. »Ich hab's, ich hab's gefunden!«
Ruft Hans. »Jetzt frisch, und spannt es mir
Gleich vor den Pflug mit meinem stärksten Stier!«

Gesagt, getan. In lächerlichem Zuge
Erblickt man Ochs und Flügelpferd am Pfluge.
Unwillig steigt der Greif und strengt die letzte Macht
Der Sehnen an, den alten Flug zu nehmen.

Umsonst, der Nachbar schreitet mit Bedacht,
Und Phöbus' stolzes Roß muß sich dem Stier bequemen,
Bis nun, vom langen Widerstand verzehrt,
Die Kraft aus allen Gliedern schwindet,
Von Gram gebeugt das edle Götterpferd
Zu Boden stürzt und sich im Staube windet.

»Verwünschtes Tier«! bricht endlich Hansens Grimm
Laut scheltend aus, indem die Hiebe flogen.
» So bist du denn zum Ackern selbst zu schlimm,
Mich hat ein Schelm mit dir betrogen. «
Indem er noch in seines Zornes Wut
Die Peitsche schwingt, kommt flink und wohlgemut
Ein lustiger Gesell die Straße hergezogen.
Die Zither klingt in seiner leichten Hand,
Und durch den blonden Schmuck der Haare
Schlingt zierlich sich ein goldnes Band.

»Wohin, Freund, mit dem wunderlichen Paare?«
Ruft er den Bau'r von weitem an.
» Der Vogel und der Ochs an einem Seile,
Ich bitte dich, welch ein Gespann!
Willst du auf eine kleine Weile
Dein Pferd zur Probe mir vertraun,
Gib acht, du sollst dein Wunder schaun. «
Der Hippogryph wird ausgespannt,
Und lächelnd schwingt sich ihm der Jüngling auf den
        Rücken.
Kaum fühlt das Tier des Meisters sichre Hand,
So knirscht es in des Zügels Band
Und steigt, und Blitze sprühn aus den beseelten Blicken.
Nicht mehr das vor'ge Wesen, königlich,
Ein Geist, ein Gott, erhebt es sich,

Entrollt mit einem Mal in Sturmes Wehen
Der Schwingen Pracht, schießt brausend himmelan —
Und eh' der Blick ihm folgen kann,
Entschwebt es zu den blauen Höhen.

141 *Die Ideale*

SO willst du treulos von mir scheiden
Mit deinen holden Phantasien,
Mit deinen Schmerzen, deinen Freuden,
Mit allen unerbittlich fliehn?
Kann nichts dich, Fliehende, verweilen,
O meines Lebens goldne Zeit?
Vergebens, deine Wellen eilen
Hinab ins Meer der Ewigkeit.

Erloschen sind die heitern Sonnen,
Die meiner Jugend Pfad erhellt,
Die Ideale sind zerronnen,
Die einst das trunkne Herz geschwellt,
Er ist dahin, der süße Glaube
An Wesen, die mein Traum gebar,
Der rauhen Wirklichkeit zum Raube,
Was einst so schön, so göttlich war.

Wie einst mit flehendem Verlangen
Pygmalion den Stein umschloß,
Bis in des Marmors kalte Wangen
Empfindung glühend sich ergoß,
So schlang ich mich mit Liebesarmen
Um die Natur, mit Jugendlust,
Bis sie zu atmen, zu erwarmen
Begann an meiner Dichterbrust,

Und teilend meine Flammentriebe
Die Stumme eine Sprache fand,
Mir wiedergab den Kuß der Liebe
Und meines Herzens Klang verstand ;
Da lebte mir der Baum, die Rose,
Mir sang der Quellen Silberfall,
Es fühlte selbst das Seelenlose
Von meines Lebens Widerhall.

Es dehnte mit allmächt'gem Streben
Die enge Brust ein kreißend All,
Herauszutreten in das Leben,
In Tat und Wort, in Bild und Schall.
Wie groß war diese Welt gestaltet,
So lang die Knospe sie noch barg ;
Wie wenig, ach ! hat sich entfaltet,
Dies Wenige, wie klein und karg !

Wie sprang, von kühnem Mut beflügelt,
Beglückt in seines Traumes Wahn,
Von keiner Sorge noch gezügelt,
Der Jüngling in des Lebens Bahn.
Bis an des Äthers bleichste Sterne
Erhob ihn der Entwürfe Flug ;
Nichts war so hoch und nichts so ferne,
Wohin ihr Flügel ihn nicht trug.

Wie leicht ward er dahin getragen,
Was war dem Glücklichen zu schwer !
Wie tanzte vor des Lebens Wagen
Die luftige Begleitung her !
Die Liebe mit dem süßen Lohne,
Das Glück mit seinem goldnen Kranz,
Der Ruhm mit seiner Sternenkrone,
Die Wahrheit in der Sonne Glanz !

Doch ach! schon auf des Weges Mitte
Verloren die Begleiter sich,
Sie wandten treulos ihre Schritte,
Und einer nach dem andern wich.
Leichtfüßig war das Glück entflogen,
Des Wissens Durst blieb ungestillt;
Des Zweifels finstre Wetter zogen
Sich um der Wahrheit Sonnenbild.

Ich sah des Ruhmes heil'ge Kränze
Auf der gemeinen Stirn entweiht.
Ach, allzuschnell, nach kurzem Lenze
Entfloh die schöne Liebeszeit!
Und immer stiller ward's und immer
Verlaßner auf dem rauhen Steg;
Kaum warf noch einen bleichen Schimmer
Die Hoffnung auf den finstern Weg.

Von all dem rauschenden Geleite
Wer harrte liebend bei mir aus?
Wer steht mir tröstend noch zur Seite
Und folgt mir bis zum finstern Haus?
Du, die du alle Wunden heilest,
Der Freundschaft leise, zarte Hand,
Des Lebens Bürden liebend teilest,
Du, die ich frühe sucht' und fand.

Und du, die gern sich mit ihr gattet,
Wie sie der Seele Sturm beschwört,
Beschäftigung, die nie ermattet,
Die langsam schafft, doch nie zerstört,
Die zu dem Bau der Ewigkeiten
Zwar Sandkorn nur für Sandkorn reicht,
Doch von der großen Schuld der Zeiten
Minuten, Tage, Jahre streicht.

142 *Der Abend*

SENKE, strahlender Gott — die Fluren dürsten
Nach erquickendem Tau, der Mensch verschmachtet,
    Matter ziehen die Rosse —
       Senke den Wagen hinab.

Siehe, wer aus des Meers kristallner Woge
Lieblich lächelnd dir winkt! Erkennt dein Herz sie?
    Rascher fliegen die Rosse,
       Tethys, die göttliche, winkt.

Schnell vom Wagen herab in ihre Arme
Springt der Führer, den Zaum ergreift Cupido,
    Stille halten die Rosse,
       Trinken die kühlende Flut.

An dem Himmel herauf mit leisen Schritten
Kommt die duftende Nacht; ihr folgt die süße
    Liebe.   Ruhet und liebet!
       Phöbus, der liebende, ruht.

143 *Die Teilung der Erde*

NEHMT hin die Welt! rief Zeus von seinen Höhen
Den Menschen zu.   Nehmt, sie soll euer sein!
Euch schenk' ich sie zum Erb' und ew'gen Lehen —
    Doch teilt euch brüderlich darein!

Da eilt, was Hände hat, sich einzurichten,
    Es regte sich geschäftig jung und alt.
Der Ackermann griff nach des Feldes Früchten,
    Der Junker birschte durch den Wald.

FRIEDRICH VON SCHILLER

Der Kaufmann nimmt, was seine Speicher fassen,
  Der Abt wählt sich den edeln Firnewein,
Der König sperrt die Brücken und die Straßen
  Und sprach: der Zehente ist mein.

Ganz spät, nachdem die Teilung längst geschehen,
  Naht der Poet, er kam aus weiter Fern' —
Ach! da war überall nichts mehr zu sehen,
  Und alles hatte seinen Herrn!

Weh mir! so soll denn ich allein von allen
  Vergessen sein, ich, dein getreuster Sohn?
So ließ er laut der Klage Ruf erschallen
  Und warf sich hin vor Jovis Thron.

Wenn du im Land der Träume dich verweilet,
  Versetzt der Gott, so hadre nicht mit mir.
Wo warst du denn, als man die Welt geteilet?
  Ich war, sprach der Poet, bei dir.

Mein Auge hing an deinem Angesichte,
  An deines Himmels Harmonie mein Ohr —
Verzeih dem Geiste, der, von deinem Lichte
  Berauscht, das Irdische verlor!

Was tun? spricht Zeus; die Welt ist weggegeben,
  Der Herbst, die Jagd, der Markt ist nicht mehr mein.
Willst du in meinem Himmel mit mir leben —
  So oft du kommst, er soll dir offen sein.

144 *Das Mädchen aus der Fremde*

IN einem Tal bei armen Hirten
Erschien mit jedem jungen Jahr,
Sobald die ersten Lerchen schwirrten,
Ein Mädchen schön und wunderbar.

Sie war nicht in dem Tal geboren,
Man wußte nicht, woher sie kam,
Und schnell war ihre Spur verloren,
Sobald das Mädchen Abschied nahm.

Beseligend war ihre Nähe,
Und alle Herzen wurden weit;
Doch eine Würde, eine Höhe
Entfernte die Vertraulichkeit.

Sie brachte Blumen mit und Früchte,
Gereift auf einer andern Flur,
In einem andern Sonnenlichte,
In einer glücklichern Natur.

Und teilte jedem eine Gabe,
Dem Früchte, jenem Blumen aus;
Der Jüngling und der Greis am Stabe,
Ein jeder ging beschenkt nach Haus.

Willkommen waren alle Gäste;
Doch nahte sich ein liebend Paar,
Dem reichte sie der Gaben beste.
Der Blumen allerschönste dar.

145 *Der Taucher*

»WER wagt es, Rittersmann oder Knapp',
Zu tauchen in diesen Schlund?
Einen goldnen Becher werf' ich hinab,
Verschlungen schon hat ihn der schwarze Mund.
Wer mir den Becher kann wieder zeigen,
Er mag ihn behalten, er ist sein eigen.«

Der König spricht es und wirft von der Höh'
Der Klippe, die schroff und steil
Hinaushängt in die unendliche See,
Den Becher in der Charybde Geheul.
»Wer ist der Beherzte, ich frage wieder,
Zu tauchen in diese Tiefe nieder?«

Und die Ritter, die Knappen um ihn her
Vernehmen's und schweigen still,
Sehen hinab in das wilde Meer,
Und keiner den Becher gewinnen will.
Und der König zum drittenmal wieder fraget:
»Ist keiner, der sich hinunter waget?«

Doch alles noch stumm bleibt wie zuvor.
Und ein Edelknecht, sanft und keck,
Tritt aus der Knappen zagendem Chor,
Und den Gürtel wirft er, den Mantel weg,
Und alle die Männer umher und Frauen
Auf den herrlichen Jüngling verwundert schauen.

Und wie er tritt an des Felsen Hang
Und blickt in den Schlund hinab,
Die Wasser, die sie hinunterschlang,
Die Charybde jetzt brüllend wiedergab,
Und wie mit des fernen Donners Getose
Entstürzen sie schäumend dem finstern Schoße.

Und es wallet und siedet und brauset und zischt,
Wie wenn Wasser mit Feuer sich mengt,
Bis zum Himmel spritzet der dampfende Gischt,
Und Flut auf Flut sich ohn' Ende drängt,
Und will sich nimmer erschöpfen und leeren,
Als wollte das Meer noch ein Meer gebären.

Doch endlich, da legt sich die wilde Gewalt,
Und schwarz aus dem weißen Schaum
Klafft hinunter ein gähnender Spalt,
Grundlos, als ging's in den Höllenraum,
Und reißend sieht man die brandenden Wogen
Hinab in den strudelnden Trichter gezogen.

Jetzt schnell, eh' die Brandung wiederkehrt,
Der Jüngling sich Gott befiehlt,
Und — ein Schrei des Entsetzens wird rings gehört,
Und schon hat ihn der Wirbel hinweggespült,
Und geheimnisvoll über dem kühnen Schwimmer
Schließt sich der Rachen; er zeigt sich nimmer.

Und stille wird's über dem Wasserschlund,
In der Tiefe nur brauset es hohl,
Und bebend hört man von Mund zu Mund:
» Hochherziger Jüngling, fahre wohl ! «
Und hohler und hohler hört man's heulen,
Und es harrt noch mit bangem, mit schrecklichem Weilen.

Und wärfst du die Krone selber hinein
Und sprächst: wer mir bringet die Kron',
Er soll sie tragen und König sein —
Mich gelüstete nicht nach dem teuren Lohn.
Was die heulende Tiefe da unten verhehle,
Das erzählt keine lebende glückliche Seele.

Wohl manches Fahrzeug, vom Strudel gefaßt,
Schoß gäh in die Tiefe hinab,
Doch zerschmettert nur rangen sich Kiel und Mast
Hervor aus dem alles verschlingenden Grab.—
Und heller und heller, wie Sturmes Sausen,
Hört man's näher und immer näher brausen.

Und es wallet und siedet und brauset und zischt,
Wie wenn Wasser mit Feuer sich mengt,
Bis zum Himmel spritzet der dampfende Gischt,
Und Well' auf Well' sich ohn' Ende drängt,
Und wie mit des fernen Donners Getose
Entstürzt es brüllend dem finstern Schoße.

Und sieh! aus dem finster flutenden Schoß,
Da hebet sich's schwanenweiß,
Und ein Arm und ein glänzender Nacken wird bloß,
Und es rudert mit Kraft und mit emsigem Fleiß,
Und er ist's, und hoch in seiner Linken
Schwingt er den Becher mit freudigem Winken.

Und atmete lang und atmete tief
Und begrüßte das himmlische Licht.
Mit Frohlocken es einer dem andern rief:
»Er lebt! er ist da! es behielt ihn nicht!
Aus dem Grab, aus der strudelnden Wasserhöhle
Hat der Brave gerettet die lebende Seele.«

Und er kommt, es umringt ihn die jubelnde Schar,
Zu des Königs Füßen er sinkt,
Den Becher reicht er ihm knieend dar,
Und der König der lieblichen Tochter winkt.
Die füllt ihn mit funkelndem Wein bis zum Rande,
Und der Jüngling sich also zum König wandte:

FRIEDRICH VON SCHILLER

» Lang lebe der König! Es freue sich,
Wer da atmet im rosichten Licht!
Da unten aber ist's fürchterlich,
Und der Mensch versuche die Götter nicht
Und begehre nimmer und nimmer zu schauen,
Was sie gnädig bedecken mit Nacht und Grauen.

Es riß mich hinunter blitzesschnell,
Da stürzt' mir aus felsichtem Schacht
Wildflutend entgegen ein reißender Quell;
Mich packte des Doppelstroms wütende Macht,
Und wie einen Kreisel mit schwindelndem Drehen
Trieb mich's um, ich konnte nicht widerstehen.

Da zeigte mir Gott, zu dem ich rief,
In der höchsten, schrecklichen Not,
Aus der Tiefe ragend, ein Felsenriff,
Das erfaßt' ich behend und entrann dem Tod.
Und da hing auch der Becher an spitzen Korallen,
Sonst wär' er ins Bodenlose gefallen.

Denn unter mir lag's noch bergetief
In purpurner Finsternis da,
Und ob's hier dem Ohre gleich ewig schlief,
Das Auge mit Schaudern hinuntersah,
Wie's von Salamandern und Molchen und Drachen
Sich regt' in dem furchtbaren Höllenrachen.

Schwarz wimmelten da, in grausem Gemisch,
Zu scheußlichen Klumpen geballt,
Der stachlichte Roche, der Klippenfisch,
Des Hammers greuliche Ungestalt,
Und dräuend wies mir die grimmigen Zähne
Der entsetzliche Hai, des Meeres Hyäne.

Und da hing ich und war's mir mit Grausen bewußt,
Von der menschlichen Hilfe so weit,
Unter Larven die einzige fühlende Brust,
Allein in der gräßlichen Einsamkeit,
Tief unter dem Schall der menschlichen Rede
Bei den Ungeheuern der traurigen Öde.

Und schaudernd dacht' ich's, da kroch's heran,
Regte hundert Gelenke zugleich,
Will schnappen nach mir — in des Schreckens Wahn
Lass' ich los der Koralle umklammerten Zweig;
Gleich faßt mich der Strudel mit rasendem Toben,
Doch es war mir zum Heil, er riß mich nach oben.«

Der König darob sich verwundert schier
Und spricht: »Der Becher ist dein,
Und diesen Ring noch bestimm' ich dir,
Geschmückt mit dem köstlichsten Edelgestein,
Versuchst du's noch einmal und bringst mir Kunde,
Was du sahst auf des Meers tiefunterstem Grunde.«

Das hörte die Tochter mit weichem Gefühl,
Und mit schmeichelndem Munde sie fleht:
»Laßt, Vater, genug sein das grausame Spiel!
Er hat Euch bestanden, was keiner besteht,
Und könnt Ihr des Herzens Gelüste nicht zähmen,
So mögen die Ritter den Knappen beschämen.«

Drauf der König greift nach dem Becher schnell,
In den Strudel ihn schleudert hinein:
»Und schaffst du den Becher mir wieder zur Stell',
So sollst du der trefflichste Ritter mir sein
Und sollst sie als Ehgemahl heut noch umarmen,
Die jetzt für dich bittet mit zartem Erbarmen.«

Da ergreift's ihm die Seele mit Himmelsgewalt,
Und es blitzt aus den Augen ihm kühn,
Und er siehet erröten die schöne Gestalt
Und sieht sie erbleichen und sinken hin —
Da treibt's ihn, den köstlichen Preis zu erwerben,
Und stürzt hinunter auf Leben und Sterben.

Wohl hört man die Brandung, wohl kehrt sie zurück,
Sie verkündigt der donnernde Schall;
Da bückt sich's hinunter mit liebendem Blick:
Es kommen, es kommen die Wasser all,
Sie rauschen herauf, sie rauschen nieder,
Den Jüngling bringt keines wieder.

140   *Der Handschuh*

VOR seinem Löwengarten,
  Das Kampfspiel zu erwarten.
Saß König Franz,
Und um ihn die Großen der Krone,
Und rings auf hohem Balkone
Die Damen in schönem Kranz.

Und wie er winkt mit dem Finger,
Auf tut sich der weite Zwinger,
Und hinein mit bedächtigem Schritt
Ein Löwe tritt
Und sieht sich stumm
Rings um
Mit langem Gähnen
Und schüttelt die Mähnen
Und streckt die Glieder
Und legt sich nieder.

Und der König winkt wieder.
Da öffnet sich behend
Ein zweites Tor,
Daraus rennt
Mit wildem Sprunge
Ein Tiger hervor.
Wie der den Löwen erschaut,
Brüllt er laut,
Schlägt mit dem Schweif
Einen furchtbaren Reif
Und recket die Zunge,
Und im Kreise scheu
Umgeht er den Leu
Grimmig schnurrend,
Drauf streckt er sich murrend
Zur Seite nieder.

Und der König winkt wieder.
Da speit das doppelt geöffnete Haus
Zwei Leoparden auf einmal aus.
Die stürzen mit mutiger Kampfbegier
Auf das Tigertier;
Das packt sie mit seinen grimmigen Tatzen,
Und der Leu mit Gebrüll
Richtet sich auf — da wird's still;
Und herum im Kreis,
Von Mordsucht heiß,
Lagern die greulichen Katzen.

Da fällt von des Altans Rand
Ein Handschuh von schöner Hand
Zwischen den Tiger und den Leun
Mitten hinein.

Und zu Ritter Delorges spottender Weis'
Wendet sich Fräulein Kunigund:
» Herr Ritter, ist Eure Lieb' so heiß,
Wie Ihr mir's schwört zu jeder Stund',
Ei, so hebt mir den Handschuh auf!«

Und der Ritter in schnellem Lauf
Steigt hinab in den furchtbarn Zwinger
Mit festem Schritte,
Und aus der Ungeheuer Mitte
Nimmt er den Handschuh mit keckem Finger.

Und mit Erstaunen und mit Grauen
Sehen's die Ritter und Edelfrauen,
Und gelassen bringt er den Handschuh zurück.
Da schallt ihm sein Lob aus jedem Munde,
Aber mit zärtlichem Liebesblick —
Er verheißt ihm sein nahes Glück —
Empfängt ihn Fräulein Kunigunde.
Und er wirft ihr den Handschuh ins Gesicht:
» Den Dank, Dame, begehr' ich nicht!«
Und verläßt sie zur selben Stunde.

147   *Der Ring des Polykrates*

ER stand auf seines Daches Zinnen,
Er schaute mit vergnügten Sinnen
Auf das beherrschte Samos hin.
»Dies alles ist mir untertänig,«
Begann er zu Ägyptens König,
»Gestehe, daß ich glücklich bin!«

» Du hast der Götter Gunst erfahren !
Die vormals deinesgleichen waren,
Sie zwingt jetzt deines Scepters Macht.
Doch einer lebt noch, sie zu rächen !
Dich kann mein Mund nicht glücklich sprechen,
So lang’ des Feindes Auge wacht. «

Und eh’ der König noch geendet,
Da stellt sich, von Milet gesendet,
Ein Bote dem Tyrannen dar :
» Laß, Herr, des Opfers Düfte steigen,
Und mit des Lorbeers muntern Zweigen
Bekränze dir dein festlich Haar !

Getroffen sank dein Feind vom Speere ;
Mich sendet mit der frohen Märe
Dein treuer Feldherr Polydor — «
Und nimmt aus einem schwarzen Becken,
Noch blutig, zu der beiden Schrecken,
Ein wohlbekanntes Haupt hervor.

Der König tritt zurück mit Grauen.
» Doch warn’ ich dich, dem Glück zu trauen, «
Versetzt er mit besorgtem Blick.
» Bedenk, auf ungetreuen Wellen —
Wie leicht kann sie der Sturm zerschellen —
Schwimmt deiner Flotte zweifelnd Glück. «

Und eh’ er noch das Wort gesprochen,
Hat ihn der Jubel unterbrochen,
Der von der Reede jauchzend schallt.
Mit fremden Schätzen reich beladen,
Kehrt zu den heimischen Gestaden
Der Schiffe mastenreicher Wald.

Der königliche Gast erstaunet:
» Dein Glück ist heute gut gelaunet,
Doch fürchte seinen Unbestand!
Der Kreter waffenkund'ge Scharen
Bedräuen dich mit Kriegsgefahren;
Schon nahe sind sie diesem Strand. «

Und eh' ihm noch das Wort entfallen,
Da sieht man's von den Schiffen wallen,
Und tausend Stimmen rufen: » Sieg!
Von Feindesnot sind wir befreiet,
Die Kreter hat der Sturm zerstreuet,
Vorbei, geendet ist der Krieg! «

Das hört der Gastfreund mit Entsetzen.
»Fürwahr, ich muß dich glücklich schätzen,
Doch«, spricht er, » zittr' ich für dein Heil.
Mir grauet vor der Götter Neide:
Des Lebens ungemischte Freude
Ward keinem Irdischen zu teil.

Auch mir ist alles wohl geraten,
Bei allen meinen Herrschertaten
Begleitet mich des Himmels Huld;
Doch hatt' ich einen teuren Erben,
Den nahm mir Gott, ich sah ihn sterben,
Dem Glück bezahlt' ich meine Schuld.

Drum, willst du dich vor Leid bewahren,
So flehe zu den Unsichtbaren,
Daß sie zum Glück den Schmerz verleihn.
Noch keinen sah ich fröhlich enden,
Auf den mit immer vollen Händen
Die Götter ihre Gaben streun.

Und wenn's die Götter nicht gewähren,
So acht' auf eines Freundes Lehren
Und rufe selbst das Unglück her;
Und was von allen deinen Schätzen
Dein Herz am höchsten mag ergötzen,
Das nimm und wirf's in dieses Meer!«

Und jener spricht, von Furcht beweget:
»Von allem, was die Insel heget,
Ist dieser Ring mein höchstes Gut.
Ihn will ich den Erinnen weihen,
Ob sie mein Glück mir dann verzeihen.«
Und wirft das Kleinod in die Flut.

Und bei des nächsten Morgens Lichte,
Da tritt mit fröhlichem Gesichte
Ein Fischer vor den Fürsten hin:
»Herr, diesen Fisch hab' ich gefangen,
Wie keiner noch ins Netz gegangen,
Dir zum Geschenke bring' ich ihn.«

Und als der Koch den Fisch zerteilet,
Kommt er bestürzt herbei geeilet
Und ruft mit hocherstauntem Blick:
»Sieh, Herr, den Ring, den du getragen,
Ihn fand ich in des Fisches Magen,
O, ohne Grenzen ist dein Glück!«

Hier wendet sich der Gast mit Grausen:
»So kann ich hier nicht ferner hausen,
Mein Freund kannst du nicht weiter sein.
Die Götter wollen dein Verderben;
Fort eil' ich, nicht mit dir zu sterben.«
Und sprach's und schiffte schnell sich ein.

148 *Die Kraniche des Ibykus*

ZUM Kampf der Wagen und Gesänge,
Der auf Korinthus' Landesenge
Der Griechen Stämme froh vereint,
Zog Ibykus, der Götterfreund.
Ihm schenkte des Gesanges Gabe,
Der Lieder süßen Mund Apoll;
So wandert' er an leichtem Stabe
Aus Rhegium, des Gottes voll.

Schon winkt auf hohem Bergesrücken
Akrokorinth des Wandrers Blicken,
Und in Poseidons Fichtenhain
Tritt er mit frommem Schauder ein.
Nichts regt sich um ihn her, nur Schwärme
Von Kranichen begleiten ihn,
Die fernhin nach des Südens Wärme
In graulichtem Geschwader ziehn.

» Seid mir gegrüßt, befreundte Scharen,
Die mir zur See Begleiter waren !
Zum guten Zeichen nehm' ich euch,
Mein Los, es ist dem euren gleich:
Von fern her kommen wir gezogen
Und flehen um ein wirtlich Dach.
Sei uns der Gastliche gewogen,
Der von dem Fremdling wehrt die Schmach !«

Und munter fördert er die Schritte
Und sieht sich in des Waldes Mitte —
Da sperren, auf gedrangem Steg,
Zwei Mörder plötzlich seinen Weg.

Zum Kampfe muß er sich bereiten,
Doch bald ermattet sinkt die Hand,
Sie hat der Leier zarte Saiten,
Doch nie des Bogens Kraft gespannt.

Er ruft die Menschen an, die Götter,
Sein Flehen dringt zu keinem Retter,
Wie weit er auch die Stimme schickt,
Nichts Lebendes wird hier erblickt.
» So muß ich hier verlassen sterben,
Auf fremdem Boden, unbeweint,
Durch böser Buben Hand verderben,
Wo auch kein Rächer mir erscheint!«

Und schwer getroffen sinkt er nieder,
Da rauscht der Kraniche Gefieder;
Er hört, schon kann er nicht mehr sehn,
Die nahen Stimmen furchtbar krähn.
»Von euch, ihr Kraniche dort oben,
Wenn keine andre Stimme spricht,
Sei meines Mordes Klag' erhoben!«
Er ruft es, und sein Auge bricht.

Der nackte Leichnam wird gefunden,
Und bald, obgleich entstellt von Wunden,
Erkennt der Gastfreund von Korinth
Die Züge, die ihm teuer sind.
» Und muß ich so dich wiederfinden,
Und hoffte mit der Fichte Kranz
Des Sängers Schläfe zu umwinden,
Bestrahlt von seines Ruhmes Glanz!«

Und jammernd hören's alle Gäste,
Versammelt bei Poseidons Feste,

Ganz Griechenland ergreift der Schmerz;
Verloren hat ihn jedes Herz.
Und stürmend drängt sich zum Prytanen
Das Volk, es fordert seine Wut
Zu rächen des Erschlagnen Manen,
Zu sühnen mit des Mörders Blut.

Doch wo die Spur, die aus der Menge,
Der Völker flutendem Gedränge
Gelocket von der Spiele Pracht,
Den schwarzen Täter kenntlich macht?
Sind's Räuber, die ihn feig erschlagen?
Tat's neidisch ein verborgner Feind?
Nur Helios vermag's zu sagen,
Der alles Irdische bescheint.

Er geht vielleicht mit frechem Schritte
Jetzt eben durch der Griechen Mitte,
Und während ihn die Rache sucht,
Genießt er seines Frevels Frucht.
Auf ihres eignen Tempels Schwelle
Trotzt er vielleicht den Göttern, mengt
Sich dreist in jene Menschenwelle,
Die dort sich zum Theater drängt.

Denn Bank an Bank gedränget sitzen,
Es brechen fast der Bühne Stützen,
Herbeigeströmt von fern und nah,
Der Griechen Völker wartend da.
Dumpfbrausend wie des Meeres Wogen,
Von Menschen wimmelnd, wächst der Bau
In weiter stets geschweiftem Bogen
Hinauf bis in des Himmels Blau.

173

Wer zählt die Völker, nennt die Namen,
Die gastlich hier zusammenkamen?
Von Cekrops' Stadt, von Aulis' Strand,
Von Phocis, vom Spartanerland,
Von Asiens entlegner Küste,
Von allen Inseln kamen sie
Und horchen von dem Schaugerüste
Des Chores grauser Melodie,

Der streng und ernst, nach alter Sitte,
Mit langsam abgemeßnem Schritte
Hervortritt aus dem Hintergrund,
Umwandelnd des Theaters Rund.
So schreiten keine ird'schen Weiber,
Die zeugete kein sterblich Haus!
Es steigt das Riesenmaß der Leiber
Hoch über menschliches hinaus.

Ein schwarzer Mantel schlägt die Lenden,
Sie schwingen in entfleischten Händen
Der Fackel düsterrote Glut;
In ihren Wangen fließt kein Blut.
Und wo die Haare lieblich flattern,
Um Menschenstirnen freundlich wehn,
Da sieht man Schlangen hier und Nattern
Die giftgeschwollnen Bäuche blähn.

Und schauerlich gedreht im Kreise,
Beginnen sie des Hymnus Weise,
Der durch das Herz zerreißend dringt,
Die Bande um den Sünder schlingt.

FRIEDRICH VON SCHILLER

Besinnungraubend, herzbetörend
Schallt der Erinnyen Gesang,
Er schallt, des Hörers Mark verzehrend,
Und duldet nicht der Leier Klang:

»Wohl dem, der frei von Schuld und Fehle
Bewahrt die kindlich reine Seele!
Ihm dürfen wir nicht rächend nahn,
Er wandelt frei des Lebens Bahn.
Doch wehe, wehe, wer verstohlen
Des Mordes schwere Tat vollbracht;
Wir heften uns an seine Sohlen,
Das furchtbare Geschlecht der Nacht!

Und glaubt er fliehend zu entspringen,
Geflügelt sind wir da, die Schlingen
Ihm werfend um den flücht'gen Fuß,
Daß er zu Boden fallen muß.
So jagen wir ihn ohn' Ermatten,
Versöhnen kann uns keine Reu',
Ihn fort und fort bis zu den Schatten
Und geben ihn auch dort nicht frei.«

So singend tanzen sie den Reigen,
Und Stille, wie des Todes Schweigen,
Liegt überm ganzen Hause schwer,
Als ob die Gottheit nahe wär'.
Und feierlich nach alter Sitte
Umwandelnd des Theaters Rund
Mit langsam abgemeßnem Schritte
Verschwinden sie im Hintergrund.

Und zwischen Trug und Wahrheit schwebet
Noch zweifelnd jede Brust und bebet
Und huldiget der furchtbarn Macht,
Die richtend im Verborgnen wacht,
Die unerforschlich, unergründet
Des Schicksals dunkeln Knäuel flicht,
Dem tiefen Herzen sich verkündet,
Doch fliehet vor dem Sonnenlicht.

Da hört man auf den höchsten Stufen
Auf einmal eine Stimme rufen:
»Sieh da! Sieh da, Timotheus,
Die Kraniche des Ibykus!« —
Und finster plötzlich wird der Himmel,
Und über dem Theater hin
Sieht man in schwärzlichtem Gewimmel
Ein Kranichheer vorüberziehn.

»Des Ibykus!« — Der teure Name
Rührt jede Brust mit neuem Grame,
Und wie im Meere Well' auf Well',
So läuft's von Mund zu Munde schnell:
»Des Ibykus, den wir beweinen,
Den eine Mörderhand erschlug!
Was ist's mit dem? Was kann er meinen?
Was ist's mit diesem Kranichzug?«

Und immer lauter wird die Frage,
Und ahnend fliegt's mit Blitzesschlage
Durch alle Herzen: »Gebet acht!
Das ist der Eumeniden Macht!

Der fromme Dichter wird gerochen,
Der Mörder bietet selbst sich dar.
Ergreift ihn, der das Wort gesprochen,
Und ihn, an den's gerichtet war!«

Doch dem war kaum das Wort entfahren,
Möcht' er's im Busen gern bewahren;
Umsonst! Der schreckenbleiche Mund
Macht schnell die Schuldbewußten kund.
Man reißt und schleppt sie vor den Richter,
Die Scene wird zum Tribunal,
Und es gestehn die Bösewichter,
Getroffen von der Rache Strahl.

149 *Reiterlied*

WOHLAUF, Kameraden, aufs Pferd, aufs Pferd!
Ins Feld, in die Freiheit gezogen!
Im Felde, da ist der Mann noch was wert,
Da wird das Herz noch gewogen,
Da tritt kein anderer für ihn ein,
Auf sich selber steht er da ganz allein.

Aus der Welt die Freiheit verschwunden ist,
Man sieht nur Herren und Knechte,
Die Falschheit herrschet, die Hinterlist
Bei dem feigen Menschengeschlechte.
Der dem Tod ins Angesicht schauen kann,
Der Soldat allein ist der freie Mann.

FRIEDRICH VON SCHILLER

Des Lebens Ängsten, er wirft sie weg,
  Hat nicht mehr zu fürchten, zu sorgen,
Er reitet dem Schicksal entgegen keck,
  Trifft's heute nicht, trifft es doch morgen.
Und trifft es morgen, so lasset uns heut
Noch schlürfen die Neige der köstlichen Zeit.

Von dem Himmel fällt ihm sein lustig Los,
  Braucht's nicht mit Müh zu erstreben,
Der Fröner, der sucht in der Erde Schoß,
  Da meint er den Schatz zu erheben.
Er gräbt und schaufelt, so lang er lebt,
Und gräbt, bis er endlich sein Grab sich gräbt.

Der Reiter und sein geschwindes Roß,
  Sie sind gefürchtete Gäste,
Es flimmern die Lampen im Hochzeitschloß,
  Ungeladen kommt er zum Feste,
Er wirbt nicht lange, er zeiget nicht Gold,
Im Sturm erringt er den Minnesold.

Warum weint die Dirn und zergrämet sich schier?
  Laß fahren dahin, laß fahren!
Er hat auf Erden kein bleibend Quartier,
  Kann treue Lieb' nicht bewahren.
Das rasche Schicksal, es treibt ihn fort,
Seine Ruhe läßt er an keinem Ort.

Drum frisch, Kameraden, den Rappen gezäumt,
  Die Brust im Gefechte gelüftet!
Die Jugend brauset, das Leben schäumt,
  Frisch auf, eh' der Geist noch verdüftet!
Und setzet ihr nicht das Leben ein,
Nie wird euch das Leben gewonnen sein.

150 *Hoffnung*

ES reden und träumen die Menschen viel
Von bessern künftigen Tagen,
Nach einem glücklichen goldenen Ziel
Sieht man sie rennen und jagen;
Die Welt wird alt und wird wieder jung,
Doch der Mensch hofft immer Verbesserung.

Die Hoffnung führt ihn ins Leben ein,
Sie umflattert den fröhlichen Knaben,
Den Jüngling locket ihr Zauberschein,
Sie wird mit dem Greis nicht begraben;
Denn beschließt er im Grabe den müden Lauf,
Noch am Grabe pflanzt er — die Hoffnung auf.

Es ist kein leerer schmeichelnder Wahn,
Erzeugt im Gehirne des Toren,
Im Herzen kündet es laut sich an:
Zu was Besserm sind wir geboren.
Und was die innere Stimme spricht,
Das täuscht die hoffende Seele nicht.

151 *Die Bürgschaft*

ZU Dionys, dem Tyrannen, schlich
Damon, den Dolch im Gewande;
Ihn schlugen die Häscher in Bande.
»Was wolltest du mit dem Dolche? sprich!«
Entgegnet ihm finster der Wüterich.
» Die Stadt vom Tyrannen befreien!«
» Das sollst du am Kreuze bereuen.«

» Ich bin «, spricht jener, » zu sterben bereit
Und bitte nicht um mein Leben ;
Doch willst du Gnade mir geben,
Ich flehe dich um drei Tage Zeit,
Bis ich die Schwester dem Gatten gefreit ;
Ich lasse den Freund dir als Bürgen,
Ihn magst du, entrinn' ich, erwürgen.«

Da lächelt der König mit arger List
Und spricht nach kurzem Bedenken :
» Drei Tage will ich dir schenken ;
Doch wisse, wenn sie verstrichen, die Frist,
Eh' du zurück mir gegeben bist,
So muß er statt deiner erblassen,
Doch dir ist die Strafe erlassen.«

Und er kommt zum Freunde : » Der König gebeut,
Daß ich am Kreuz mit dem Leben
Bezahle das frevelnde Streben.
Doch will er mir gönnen drei Tage Zeit,
Bis ich die Schwester dem Gatten gefreit ;
So bleib du dem König zum Pfande,
Bis ich komme zu lösen die Bande.«

Und schweigend umarmt ihn der treue Freund
Und liefert sich aus dem Tyrannen ;
Der andere ziehet von dannen.
Und ehe das dritte Morgenrot scheint,
Hat er schnell mit dem Gatten die Schwester vereint,
Eilt heim mit sorgender Seele,
Damit er die Frist nicht verfehle.

Da gießt unendlicher Regen herab,
Von den Bergen stürzen die Quellen,
Und die Bäche, die Ströme schwellen.
Und er kommt ans Ufer mit wanderndem Stab,
Da reißet die Brücke der Strudel hinab,
Und donnernd sprengen die Wogen
Des Gewölbes krachenden Bogen.

Und trostlos irrt er an Ufers Rand;
Wie weit er auch spähet und blicket
Und die Stimme, die rufende, schicket,
Da stößet kein Nachen vom sichern Strand,
Der ihn setze an das gewünschte Land,
Kein Schiffer lenket die Fähre,
Und der wilde Strom wird zum Meere.

Da sinkt er ans Ufer und weint und fleht,
Die Hände zum Zeus erhoben:
» O hemme des Stromes Toben!
Es eilen die Stunden, im Mittag steht
Die Sonne, und wenn sie niedergeht
Und ich kann die Stadt nicht erreichen,
So muß der Freund mir erbleichen.«

Doch wachsend erneut sich des Stromes Wut,
Und Welle auf Welle zerrinnet,
Und Stunde an Stunde entrinnet.
Da treibt ihn die Angst, da faßt er sich Mut
Und wirft sich hinein in die brausende Flut
Und teilt mit gewaltigen Armen
Den Strom, und ein Gott hat Erbarmen.

Und gewinnt das Ufer und eilet fort
Und danket dem rettenden Gotte;
Da stürzet die raubende Rotte
Hervor aus des Waldes nächtlichem Ort,
Den Pfad ihm sperrend, und schnaubet Mord
Und hemmet des Wanderers Eile
Mit drohend geschwungener Keule.

»Was wollt ihr?« ruft er vor Schrecken bleich,
»Ich habe nichts als mein Leben,
Das muß ich dem Könige geben!«
Und entreißt die Keule dem nächsten gleich:
»Um des Freundes willen erbarmet euch!«
Und drei mit gewaltigen Streichen
Erlegt er, die andern entweichen.

Und die Sonne versendet glühenden Brand,
Und von der unendlichen Mühe
Ermattet sinken die Kniee.
»O, hast du mich gnädig aus Räubershand,
Aus dem Strom mich gerettet ans heilige Land,
Und soll hier verschmachtend verderben,
Und der Freund mir, der liebende, sterben!«

Und horch! da sprudelt es silberhell,
Ganz nahe, wie rieselndes Rauschen,
Und stille hält er, zu lauschen;
Und sieh, aus dem Felsen, geschwätzig, schnell,
Springt murmelnd hervor ein lebendiger Quell,
Und freudig bückt er sich nieder
Und erfrischet die brennenden Glieder.

Und die Sonne blickt durch der Zweige Grün
Und malt auf den glänzenden Matten
Der Bäume gigantische Schatten;
Und zwei Wanderer sieht er die Straße ziehn,
Will eilenden Laufes vorüber fliehn,
Da hört er die Worte sie sagen:
»Jetzt wird er ans Kreuz geschlagen.«

Und die Angst beflügelt den eilenden Fuß,
Ihn jagen der Sorge Qualen;
Da schimmern in Abendrots Strahlen
Von ferne die Zinnen von Syrakus,
Und entgegen kommt ihm Philostratus,
Des Hauses redlicher Hüter,
Der erkennet entsetzt den Gebieter:

»Zurück! du rettest den Freund nicht mehr,
So rette das eigene Leben!
Den Tod erleidet er eben.
Von Stunde zu Stunde gewartet' er
Mit hoffender Seele der Wiederkehr,
Ihm konnte den mutigen Glauben
Der Hohn des Tyrannen nicht rauben.«

»Und ist es zu spät, und kann ich ihm nicht,
Ein Retter, willkommen erscheinen,
So soll mich der Tod ihm vereinen.
Des rühme der blut'ge Tyrann sich nicht,
Daß der Freund dem Freunde gebrochen die Pflicht,
Er schlachte der Opfer zweie
Und glaube an Liebe und Treue!«

Und die Sonne geht unter, da steht er am Tor
Und sieht das Kreuz schon erhöhet,
Das die Menge gaffend umstehet;
An dem Seile schon zieht man den Freund empor,
Da zertrennt er gewaltig den dichten Chor:
» Mich, Henker«, ruft er, » erwürget!
Da bin ich, für den er gebürget!«

Und Erstaunen ergreifet das Volk umher,
In den Armen liegen sich beide
Und weinen vor Schmerzen und Freude.
Da sieht man kein Auge tränenleer,
Und zum Könige bringt man die Wundermär';
Der fühlt ein menschliches Rühren,
Läßt schnell vor den Thron sie führen

Und blicket sie lange verwundert an.
Drauf spricht er: » Es ist euch gelungen,
Ihr habt das Herz mir bezwungen;
Und die Treue, sie ist doch kein leerer Wahn—
So nehmet auch mich zum Genossen an:
Ich sei, gewährt mir die Bitte,
In eurem Bunde der dritte!«

152   *Das Lied von der Glocke*

Vivos voco.   Mortuos plango.   Fulgura frango.

FEST' gemauert in der Erden
Steht die Form, aus Lehm gebrannt.
Heute muß die Glocke werden!
Frisch, Gesellen, seid zur Hand!
Von der Stirne heiß
Rinnen muß der Schweiß,
Soll das Werk den Meister loben;
Doch der Segen kommt von oben.

Zum Werke, das wir ernst bereiten,
Geziemt sich wohl ein ernstes Wort;
Wenn gute Reden sie begleiten,
Dann fließt die Arbeit munter fort.
So laßt uns jetzt mit Fleiß betrachten,
Was durch die schwache Kraft entspringt;
Den schlechten Mann muß man verachten,
Der nie bedacht, was er vollbringt.
Das ist's ja, was den Menschen zieret,
Und dazu ward ihm der Verstand,
Daß er im innern Herzen spüret,
Was er erschafft mit seiner Hand.

　　Nehmet Holz vom Fichtenstamme,
　　Doch recht trocken laßt es sein,
　　Daß die eingepreßte Flamme
　　Schlage zu dem Schwalch hinein!
　　　Kocht des Kupfers Brei,
　　　Schnell das Zinn herbei,
　　Daß die zähe Glockenspeise
　　Fließe nach der rechten Weise!

Was in des Dammes tiefer Grube
Die Hand mit Feuers Hilfe baut,
Hoch auf des Turmes Glockenstube,
Da wird es von uns zeugen laut.
Noch dauern wird's in späten Tagen
Und rühren vieler Menschen Ohr
Und wird mit dem Betrübten klagen
Und stimmen zu der Andacht Chor.
Was unten tief dem Erdensohne
Das wechselnde Verhängnis bringt,
Das schlägt an die metallne Krone,
Die es erbaulich weiter klingt.

Weiße Blasen seh' ich springen ;
Wohl ! die Massen sind im Fluß.
Laßt's mit Aschensalz durchdringen,
Das befördert schnell den Guß.
 Auch von Schaume rein
 Muß die Mischung sein,
Daß vom reinlichen Metalle
Rein und voll die Stimme schalle.

Denn mit der Freude Feierklange
Begrüßt sie das geliebte Kind
Auf seines Lebens erstem Gange,
Den es in Schlafes Arm beginnt.
Ihm ruhen noch im Zeitenschoße
Die schwarzen und die heitern Lose ;
Der Mutterliebe zarte Sorgen
Bewachen seinen goldnen Morgen. —
Die Jahre fliehen pfeilgeschwind.
Vom Mädchen reißt sich stolz der Knabe,
Er stürmt ins Leben wild hinaus,
Durchmißt die Welt am Wanderstabe,
Fremd kehrt er heim ins Vaterhaus.
Und herrlich, in der Jugend Prangen,
Wie ein Gebild aus Himmelshöhn,
Mit züchtigen, verschämten Wangen
Sieht er die Jungfrau vor sich stehn.
Da faßt ein namenloses Sehnen
Des Jünglings Herz, er irrt allein,
Aus seinen Augen brechen Tränen,
Er flieht der Brüder wilden Reihn.
Errötend folgt er ihren Spuren
Und ist von ihrem Gruß beglückt,
Das Schönste sucht er auf den Fluren,

Womit er seine Liebe schmückt.
O zarte Sehnsucht, süßes Hoffen,
Der ersten Liebe goldne Zeit!
Das Auge sieht den Himmel offen,
Es schwelgt das Herz in Seligkeit;
O, daß sie ewig grünen bliebe,
Die schöne Zeit der jungen Liebe!

    Wie sich schon die Pfeifen bräunen!
    Dieses Stäbchen tauch' ich ein,
    Sehn wir's überglast erscheinen,
    Wird's zum Gusse zeitig sein.
      Jetzt, Gesellen, frisch!
      Prüft mir das Gemisch,
    Ob das Spröde mit dem Weichen
    Sich vereint zum guten Zeichen.

Denn wo das Strenge mit dem Zarten,
Wo Starkes sich und Mildes paarten,
Da gibt es einen guten Klang.
Drum prüfe, wer sich ewig bindet,
Ob sich das Herz zum Herzen findet!
Der Wahn ist kurz, die Reu' ist lang. —
Lieblich in der Bräute Locken
Spielt der jungfräuliche Kranz,
Wenn die hellen Kirchenglocken
Laden zu des Festes Glanz.
Ach! des Lebens schönste Feier
Endigt auch den Lebensmai,
Mit dem Gürtel, mit dem Schleier
Reißt der schöne Wahn entzwei.
Die Leidenschaft flieht,
Die Liebe muß bleiben;
Die Blume verblüht,

Die Frucht muß treiben.
Der Mann muß hinaus
Ins feindliche Leben,
Muß wirken und streben
Und pflanzen und schaffen,
Erlisten, erraffen,
Muß wetten und wagen,
Das Glück zu erjagen.
Da strömet herbei die unendliche Gabe,
Es füllt sich der Speicher mit köstlicher Habe,
Die Räume wachsen, es dehnt sich das Haus.
Und drinnen waltet
Die züchtige Hausfrau,
Die Mutter der Kinder,
Und herrschet weise
Im häuslichen Kreise,
Und lehret die Mädchen
Und wehret den Knaben,
Und reget ohn' Ende
Die fleißigen Hände,
Und mehrt den Gewinn
Mit ordnendem Sinn,
Und füllet mit Schätzen die duftenden Laden,
Und dreht um die schnurrende Spindel den Faden,
Und sammelt im reinlich geglätteten Schrein
Die schimmernde Wolle, den schneeichten Lein,
Und füget zum Guten den Glanz und den Schimmer,
Und ruhet nimmer.

Und der Vater mit frohem Blick
Von des Hauses weitschauendem Giebel
Überzählet sein blühend Glück,
Siehet der Pfosten ragende Bäume

Und der Scheunen gefüllte Räume
Und die Speicher, vom Segen gebogen,
Und des Kornes bewegte Wogen,
Rühmt sich mit stolzem Mund:
Fest, wie der Erde Grund,
Gegen des Unglücks Macht
Steht mir des Hauses Pracht!—
Doch mit des Geschickes Mächten
Ist kein ew'ger Bund zu flechten,
Und das Unglück schreitet schnell.

Wohl! nun kann der Guß beginnen,
Schön gezacket ist der Bruch.
Doch bevor wir's lassen rinnen,
Betet einen frommen Spruch!
Stoßt den Zapfen aus!
Gott bewahr' das Haus!
Rauchend in des Henkels Bogen
Schießt's mit feuerbraunen Wogen.

Wohltätig ist des Feuers Macht,
Wenn sie der Mensch bezähmt, bewacht;
Und was er bildet, was er schafft,
Das dankt er dieser Himmelskraft.
Doch furchtbar wird die Himmelskraft,
Wenn sie der Fessel sich entrafft,
Einhertritt auf der eignen Spur,
Die freie Tochter der Natur.
Wehe, wenn sie losgelassen,
Wachsend ohne Widerstand,
Durch die volkbelebten Gassen
Wälzt den ungeheuren Brand!
Denn die Elemente hassen
Das Gebild der Menschenhand.

FRIEDRICH VON SCHILLER

Aus der Wolke
Quillt der Segen,
Strömt der Regen;
Aus der Wolke, ohne Wahl,
Zuckt der Strahl.
Hört ihr's wimmern hoch vom Turm?
Das ist Sturm!
Rot wie Blut
Ist der Himmel,
Das ist nicht des Tages Glut!
Welch Getümmel
Straßen auf!
Dampf wallt auf!
Flackernd steigt die Feuersäule,
Durch der Straße lange Zeile
Wächst es fort mit Windeseile;
Kochend wie aus Ofens Rachen
Glühn die Lüfte, Balken krachen,
Pfosten stürzen, Fenster klirren,
Kinder jammern, Mütter irren,
Tiere wimmern
Unter Trümmern;
Alles rennet, rettet, flüchtet,
Taghell ist die Nacht gelichtet.
Durch der Hände lange Kette
Um die Wette
Fliegt der Eimer, hoch im Bogen
Spritzen Quellen Wasserwogen.
Heulend kommt der Sturm geflogen,
Der die Flamme brausend sucht.
Prasselnd in die dürre Frucht
Fällt sie, in des Speichers Räume,
In der Sparren dürre Bäume;

Und als wollte sie im Wehen
Mit sich fort der Erde Wucht
Reißen in gewalt'ger Flucht,
Wächst sie in des Himmels Höhen
Riesengroß!
Hoffnungslos
Weicht der Mensch der Götterstärke,
Müßig sieht er seine Werke
Und bewundernd untergehn.

Leergebrannt
Ist die Stätte,
Wilder Stürme rauhes Bette.
In den öden Fensterhöhlen
Wohnt das Grauen,
Und des Himmels Wolken schauen
Hoch hinein.

Einen Blick
Nach dem Grabe
Seiner Habe
Sendet noch der Mensch zurück —
Greift fröhlich dann zum Wanderstabe.
Was Feuers Wut ihm auch geraubt,
Ein süßer Trost ist ihm geblieben:
Er zählt die Häupter seiner Lieben,
Und sieh! ihm fehlt kein teures Haupt.

In die Erd' ist's aufgenommen,
Glücklich ist die Form gefüllt;
Wird's auch schön zu Tage kommen,
Daß es Fleiß und Kunst vergilt?

Wenn der Guß mißlang?
Wenn die Form zersprang?
Ach, vielleicht, indem wir hoffen,
Hat uns Unheil schon getroffen.

Dem dunkeln Schoß der heil'gen Erde
Vertrauen wir der Hände Tat,
Vertraut der Sämann seine Saat
Und hofft, daß sie entkeimen werde
Zum Segen nach des Himmels Rat.
Noch köstlicheren Samen bergen
Wir trauernd in der Erde Schoß
Und hoffen, daß er aus den Särgen
Erblühen soll zu schönerm Los.

Von dem Dome,
Schwer und bang,
Tönt die Glocke
Grabgesang.
Ernst begleiten ihre Trauerschläge
Einen Wandrer auf dem letzten Wege.

Ach! die Gattin ist's, die teure,
Ach! es ist die treue Mutter,
Die der schwarze Fürst der Schatten
Wegführt aus dem Arm des Gatten,
Aus der zarten Kinder Schar,
Die sie blühend ihm gebar,
Die sie an der treuen Brust
Wachsen sah mit Mutterlust —
Ach! des Hauses zarte Bande
Sind gelöst auf immerdar;
Denn sie wohnt im Schattenlande,
Die des Hauses Mutter war;

Denn es fehlt ihr treues Walten,
Ihre Sorge wacht nicht mehr;
An verwaister Stätte schalten
Wird die Fremde, liebeleer.

Bis die Glocke sich verkühlet,
Laßt die strenge Arbeit ruhn;
Wie im Laub der Vogel spielet,
Mag sich jeder gütlich tun.
Winkt der Sterne Licht,
Ledig aller Pflicht
Hört der Bursch die Vesper schlagen,
Meister muß sich immer plagen.

Munter fördert seine Schritte
Fern im wilden Forst der Wandrer
Nach der lieben Heimathütte.
Blökend ziehen heim die Schafe,
Und der Rinder
Breitgestirnte, glatte Scharen
Kommen brüllend,
Die gewohnten Ställe füllend.
Schwer herein
Schwankt der Wagen,
Kornbeladen;
Bunt von Farben
Auf den Garben
Liegt der Kranz,
Und das junge Volk der Schnitter
Fliegt zum Tanz.
Markt und Straße werden stiller;
Um des Lichts gesell'ge Flamme
Sammeln sich die Hausbewohner,

Und das Stadttor schließt sich knarrend.
Schwarz bedecket
Sich die Erde;
Doch den sichern Bürger schrecket
Nicht die Nacht,
Die den Bösen gräßlich wecket;
Denn das Auge des Gesetzes wacht.

Heil'ge Ordnung, segenreiche
Himmelstochter, die das Gleiche
Frei und leicht und freudig bindet,
Die der Städte Bau gegründet,
Die herein von den Gefilden
Rief den ungesell'gen Wilden,
Eintrat in der Menschen Hütten,
Sie gewöhnt zu sanften Sitten
Und das teuerste der Bande
Wob, den Trieb zum Vaterlande!

Tausend fleiß'ge Hände regen,
Helfen sich in munterm Bund,
Und in feurigem Bewegen
Werden alle Kräfte kund.
Meister rührt sich und Geselle
In der Freiheit heil'gem Schutz;
Jeder freut sich seiner Stelle,
Bietet dem Verächter Trutz.
Arbeit ist des Bürgers Zierde,
Segen ist der Mühe Preis;
Ehrt den König seine Würde,
Ehret uns der Hände Fleiß.

Holder Friede,
Süße Eintracht,
Weilet, weilet
Freundlich über dieser Stadt!
Möge nie der Tag erscheinen,
Wo des rauhen Krieges Horden
Dieses stille Tal durchtoben,
Wo der Himmel,
Den des Abends sanfte Röte
Lieblich malt,
Von der Dörfer, von der Städte
Wildem Brande schrecklich strahlt!

    Nun zerbrecht mir das Gebäude,
    Seine Absicht hat's erfüllt,
    Daß sich Herz und Auge weide
    An dem wohlgelungnen Bild.
        Schwingt den Hammer, schwingt,
        Bis der Mantel springt!
    Wenn die Glock' soll auferstehen,
    Muß die Form in Stücken gehen.

Der Meister kann die Form zerbrechen
Mit weiser Hand, zur rechten Zeit;
Doch wehe, wenn in Flammenbächen
Das glühnde Erz sich selbst befreit!
Blindwütend, mit des Donners Krachen,
Zersprengt es das geborstne Haus,
Und wie aus offnem Höllenrachen
Speit es Verderben zündend aus.
Wo rohe Kräfte sinnlos walten,
Da kann sich kein Gebild gestalten;
Wenn sich die Völker selbst befrein,
Da kann die Wohlfahrt nicht gedeihn.

FRIEDRICH VON SCHILLER

Weh, wenn sich in dem Schoß der Städte
Der Feuerzunder still gehäuft,
Das Volk, zerreißend seine Kette,
Zur Eigenhilfe schrecklich greift!
Da zerret an der Glocke Strängen
Der Aufruhr, daß sie heulend schallt
Und, nur geweiht zu Friedensklängen,
Die Losung anstimmt zur Gewalt.

Freiheit und Gleichheit! hört man schallen;
Der ruh'ge Bürger greift zur Wehr,
Die Straßen füllen sich, die Hallen,
Und Würgerbanden ziehn umher.
Da werden Weiber zu Hyänen
Und treiben mit Entsetzen Scherz;
Noch zuckend, mit des Panthers Zähnen,
Zerreißen sie des Feindes Herz.
Nichts Heiliges ist mehr, es lösen
Sich alle Bande frommer Scheu;
Der Gute räumt den Platz dem Bösen,
Und alle Laster walten frei.
Gefährlich ist's, den Leu zu wecken,
Verderblich ist des Tigers Zahn;
Jedoch der schrecklichste der Schrecken,
Das ist der Mensch in seinem Wahn.
Weh denen, die dem Ewigblinden
Des Lichtes Himmelsfackel leihn!
Sie strahlt ihm nicht, sie kann nur zünden
Und äschert Städt' und Länder ein.

Freude hat mir Gott gegeben!
Sehet! wie ein goldner Stern
Aus der Hülse, blank und eben,
Schält sich der metallne Kern.

Von dem Helm zum Kranz
Spielt's wie Sonnenglanz,
Auch des Wappens nette Schilder
Loben den erfahrnen Bilder.

Herein! herein!
Gesellen alle, schließt den Reihen,
Daß wir die Glocke taufend weihen!
Concordia soll ihr Name sein.
Zur Eintracht, zu herzinnigem Vereine
Versammle sie die liebende Gemeine.

Und dies sei fortan ihr Beruf,
Wozu der Meister sie erschuf:
Hoch überm niedern Erdenleben
Soll sie im blauen Himmelszelt
Die Nachbarin des Donners schweben
Und grenzen an die Sternenwelt,
Soll eine Stimme sein von oben,
Wie der Gestirne helle Schar,
Die ihren Schöpfer wandelnd loben
Und führen das bekränzte Jahr.
Nur ewigen und ernsten Dingen
Sei ihr metallner Mund geweiht,
Und stündlich mit den schnellen Schwingen
Berühr' im Fluge sie die Zeit.
Dem Schicksal leihe sie die Zunge;
Selbst herzlos, ohne Mitgefühl,
Begleite sie mit ihrem Schwunge
Des Lebens wechselvolles Spiel.
Und wie der Klang im Ohr vergehet,
Der mächtig tönend ihr entschallt,
So lehre sie, daß nichts bestehet,
Daß alles Irdische verhallt.

Jetzo mit der Kraft des Stranges
Wiegt die Glock' mir aus der Gruft,
Daß sie in das Reich des Klanges
Steige, in die Himmelsluft!
   Ziehet, ziehet, hebt!
   Sie bewegt sich, schwebt!
Freude dieser Stadt bedeute,
Friede sei ihr erst Geläute.

153   *Die Erwartung*

HÖR' ich das Pförtchen nicht gehen?
Hat nicht der Riegel geklirrt?
Nein, es war des Windes Wehen,
Der durch diese Pappeln schwirrt.

O schmücke dich, du grünbelaubtes Dach,
Du sollst die Anmutstrahlende empfangen!
Ihr Zweige, baut ein schattendes Gemach,
Mit holder Nacht sie heimlich zu umfangen!
Und all ihr Schmeichellüfte, werdet wach
Und scherzt und spielt um ihre Rosenwangen,
Wenn seine schöne Bürde, leicht bewegt,
Der zarte Fuß zum Sitz der Liebe trägt.

Stille! Was schlüpft durch die Hecken
Raschelnd mit eilendem Lauf?
Nein, es scheuchte nur der Schrecken
Aus dem Busch den Vogel auf.

O lösche deine Fackel, Tag! Hervor,
Du geist'ge Nacht, mit deinem holden Schweigen!
Breit' um uns her den purpurroten Flor,
Umspinn uns mit geheimnisvollen Zweigen!

FRIEDRICH VON SCHILLER

Der Liebe Wonne flieht des Lauschers Ohr,
Sie flieht des Strahles unbescheidnen Zeugen;
Nur Hesper, der verschwiegene, allein
Darf, still herblickend, ihr Vertrauter sein.

Rief es von ferne nicht leise,
Flüsternden Stimmen gleich?
Nein, der Schwan ist's, der die Kreise
Ziehet durch den Silberteich.

Mein Ohr umtönt ein Harmonienfluß,
Der Springquell fällt mit angenehmem Rauschen,
Die Blume neigt sich bei des Westes Kuß,
Und alle Wesen seh' ich Wonne tauschen;
Die Traube winkt, die Pfirsche zum Genuß,
Die üppig schwellend hinter Blättern lauschen;
Die Luft, getaucht in der Gewürze Flut,
Trinkt von der heißen Wange mir die Glut.

Hör' ich nicht Tritte erschallen?
Rauscht's nicht den Laubgang daher?
Nein, die Frucht ist dort gefallen,
Von der eignen Fülle schwer.

Des Tages Flammenauge selber bricht
In süßem Tod, und seine Farben blassen;
Kühn öffnen sich im holden Dämmerlicht
Die Kelche schon, die seine Gluten hassen;
Still hebt der Mond sein strahlend Angesicht,
Die Welt zerschmilzt in ruhig große Massen;
Der Gürtel ist von jedem Reiz gelöst,
Und alles Schöne zeigt sich mir entblößt.

Seh' ich nichts Weißes dort schimmern?
Glänzt's nicht wie seidnes Gewand?
　　Nein, es ist der Säule Flimmern
　　An der dunkeln Taxuswand.

O sehnend Herz, ergötze dich nicht mehr
Mit süßen Bildern wesenlos zu spielen!
Der Arm, der sie umfassen will, ist leer,
Kein Schattenglück kann diesen Busen kühlen.
O führe mir die Lebende daher,
Laß ihre Hand, die zärtliche, mich fühlen!
Den Schatten nur von ihres Mantels Saum —
Und in das Leben tritt der hohle Traum.

　　Und leis, wie aus himmlischen Höhen
　　Die Stunde des Glückes erscheint,
　　　　So war sie genaht, ungesehen,
　　　　Und weckte mit Küssen den Freund.

154　　　*Nänie*

AUCH das Schöne muß sterben! Das Menschen und
　　Götter bezwinget,
Nicht die eherne Brust rührt es des stygischen Zeus.
Einmal nur erweichte die Liebe den Schattenbeherrscher,
　　Und an der Schwelle noch, streng, rief er zurück sein
　　　　Geschenk.
Nicht stillt Aphrodite dem schönen Knaben die Wunde,
　　Die in den zierlichen Leib grausam der Eber geritzt.
Nicht errettet den göttlichen Held die unsterbliche Mutter,
　　Wann er, am skäischen Tor fallend, sein Schicksal
　　　　erfüllt.

Aber sie steigt aus dem Meer mit allen Töchtern des Nereus,
  Und die Klage hebt an um den verherrlichten Sohn.
Siehe, da weinen die Götter, es weinen die Göttinnen alle,
  Daß das Schöne vergeht, daß das Vollkommene stirbt.
Auch ein Klaglied zu sein im Mund der Geliebten ist
  herrlich,
  Denn das Gemeine geht klanglos zum Orkus hinab.

155   *Pförtners Morgenlied*

VERSCHWUNDEN ist die finstre Nacht,
  Die Lerche schlägt, der Tag erwacht,
Die Sonne kommt mit Prangen
Am Himmel aufgegangen.
Sie scheint in Königs Prunkgemach,
Sie scheinet durch des Bettlers Dach,
Und was in Nacht verborgen war,
Das macht sie kund und offenbar.

Lob sei dem Herrn und Dank gebracht,
Der über diesem Haus gewacht,
Mit seinen heiligen Scharen
Uns gnädig wollte bewahren.
Wohl mancher schloß die Augen schwer
Und öffnet sie dem Licht nicht mehr;
Drum freue sich, wer neu belebt
Den frischen Blick zur Sonn' erhebt!

156 *Sehnsucht*

ACH, aus dieses Tales Gründen,
  Die der kalte Nebel drückt,
Könnt' ich doch den Ausgang finden,
  Ach wie fühlt' ich mich beglückt!
Dort erblick' ich schöne Hügel,
  Ewig jung und ewig grün!
Hätt' ich Schwingen, hätt' ich Flügel,
  Nach den Hügeln zög' ich hin.

Harmonien hör' ich klingen,
  Töne süßer Himmelsruh,
Und die leichten Winde bringen
  Mir der Düfte Balsam zu;
Goldne Früchte seh' ich glühen,
  Winkend zwischen dunkelm Laub,
Und die Blumen, die dort blühen,
  Werden keines Winters Raub.

Ach wie schön muß sich's ergehen
  Dort im ew'gen Sonnenschein,
Und die Luft auf jenen Höhen,
  O wie labend muß sie sein!
Doch mir wehrt des Stromes Toben,
  Der ergrimmt dazwischen braust,
Seine Wellen sind gehoben,
  Daß die Seele mir ergraust.

Einen Nachen seh' ich schwanken,
  Aber ach! der Fährmann fehlt.
Frisch hinein und ohne Wanken!
  Seine Segel sind beseelt.

Du mußt glauben, du mußt wagen,
　　Denn die Götter leihn kein Pfand,
Nur ein Wunder kann dich tragen
　　In das schöne Wunderland.

157　　*Der Pilgrim*

NOCH in meines Lebens Lenze
　　War ich, und ich wandert' aus,
Und der Jugend frohe Tänze
　　Ließ ich in des Vaters Haus.

All mein Erbteil, meine Habe
　　Warf ich fröhlich glaubend hin,
Und am leichten Pilgerstabe
　　Zog ich fort mit Kindersinn.

Denn mich trieb ein mächtig Hoffen
　　Und ein dunkles Glaubenswort:
Wandle, rief's, der Weg ist offen,
　　Immer nach dem Aufgang fort,

Bis zu einer goldnen Pforten
　　Du gelangst, da gehst du ein,
Denn das Irdische wird dorten
　　Himmlisch, unvergänglich sein.

Abend ward's und wurde Morgen,
　　Nimmer, nimmer stand ich still;
Aber immer blieb's verborgen,
　　Was ich suche, was ich will.

Berge lagen mir im Wege,
  Ströme hemmten meinen Fuß —
Über Schlünde baut' ich Stege,
  Brücken durch den wilden Fluß.

Und zu eines Stroms Gestaden
  Kam ich, der nach Morgen floß;
Froh vertrauend seinem Faden,
  Werf' ich mich in seinen Schoß.

Hin zu einem großen Meere
  Trieb mich seiner Wellen Spiel;
Vor mir liegt's in weiter Leere,
  Näher bin ich nicht dem Ziel.

Ach, kein Steg will dahin führen,
  Ach, der Himmel über mir
Will die Erde nie berühren,
  Und das Dort ist niemals hier!

158 *Der Graf von Habsburg*

ZU Aachen in seiner Kaiserpracht,
  Im altertümlichen Saale,
Saß König Rudolfs heilige Macht
  Beim festlichen Krönungsmahle.
Die Speisen trug der Pfalzgraf des Rheins,
Es schenkte der Böhme des perlenden Weins,
  Und alle die Wähler, die sieben,
Wie der Sterne Chor um die Sonne sich stellt,
Umstanden geschäftig den Herrscher der Welt,
  Die Würde des Amtes zu üben.

FRIEDRICH VON SCHILLER

Und rings erfüllte den hohen Balkon
　　Das Volk in freud'gem Gedränge,
Laut mischte sich in der Posaunen Ton
　　Das jauchzende Rufen der Menge;
Denn geendigt nach langem verderblichen Streit
War die kaiserlose, die schreckliche Zeit,
　　Und ein Richter war wieder auf Erden.
Nicht blind mehr waltet der eiserne Speer,
Nicht fürchtet der Schwache, der Friedliche mehr,
　　Des Mächtigen Beute zu werden.

Und der Kaiser ergreift den goldnen Pokal
　　Und spricht mit zufriedenen Blicken:
»Wohl glänzet das Fest, wohl pranget das Mahl,
　　Mein königlich Herz zu entzücken;
Doch den Sänger vermiss' ich, den Bringer der Lust,
Der mit süßem Klang mir bewege die Brust
　　Und mit göttlich erhabenen Lehren.
So hab' ich's gehalten von Jugend an,
Und was ich als Ritter gepflegt und getan,
　　Nicht will ich's als Kaiser entbehren.«

Und sieh! in der Fürsten umgebenden Kreis
　　Trat der Sänger im langen Talare,
Ihm glänzte die Locke silberweiß,
　　Gebleicht von der Fülle der Jahre.
»Süßer Wohllaut schläft in der Saiten Gold,
Der Sänger singt von der Minne Sold,
　　Er preiset das Höchste, das Beste,
Was das Herz sich wünscht, was der Sinn begehrt;
Doch sage, was ist des Kaisers wert
　　An seinem herrlichsten Feste?«

»Nicht gebieten werd' ich dem Sänger«, spricht
   Der Herrscher mit lächelndem Munde,
»Er steht in des größeren Herren Pflicht,
   Er gehorcht der gebietenden Stunde.
Wie in den Lüften der Sturmwind saust,
Man weiß nicht, von wannen er kommt und braust,
   Wie der Quell aus verborgenen Tiefen,
So des Sängers Lied aus dem Innern schallt
Und wecket der dunkeln Gefühle Gewalt,
   Die im Herzen wunderbar schliefen.«

Und der Sänger rasch in die Saiten fällt
   Und beginnt sie mächtig zu schlagen:
»Aufs Weidwerk hinaus ritt ein edler Held,
   Den flüchtigen Gemsbock zu jagen.
Ihm folgte der Knapp' mit dem Jägergeschoß,
Und als er auf seinem stattlichen Roß
   In eine Au kommt geritten,
Ein Glöcklein hört er erklingen fern;
Ein Priester war's mit dem Leib des Herrn,
   Voran kam der Mesner geschritten.

Und der Graf zur Erde sich neiget hin,
   Das Haupt mit Demut entblößet,
Zu verehren mit gläubigem Christensinn,
   Was alle Menschen erlöset.
Ein Bächlein aber rauschte durchs Feld,
Von des Gießbachs reißenden Fluten geschwellt,
   Das hemmte der Wanderer Tritte;
Und beiseit legt jener das Sakrament,
Von den Füßen zieht er die Schuhe behend,
   Damit er das Bächlein durchschritte.

'Was schaffst du?' redet der Graf ihn an,
  Der ihn verwundert betrachtet.
'Herr, ich walle zu einem sterbenden Mann,
  Der nach der Himmelskost schmachtet;
Und da ich mich nahe des Baches Steg,
Da hat ihn der strömende Gießbach hinweg
  Im Strudel der Wellen gerissen.
Drum daß dem Lechzenden werde sein Heil,
So will ich das Wässerlein jetzt in Eil'
  Durchwaten mit nackenden Füßen.'

Da setzt ihn der Graf auf sein ritterlich Pferd
  Und reicht ihm die prächtigen Zäume,
Daß er labe den Kranken, der sein begehrt,
  Und die heilige Pflicht nicht versäume.
Und er selber auf seines Knappen Tier
Vergnüget noch weiter des Jagens Begier;
  Der andre die Reise vollführet.
Und am nächsten Morgen mit dankendem Blick,
Da bringt er dem Grafen sein Roß zurück,
  Bescheiden am Zügel geführet.

'Nicht wolle das Gott,' rief mit Demutssinn
  Der Graf, 'daß zum Streiten und Jagen
Das Roß ich beschritte fürderhin,
  Das meinen Schöpfer getragen!
Und magst du's nicht haben zu eignem Gewinst,
So bleib' es gewidmet dem göttlichen Dienst;
  Denn ich hab' es dem ja gegeben,
Von dem ich Ehre und irdisches Gut
Zu Lehen trage und Leib und Blut
  Und Seele und Atem und Leben.'

'So mög' Euch Gott, der allmächtige Hort,
   Der das Flehen der Schwachen erhöret,
Zu Ehren Euch bringen hier und dort,
   So wie Ihr jetzt ihn geehret.
Ihr seid ein mächtiger Graf, bekannt
Durch ritterlich Walten im Schweizerland,
   Euch blühn sechs liebliche Töchter.
So mögen sie,' rief er begeistert aus,
'Sechs Kronen Euch bringen in Euer Haus
   Und glänzen die spätsten Geschlechter!' «

Und mit sinnendem Haupt saß der Kaiser da,
   Als dächt' er vergangener Zeiten;
Jetzt, da er dem Sänger ins Auge sah,
   Da ergreift ihn der Worte Bedeuten.
Die Züge des Priesters erkennt er schnell
Und verbirgt der Tränen stürzenden Quell
   In des Mantels purpurnen Falten.
Und alles blickte den Kaiser an
Und erkannte den Grafen, der das getan,
   Und verehrte das göttliche Walten.

159 *Poesie*

MICH hält kein Band, mich fesselt keine Schranke,
   Frei schwing' ich mich durch alle Räume fort,
Mein unermeßlich Reich ist der Gedanke,
Und mein geflügelt Werkzeug ist das Wort.
Was sich bewegt im Himmel und auf Erden,
Was die Natur tief im Verborgnen schafft,
Muß mir entschleiert und entsiegelt werden,
Denn nichts beschränkt die freie Dichterkraft;
Doch Schönres find' ich nichts, wie lang ich wähle,
Als in der schönen Form — die schöne Seele.

160   *Sprüche*

i

WILLST du dich selber erkennen, so sieh, wie die
      andern es treiben;
  Willst du die andern verstehn, blick in dein eigenes
      Herz.

ii

Teuer ist mir der Freund; doch auch den Feind kann ich
      nützen;
  Zeigt mir der Freund, was ich kann, lehrt mich der
      Feind, was ich soll.

iii

Früchte bringet das Leben dem Mann; doch hangen sie
      selten
  Rot und lustig am Zweig, wie uns ein Apfel begrüßt.

iv

Wissenschaft

Einem ist sie die hohe, die himmlische Göttin, dem
      andern
  Eine tüchtige Kuh, die ihn mit Butter versorgt.

v

Immer strebe zum Ganzen, und kannst du selber kein
      Ganzes
  Werden, als dienendes Glied schließ an ein Ganzes
      dich an.

FRIEDRICH VON SCHILLER

vi

Willst du, Freund, die erhabensten Höhn der Weisheit
    erfliegen,
Wag es auf die Gefahr, daß dich die Klugheit verlacht.
Die Kurzsichtige sieht nur das Ufer, das dir zurückflieht,
Jenes nicht, wo dereinst landet dein mutiger Flug.

vii

In den Ozean schifft mit tausend Masten der Jüngling;
    Still auf gerettetem Boot treibt in den Hafen der Greis.

FRIEDRICH HÖLDERLIN

1770–1843

161   *Sonnenuntergang*

WO bist du? Trunken dämmert die Seele mir
    Von aller deiner Wonne; denn eben ist's,
      Daß ich gelauscht, wie, goldner Töne
        Voll, der entzückende Sonnenjüngling

Sein Abendlied auf himmlischer Leier spielt';
    Es tönten rings die Wälder und Hügel nach,
      Doch fern ist er zu frommen Völkern,
        Die ihn noch ehren, hinweggegangen.

162   *Des Morgens*

VOM Taue glänzt der Rasen, beweglicher
    Eilt schon die wache Quelle; die Birke neigt
  Ihr schwankes Haupt, und im Geblätter
    Rauscht es und schimmert; und um die grauen

Gewölke streifen rötliche Flammen dort,
Verkündende, sie wallen geräuschlos auf;
  Wie Fluten am Gestade wogen
    Höher und höher die wandelbaren.

Komm nun, o komm, und eile mir nicht zu schnell,
Du goldner Tag, zum Gipfel des Himmels fort!
  Denn offner fliegt, vertrauter dir mein
    Auge, du Freudiger, zu, so lang du

In deiner Schöne jugendlich blickst und noch
Zu herrlich nicht, zu stolz mir geworden bist;
  Du möchtest immer eilen, könnt' ich,
    Göttlicher Wandrer, mit dir! — Doch lächelst

Des frohen Übermütigen du, daß er
Dir gleichen möchte; segne mir lieber denn
  Mein sterblich Tun und heitre wieder,
    Gütiger! heute den stillen Pfad mir!

163   *An die Hoffnung*

O HOFFNUNG, holde, gütig geschäftige,
Die du das Haus der Trauernden nicht verschmähst,
   Und gerne dienend, Edle, zwischen
      Sterblichen waltest und Himmelsmächten,

Wo bist du? Wenig lebt' ich, doch atmet kalt
Mein Abend schon, und stille, den Schatten gleich,
   Bin ich schon hier; und schon gesanglos
      Schlummert das schauernde Herz im Busen.

Im grünen Tale, dort, wo der frische Quell
Vom Berge täglich rauscht und die liebliche
   Zeitlose mir am Herbstlicht aufblüht,
      Dort in der Stille, du Holde, will ich

Dich suchen, oder wenn in der Mitternacht
Das unsichtbare Leben im Haine wallt,
   Und über mir die immer frohen
      Blumen, die sicheren Sterne, glänzen.

O du, des Äthers Tochter, erscheine dann
Aus deines Vaters Gärten, und darfst du nicht
   Mir sterblich Glück verheißen, schreck, o
      Schrecke mit anderem nur das Herz mir.

FRIEDRICH HÖLDERLIN

164   *Die Heimat*

FROH kehrt der Schiffer heim an den stillen Strom,
Von Inseln fernher, wenn er geerntet hat;
    So käm' auch ich zur Heimat, hätt' ich
        Güter so viele wie Leid geerntet.

Ihr teuern Ufer, die mich erzogen einst,
Stillt ihr der Liebe Leiden, versprecht ihr mir,
    Ihr Wälder meiner Jugend, wenn ich
        Komme, die Ruhe noch einmal wieder?

Am kühlen Bache, wo ich der Wellen Spiel,
Am Strome, wo ich gleiten die Schiffe sah,
    Dort bin ich bald; euch, traute Berge,
        Die mich behüteten einst, der Heimat

Verehrte sichre Grenzen, der Mutter Haus
Und liebender Geschwister Umarmungen
    Begrüß' ich bald; und ihr umschließt mich,
        Daß, wie in Banden, das Herz mir heile,

Ihr treu geblieb'nen! Aber ich weiß, ich weiß,
Der Liebe Leid, dies heilet so bald mir nicht,
    Dies singt kein Wiegengesang, den tröstend
        Sterbliche singen, mir aus dem Busen.

Denn sie, die uns das himmlische Feuer leihn,
Die Götter, schenken heiliges Leid uns auch.
    Drum bleibe dies.   Ein Sohn der Erde
        Schein' ich, zu lieben gemacht, zu leiden.

165 *An die Parzen*

NUR einen Sommer gönnt, ihr Gewaltigen,
Und einen Herbst zu reifem Gesange mir,
    Daß williger mein Herz, vom süßen
        Spiele gesättiget, dann mir sterbe!

Die Seele, der im Leben ihr göttlich Recht
Nicht ward, sie ruht auch drunten im Orkus nicht;
    Doch ist mir einst das Heil'ge, das am
        Herzen mir liegt, das Gedicht gelungen:

Willkommen dann, o Stille der Schattenwelt!
Zufrieden bin ich, wenn auch mein Saitenspiel
    Mich nicht hinabgeleitet; einmal
        Lebt' ich wie Götter, und mehr bedarf's nicht.

166 *Schicksalslied*

IHR wandelt droben im Licht
Auf weichem Boden, selige Genien!
Glänzende Götterlüfte
Rühren euch leicht,
Wie die Finger der Künstlerin
Heilige Saiten.

Schicksallos, wie der schlafende
Säugling, atmen die Himmlischen;
Keusch bewahrt
In bescheidener Knospe,
Blühet ewig
Ihnen der Geist;
Und die seligen Augen
Blicken in stiller
Ewiger Klarheit.

Doch uns ist gegeben,
Auf keiner Stätte zu ruhn;
Es schwinden, es fallen
Die leidenden Menschen
Blindlings von einer
Stunde zur andern,
Wie Wasser von Klippe
Zu Klippe geworfen,
Jahrlang ins Ungewisse hinab.

167 *Der Tod*

ER erschreckt uns,
Unser Retter der Tod.   Sanft kommt er
Leis im Gewölke des Schlafs.

Aber er bleibt fürchterlich, und wir sehn nur
Nieder ins Grab, ob er gleich uns zur Vollendung
Führt aus Hüllen der Nacht hinüber
In der Erkenntnisse Land.

168 *Die Linien des Lebens*

DIE Linien des Lebens sind verschieden,
Wie Wege sind und wie der Berge Grenzen.
Was hier wir sind, kann dort ein Gott ergänzen
Mit Harmonien und ewigem Lohn und Frieden.

NOVALIS

(Friedrich von Hardenberg)

1772-1801

169   *Wenn ich ihn nur habe*

WENN ich ihn nur habe,
   Wenn er mein nur ist,
Wenn mein Herz bis hin zum Grabe
Seine Treue nie vergißt,
   Weiß ich nichts von Leide,
Fühle nichts als Andacht, Lieb' und Freude.

Wenn ich ihn nur habe,
   Lass' ich alles gern,
Folg' an meinem Wanderstabe
Treugesinnt nur meinem Herrn,
   Lasse still die andern
Breite, lichte, volle Straßen wandern.

Wenn ich ihn nur habe,
   Schlaf' ich fröhlich ein;
Ewig wird zu süßer Labe
Seines Herzens Flut mir sein,
   Die mit sanftem Zwingen
Alles wird erweichen und durchdringen.

Wenn ich ihn nur habe,
   Hab' ich auch die Welt;
Selig wie ein Himmelsknabe,
Der der Jungfrau Schleier hält.
   Hingesenkt im Schauen
Kann mir vor dem Irdischen nicht grauen.

Wo ich ihn nur habe,
Ist mein Vaterland;
Und es fällt mir jede Gabe
Wie ein Erbteil in die Hand,
Längst vermißte Brüder
Find' ich nun in seinen Jüngern wieder.

170 *Wenn alle untreu werden*

WENN alle untreu werden,
So bleib' ich dir doch treu,
Daß Dankbarkeit auf Erden
Nicht ausgestorben sei.
Für mich umfing dich Leiden,
Vergingst für mich in Schmerz;
Drum geb' ich dir mit Freuden
Auf ewig dieses Herz.

Oft muß ich bitter weinen,
Daß du gestorben bist
Und mancher von den Deinen
Dich lebenslang vergißt.
Von Liebe nur durchdrungen
Hast du so viel getan,
Und doch bist du verklungen,
Und keiner denkt daran.

Du stehst voll treuer Liebe
Noch immer jedem bei;
Und wenn dir keiner bliebe,
So bleibst du dennoch treu.
Die treuste Liebe sieget,
Am Ende fühlt man sie,
Weint bitterlich und schmieget
Sich kindlich an dein Knie.

Ich habe dich empfunden,
O lasse nicht von mir!
Laß innig mich verbunden
Auf ewig sein mit dir!
Einst schauen meine Brüder
Auch wieder himmelwärts
Und sinken liebend nieder
Und fallen dir ans Herz.

171 *Maria*

ICH sehe dich in tausend Bildern,
Maria, lieblich ausgedrückt,
Doch keins von allen kann dich schildern,
Wie meine Seele dich erblickt.

Ich weiß nur, daß der Welt Getümmel
Seitdem mir wie ein Traum verweht,
Und ein unnennbar süßer Himmel
Mir ewig im Gemüte steht.

172 *Über einer Friedhofspforte*

LOBT doch unsre stillen Feste,
Unsre Gärten, unsre Zimmer,
Das bequeme Hausgeräte,
Unser Hab und Gut.
Täglich kommen neue Gäste,
Diese früh, die andern späte,
Auf den weiten Herden immer
Lodert neue Lebensglut.

Kinder der Vergangenheiten,
Helden aus den grauen Zeiten,
Der Gestirne Riesengeister,
Wunderlich gesellt.
Holde Frauen, ernste Meister,
Kinder und verlebte Greise
Sitzen hier in einem Kreise,
Wohnen in der alten Welt.

Keiner wird sich je beschweren,
Keiner wünschen fort zu gehen,
Wer an unsern vollen Tischen
Einmal fröhlich saß.
Klagen sind nicht mehr zu hören,
Keine Wunden mehr zu sehen,
Keine Tränen abzuwischen;
Ewig läuft das Stundenglas.

Süßer Reiz der Mitternächte,
Stiller Kreis geheimer Mächte,
Wollust rätselhafter Spiele,
Wir nur kennen euch;
Wir nur sind am hohen Ziele,
Bald in Strom uns zu ergießen,
Dann in Tropfen zu zerfließen
Und zu nippen auch zugleich.

So in Lieb' und hoher Wollust
Sind wir immerdar versunken,
Seit der wilde, trübe Funken
Jener Welt erlosch;
Seit der Hügel sich geschlossen,
Und der Scheiterhaufen sprühte,
Und dem schauernden Gemüte
Nun das Erdgesicht zerfloß.

Zauber der Erinnerungen,
Heil'ger Wehmut süße Schauer
Haben innig uns durchklungen,
Kühlen unsre Glut.
Wunden gibt's, die ewig schmerzen,
Eine göttlich tiefe Trauer
Wohnt in unser aller Herzen,
Löst uns auf in eine Flut.

Und in dieser Flut ergießen
Wir uns auf geheime Weise
In den Ozean des Lebens,
Tief in Gott hinein;
Und aus seinem Herzen fließen
Wir zurück zu unserm Kreise,
Und der Geist des höchsten Strebens
Taucht in unsre Wirbel ein.

Könnten doch die Menschen wissen,
Unsre künftigen Genossen,
Daß bei allen ihren Freuden
Wir geschäftig sind;
Jauchzend würden sie verscheiden,
Gern das bleiche Dasein missen —
O! die Zeit ist bald verflossen,
Kommt, Geliebte, doch geschwind!

Helft uns nur den Erdgeist binden,
Lernt den Sinn des Todes fassen
Und das Wort des Lebens finden;
Einmal kehrt euch um.
Deine Macht muß bald verschwinden,
Dein erborgtes Licht verblassen,
Werden dich in kurzem binden,
Erdgeist, deine Zeit ist um.

FRIEDRICH DE LA MOTTE FOUQUÉ

1777-1843

173 *Trost*

WENN alles eben käme,
Wie du gewollt es hast,
Und Gott dir gar nichts nähme
Und gäb' dir keine Last:
Wie wär's da um dein Sterben,
Du Menschenkind, bestellt?
Du müßtest fast verderben,
So lieb wär' dir die Welt!

Nun fällt — eins nach dem andern —
Manch süßes Band dir ab,
Und heiter kannst du wandern
Gen Himmel durch das Grab.
Dein Zagen ist gebrochen,
Und deine Seele hofft; —
Dies ward schon oft gesprochen,
Doch spricht man's nie zu oft.

CLEMENS BRENTANO

1778-1842

174 *Abendständchen*

HÖR, es klagt die Flöte wieder,
Und die kühlen Brunnen rauschen;
Golden wehn die Töne nieder;
Stille, stille, laß uns lauschen!

Holdes Bitten, mild Verlangen,
Wie es süß zum Herzen spricht!
Durch die Nacht, die mich umfangen,
Blickt zu mir der Töne Licht.

175 *Wiegenlied*

SINGET leise, leise, leise,
Singt ein flüsternd Wiegenlied,
Von dem Monde lernt die Weise,
Der so still am Himmel zieht.

Singt ein Lied so süß gelinde,
Wie die Quellen auf den Kieseln,
Wie die Bienen um die Linde
Summen, murmeln, flüstern, rieseln.

176 *Die Lore Lay*

ZU Bacharach am Rheine
Wohnt' eine Zauberin,
Sie war so schön und feine
Und riß viel Herzen hin.

Und machte viel zu schanden
Der Männer ringsumher,
Aus ihren Liebesbanden
War keine Rettung mehr.

Der Bischof ließ sie laden
Vor geistliche Gewalt
Und mußte sie begnaden,
So schön war ihr' Gestalt.

Er sprach zu ihr gerühret:
»Du arme Lore Lay!
Wer hat dich denn verführet
Zu böser Zauberei?« —

»Herr Bischof, laßt mich sterben,
Ich bin des Lebens müd',
Weil jeder muß verderben,
Der meine Augen sieht.

Die Augen sind zwei Flammen,
Mein Arm ein Zauberstab —
O legt mich in die Flammen!
O brechet mir den Stab!« —

»Ich kann dich nicht verdammen,
Bis du mir erst bekennt,
Warum in diesen Flammen
Mein eigen Herz schon brennt.

Den Stab kann ich nicht brechen,
Du schöne Lore Lay,
Ich müßte dann zerbrechen
Mein eigen Herz entzwei.«

»Herr Bischof, mit mir Armen
Treibt nicht so bösen Spott
Und bittet um Erbarmen
Für mich den lieben Gott!

Ich darf nicht länger leben,
Ich liebe keinen mehr,
Den Tod sollt Ihr mir geben,
Drum kam ich zu Euch her.

Mein Schatz hat mich betrogen,
Hat sich von mir gewandt,
Ist fort von hier gezogen,
Fort in ein fremdes Land.

Die Augen sanft und wilde,
Die Wangen rot und weiß,
Die Worte still und milde,
Die sind mein Zauberkreis.

Ich selbst muß drin verderben,
Das Herz tut mir so weh,
Vor Schmerzen möcht' ich sterben,
Wenn ich mein Bildnis seh'.

Drum laßt mein Recht mich finden,
Mich sterben wie ein Christ,
Denn alles muß verschwinden,
Weil er nicht bei mir ist.«

Drei Ritter läßt er holen:
»Bringt sie ins Kloster hin!
Geh, Lore! Gott befohlen
Sei dein berückter Sinn!

Du sollst ein Nönnchen werden,
Ein Nönnchen schwarz und weiß,
Bereite dich auf Erden
Zu deines Todes Reis'!«

Zum Kloster sie nun ritten,
Die Ritter alle drei,
Und traurig in der Mitten
Die schöne Lore Lay.

CLEMENS BRENTANO

»O Ritter, laßt mich gehen
Auf diesen Felsen groß,
Ich will noch einmal sehen
Nach meines Lieben Schloß.

Ich will noch einmal sehen
Wohl in den tiefen Rhein
Und dann ins Kloster gehen
Und Gottes Jungfrau sein.«

Der Felsen ist so jähe,
So steil ist seine Wand,
Doch klimmt sie in die Höhe,
Bis daß sie oben stand.

Es binden die drei Reiter
Die Rosse unten an
Und klettern immer weiter,
Zum Felsen auch hinan.

Die Jungfrau sprach: »Da gehet
Ein Schifflein auf dem Rhein,
Der in dem Schifflein stehet,
Der soll mein Liebster sein.

Mein Herz wird mir so munter,
Er muß mein Liebster sein!« —
Da lehnt sie sich hinunter
Und stürzet in den Rhein.

Die Ritter mußten sterben,
Sie konnten nicht hinab,
Sie mußten all' verderben
Ohn' Priester und ohn' Grab.

Wer hat dies Lied gesungen?
Ein Schiffer auf dem Rhein,
Und immer hat's geklungen
Von dem Dreiritterstein:
  Lore Lay!
  Lore Lay!
  Lore Lay!
Als wären es meiner drei.

177 *Der Spinnerin Lied*

ES sang vor langen Jahren
  Wohl auch die Nachtigall,
Das war wohl süßer Schall,
Da wir zusammen waren.

Ich sing' und kann nicht weinen
Und spinne so allein
Den Faden, klar und rein,
So lang der Mond wird scheinen.

Da wir zusammen waren,
Da sang die Nachtigall,
Nun mahnet mich ihr Schall,
Daß du von mir gefahren.

So oft der Mond mag scheinen,
Gedenk' ich dein allein,
Mein Herz ist klar und rein,
Gott wolle uns vereinen!

Seit du von mir gefahren,
Singt stets die Nachtigall,
Ich denk' bei ihrem Schall,
Wie wir zusammen waren.

Gott wolle uns vereinen,
Hier spinn' ich so allein,
Der Mond scheint klar und rein,
Ich sing' und möchte weinen!

178 *Sprich aus der Ferne*

SPRICH aus der Ferne,
Heimliche Welt,
Die sich so gerne
Zu mir gesellt.

Wenn das Abendrot niedergesunken,
Keine freudige Farbe mehr spricht,
Und die Kränze leuchtender Funken
Die Nacht um die schattige Stirne flicht:
    Wehet der Sterne
    Heiliger Sinn
    Leis durch die Ferne
    Bis zu mir hin.

Wenn des Mondes still lindernde Tränen
Lösen der Nächte verborgenes Weh,
Dann wehet Friede.   In goldenen Kähnen
Schiffen die Geister im himmlischen See.
    Glänzender Lieder
    Klingender Laut
    Ringelt sich nieder,
    Wallet hinauf.

CLEMENS BRENTANO

Wenn der Mitternacht heiliges Grauen
Bang durch die dunklen Wälder hinschleicht
Und die Büsche gar wundersam schauen,
Alles sich finster, tiefsinnig bezeugt:
    Wandelt im Dunkeln
    Freundliches Spiel,
    Still Lichter funkeln,
    Schimmerndes Ziel.

Alles ist freundlich wohlwollend verbunden,
Bietet sich tröstend und trauernd die Hand,
Sind durch die Nächte die Lichter gewunden,
Alles ist ewig im Innern verwandt.
    Sprich aus der Ferne,
    Heimliche Welt,
    Die sich so gerne
    Zu mir gesellt.

ADALBERT VON CHAMISSO

1781-1838

179   *Das Schloß Boncourt*

ICH träum' als Kind mich zurücke
Und schüttle mein greises Haupt;
Wie sucht ihr mich heim, ihr Bilder,
Die lang ich vergessen geglaubt!

Hoch ragt aus schatt'gen Gehegen
Ein schimmerndes Schloß hervor;
Ich kenne die Türme, die Zinnen,
Die steinerne Brücke, das Tor.

Es schauen vom Wappenschilde
Die Löwen so traulich mich an,
Ich grüße die alten Bekannten
Und eile den Burghof hinan.

Dort liegt die Sphinx am Brunnen,
Dort grünt der Feigenbaum,
Dort hinter diesen Fenstern,
Verträumt' ich den ersten Traum.

Ich tret' in die Burgkapelle
Und suche des Ahnherrn Grab;
Dort ist's, dort hängt vom Pfeiler
Das alte Gewaffen herab.

Noch lesen umflort die Augen
Die Züge der Inschrift nicht,
Wie hell durch die bunten Scheiben
Das Licht darüber auch bricht.

So stehst du, o Schloß meiner Väter,
Mir treu und fest in dem Sinn,
Und bist von der Erde verschwunden,
Der Pflug geht über dich hin.

Sei fruchtbar, o teurer Boden!
Ich segne dich mild und gerührt
Und segne ihn zwiefach, wer immer
Den Pflug nun über dich führt.

Ich aber will auf mich raffen,
Mein Saitenspiel in der Hand,
Die Weiten der Erde durchschweifen
Und singen von Land zu Land.

Frauen-Liebe und Leben

180   *i*

SEIT ich ihn gesehen,
Glaub' ich blind zu sein;
Wo ich hin nur blicke,
Seh' ich ihn allein;
Wie im wachen Traume
Schwebt sein Bild mir vor,
Taucht aus tiefstem Dunkel
Heller nur empor.

Sonst ist licht- und farblos
Alles um mich her,
Nach der Schwestern Spiele
Nicht begehr' ich mehr,
Möchte lieber weinen
Still im Kämmerlein;
Seit ich ihn gesehen,
Glaub' ich blind zu sein.

181   *ii*

DU Ring an meinem Finger,
Mein goldnes Ringelein,
Ich drücke dich fromm an die Lippen,
Dich fromm an das Herze mein.

Ich hatt' ihn ausgeträumet,
Der Kindheit friedlichen Traum,
Ich fand allein mich verloren
Im öden unendlichen Raum.

Du Ring an meinem Finger,
Da hast du mich erst belehrt,
Hast meinem Blick erschlossen
Des Lebens unendlichen Wert.

Ich werd' ihm dienen, ihm leben,
Ihm angehören ganz,
Hin selber mich geben und finden
Verklärt mich in seinem Glanz.

Du Ring an meinem Finger,
Mein goldnes Ringelein,
Ich drücke dich fromm an die Lippen,
Dich fromm an das Herze mein.

182   *iii*

NUN hast du mir den ersten Schmerz getan,
        Der aber traf.
Du schläfst, du harter, unbarmherz'ger Mann,
        Den Todesschlaf.

Es blicket die Verlaßne vor sich hin,
        Die Welt ist leer.
Geliebet hab' ich und gelebt, ich bin
        Nicht lebend mehr.

Ich zieh' mich in mein Innres still zurück,
        Der Schleier fällt,
Da hab' ich dich und mein vergangnes Glück,
        Du meine Welt!

183 Die Weiber von Weinsberg

DER erste Hohenstaufe, der König Konrad, lag
Mit Heeresmacht vor Weinsberg seit manchem langen
Tag.
Der Welfe war geschlagen, noch wehrte sich das Nest,
Die unverzagten Städter, die hielten es noch fest.

Der Hunger kam, der Hunger! Das ist ein scharfer Dorn.
Nun suchten sie die Gnade, nun fanden sie den Zorn:
»Ihr habt mir hier erschlagen gar manchen Degen wert,
Und öffnet ihr die Tore, so trifft euch doch das Schwert!«

Da sind die Weiber kommen: »Und muß es also sein,
Gewährt uns freien Abzug, wir sind vom Blute rein!«
Da hat sich vor den Armen des Helden Zorn gekühlt.
Da hat ein sanft Erbarmen im Herzen er gefühlt.

»Die Weiber mögen abziehn, und jede habe frei,
Was sie vermag zu tragen und ihr das Liebste sei;
Laßt ziehn mit ihrer Bürde sie ungehindert fort!
Das ist des Königs Meinung, das ist des Königs Wort.«

Und als der frühe Morgen im Osten kaum gegraut,
Da hat ein seltnes Schauspiel vom Lager man geschaut;
Es öffnet leise, leise sich das bedrängte Tor,
Es schwankt ein Zug von Weibern mit schwerem Schritt
hervor.

Tief beugt die Last sie nieder, die auf dem Nacken ruht,
Sie tragen ihre Eh'herrn, das ist ihr liebstes Gut.

» Halt an die argen Weiber!« ruft drohend mancher
    Wicht;
Der Kanzler spricht bedeutsam: » Das war die Meinung
    nicht!«

Da hat, wie er's vernommen, der fromme Herr gelacht:
» Und war es nicht die Meinung, sie haben's gut gemacht!
Gesprochen ist gesprochen, das Königswort besteht,
Und zwar von keinem Kanzler zerdeutelt und zerdreht.«

184   *Der Soldat*

ES geht bei gedämpfter Trommel Klang;
Wie weit noch die Stätte! der Weg wie lang!
O wär' er zur Ruh und alles vorbei!
Ich glaub', es bricht mir das Herz entzwei.

Ich hab' in der Welt nur ihn geliebt,
Nur ihn, dem jetzt man den Tod doch gibt.
Bei klingendem Spiele wird paradiert,
Dazu bin auch ich kommandiert.

Nun schaut er auf zum letztenmal
In Gottes Sonne freudigen Strahl,
Nun binden sie ihm die Augen zu —
Dir schenke Gott die ewige Ruh!

Es haben die neun wohl angelegt,
Acht Kugeln haben vorbeigefegt;
Sie zitterten alle vor Jammer und Schmerz —
Ich aber, ich traf ihn mitten ins Herz.

185 *Die Kreuzschau*

DER Pilger, der die Höhen überstiegen,
Sah jenseits schon das ausgespannte Tal
In Abendglut vor seinen Füßen liegen.

Auf duft'ges Gras, im milden Sonnenstrahl
Streckt' er ermattet sich zur Ruhe nieder,
Indem er seinem Schöpfer sich befahl.

Ihm fielen zu die matten Augenlider,
Doch seinen wachen Geist enthob ein Traum
Der ird'schen Hülle seiner trägen Glieder.

Der Schild der Sonne ward im Himmelsraum
Zu Gottes Angesicht, das Firmament
Zu seinem Kleid, das Land zu dessen Saum.

» Du wirst dem, dessen Herz dich Vater nennt,
Nicht, Herr, im Zorn entziehen deinen Frieden,
Wenn seine Schwächen er vor dir bekennt.

Daß, wen ein Weib gebar, sein Kreuz hienieden
Auch duldend tragen muß, ich weiß es lange;
Doch sind der Menschen Last und Leid verschieden.

Mein Kreuz ist allzu schwer; sieh, ich verlange
Die Last nur angemessen meiner Kraft;
Ich unterliege, Herr, zu hartem Zwange.« —

Wie so er sprach zum Höchsten kinderhaft,
Kam brausend her der Sturm, und es geschah,
Daß aufwärts er sich fühlte hingerafft.

Und wie er Boden faßte, fand er da
Sich einsam in der Mitte räum'ger Hallen,
Wo ringsum sonder Zahl er Kreuze sah.

Und eine Stimme hört' er dröhnend hallen:
» Hier aufgespeichert ist das Leid; du hast
Zu wählen unter diesen Kreuzen allen.«

Versuchend ging er da, unschlüssig fast,
Von einem Kreuz zum anderen umher,
Sich auszuprüfen die bequemre Last.

Dies Kreuz war ihm zu groß und das zu schwer,
So schwer und groß war jenes andre nicht,
Doch scharf von Kanten drückt' es desto mehr.

Das dort, das warf wie Gold ein gleißend Licht,
Das lockt' ihn, unversucht es nicht zu lassen;
Dem goldnen Glanz entsprach auch das Gewicht.

Er mochte dieses heben, jenes fassen,
Zu keinem neigte noch sich seine Wahl,
Es wollte keines, keines für ihn passen.

Durchmustert hat er schon die ganze Zahl —
Verlorne Müh! vergebens war's geschehen!
Durchmustern mußt' er sie zum andern Mal.

Und nun gewahrt' er, früher übersehen,
Ein Kreuz, das leidlicher ihm schien zu sein,
Und bei dem einen blieb er endlich stehen.

Ein schlichtes Marterholz, nicht leicht, allein
Ihm paßlich und gerecht nach Kraft und Maß:
» Herr«, rief er, »so du willst, dies Kreuz sei mein!«

Und wie er's prüfend mit den Augen maß —
Es war dasselbe, das er sonst getragen,
Wogegen er zu murren sich vermaß.
Er lud es auf und trug's nun sonder Klagen.

1786-1862

186   *Wanderlied*

WOHLAUF, noch getrunken
       Den funkelnden Wein!
Ade nun, ihr Lieben!
Geschieden muß sein.
Ade nun, ihr Berge,
Du väterlich Haus!
Es treibt in die Ferne
Mich mächtig hinaus.

Die Sonne, sie bleibet
Am Himmel nicht stehn,
Es treibt sie durch Länder
Und Meere zu gehn.
Die Woge nicht haftet
Am einsamen Strand,
Die Stürme, sie brausen
Mit Macht durch das Land.

Mit eilenden Wolken
Der Vogel dort zieht
Und singt in der Ferne
Ein heimatlich Lied.
So treibt es den Burschen
Durch Wälder und Feld,
Zu gleichen der Mutter,
Der wandernden Welt.

Da grüßen ihn Vögel
Bekannt überm Meer,
Sie flogen von Fluren
Der Heimat hieher;

Da duften die Blumen
Vertraulich um ihn,
Sie trieben vom Lande
Die Lüfte dahin.

Die Vögel, die kennen
Sein väterlich Haus.
Die Blumen einst pflanzt' er
Der Liebe zum Strauß,
Und Liebe, die folgt ihm,
Sie geht ihm zur Hand:
So wird ihm zur Heimat
Das ferneste Land.

187   *Der reichste Fürst*

PREISEND mit viel schönen Reden
   Ihrer Länder Wert und Zahl,
Saßen viele deutsche Fürsten
Einst zu Worms im Kaisersaal.

»Herrlich«, sprach der Fürst von Sachsen,
»Ist mein Land und seine Macht,
Silber hegen seine Berge
Wohl in manchem tiefen Schacht.«

»Seht mein Land in üpp'ger Fülle,«
Sprach der Kurfürst von dem Rhein,
»Goldne Saaten in den Tälern,
Auf den Bergen edlen Wein!«

»Große Städte, reiche Klöster,«
Ludwig, Herr zu Bayern, sprach,
»Schaffen, daß mein Land dem euren
Wohl nicht steht an Schätzen nach.«

Eberhard, der mit dem Barte,
Württembergs geliebter Herr,
Sprach: » Mein Land hat kleine Städte,
Trägt nicht Berge silberschwer;

Doch ein Kleinod hält's verborgen:—
Daß in Wäldern, noch so groß,
Ich mein Haupt kann kühnlich legen
Jedem Untertan in Schoß.«

Und es rief der Herr von Sachsen,
Der von Bayern, der vom Rhein:
» Graf im Bart! Ihr seid der reichste,
Euer Land trägt Edelstein!«

188 *Der Wandrer in der Sägemühle*

DORT unten in der Mühle
Saß ich in süßer Ruh
Und sah dem Räderspiele
Und sah den Wassern zu.

Sah zu der blanken Säge,
Es war mir wie ein Traum,
Sie bahnte lange Wege
In einen Tannenbaum.

Die Tanne war wie lebend,
In Trauermelodie
Durch alle Fasern bebend
Sang diese Worte sie:

» Du kehrst zur rechten Stunde,
O Wanderer, hier ein,
Du bist's, für den die Wunde
Mir dringt ins Herz hinein.

Du bist's, für den wird werden,
Wenn kurz gewandert du,
Dies Holz im Schoß der Erden
Ein Schrein zur langen Ruh.«

Vier Bretter sah ich fallen,
Mir ward's ums Herze schwer,
Ein Wörtlein wollt' ich lallen,
Da ging das Rad nicht mehr.

189   *Poesie*

POESIE ist tiefes Schmerzen,
   Und es kommt das echte Lied
Einzig aus dem Menschenherzen,
Das ein tiefes Leid durchglüht.

Doch die höchsten Poesien
Schweigen wie der höchste Schmerz,
Nur wie Geisterschatten ziehen
Stumm sie durchs gebrochne Herz.

190   *Wie dir, so mir*

WIE dir geschah, so soll's auch mir geschehn,
   Nur wo du hinkamst, will auch ich hingehn:
Ich will ins Licht nur, wirst im Licht du sein,
Bist du in Nacht, so will ich in die Nacht,
Bist du in Pein, so will ich in die Pein.
Von dir getrennt hab' ich mich nie gedacht,
Zu dir, zu dir will ich allein, allein!

191 *Zur Ruh, zur Ruh*

ZUR Ruh, zur Ruh
Ihr müden Glieder!
Schließt fest euch zu,
Ihr Augenlider!
Ich bin allein,
Fort ist die Erde;
Nacht muß es sein,
Daß Licht mir werde.

O führt mich ganz,
Ihr innern Mächte,
Hin zu dem Glanz
Der tiefsten Nächte!
Fort aus dem Raum
Der Erdenschmerzen
Durch Nacht und Traum
Zum Mutterherzen!

LUDWIG UHLAND

1787-1862

192 *Die Kapelle*

DROBEN stehet die Kapelle,
Schauet still ins Tal hinab,
Drunten singt bei Wies' und Quelle
Froh und hell der Hirtenknab'.

Traurig tönt das Glöcklein nieder,
Schauerlich der Leichenchor;
Stille sind die frohen Lieder,
Und der Knabe lauscht empor.

Droben bringt man sie zu Grabe,
Die sich freuten in dem Tal.
Hirtenknabe, Hirtenknabe,
Dir auch singt man dort einmal.

193   *Schäfers Sonntagslied*

DAS ist der Tag des Herrn.
Ich bin allein auf weiter Flur.
Noch eine Morgenglocke nur,
Nun Stille nah und fern.

Anbetend knie' ich hier.
O süßes Graun! geheimes Wehn!
Als knieten viele ungesehn
Und beteten mit mir.

Der Himmel, nah und fern,
Er ist so klar und feierlich,
So ganz, als wollt' er öffnen sich.
Das ist der Tag des Herrn.

194   *Das Schloß am Meere*

»HAST du das Schloß gesehen,
Das hohe Schloß am Meer?
Golden und rosig wehen
Die Wolken drüber her.

Es möchte sich niederneigen
In die spiegelklare Flut,
Es möchte streben und steigen
In der Abendwolken Glut.« —

»Wohl hab’ ich es gesehen,
Das hohe Schloß am Meer
Und den Mond darüber stehen
Und Nebel weit umher.« —

»Der Wind und des Meeres Wallen,
Gaben sie frischen Klang?
Vernahmst du aus hohen Hallen
Saiten und Festgesang?« —

»Die Winde, die Wogen alle
Lagen in tiefer Ruh;
Einem Klagelied aus der Halle
Hört’ ich mit Tränen zu.« —

»Sahest du oben gehen
Den König und sein Gemahl,
Der roten Mäntel Wehen,
Der goldnen Kronen Strahl?

Führten sie nicht mit Wonne
Eine schöne Jungfrau dar,
Herrlich wie eine Sonne,
Strahlend im goldnen Haar?« —

»Wohl sah ich die Eltern beide
Ohne der Kronen Licht,
Im schwarzen Trauerkleide —
Die Jungfrau sah ich nicht.«

195 *Der gute Kamerad*

ICH hatt' einen Kameraden,
Einen bessern findst du nit.
Die Trommel schlug zum Streite,
Er ging an meiner Seite
In gleichem Schritt und Tritt.

Eine Kugel kam geflogen;
Gilt's mir oder gilt es dir?
Ihn hat es weggerissen,
Er liegt mir vor den Füßen,
Als wär's ein Stück von mir.

Will mir die Hand noch reichen,
Derweil ich eben lad':
»Kann dir die Hand nicht geben,
Bleib du im ew'gen Leben
Mein guter Kamerad!«

196 *Der Wirtin Töchterlein*

ES zogen drei Bursche wohl über den Rhein,
Bei einer Frau Wirtin da kehrten sie ein.

»Frau Wirtin, hat Sie gut Bier und Wein?
Wo hat Sie ihr schönes Töchterlein?«

»Mein Bier und Wein ist frisch und klar,
Mein Töchterlein liegt auf der Totenbahr'.«

Und als sie traten zur Kammer hinein,
Da lag sie in einem schwarzen Schrein.

Der erste, der schlug den Schleier zurück
Und schaute sie an mit traurigem Blick:

» Ach, lebtest du noch, du schöne Maid!
Ich würde dich lieben von dieser Zeit. «

Der zweite deckte den Schleier zu
Und kehrte sich ab und weinte dazu:

» Ach, daß du liegst auf der Totenbahr'!
Ich hab' dich geliebet so manches Jahr. «

Der dritte hub ihn wieder sogleich
Und küßte sie an den Mund so bleich:

» Dich liebt' ich immer, dich lieb' ich noch heut
Und werde dich lieben in Ewigkeit. «

197   *Der Schmied*

ICH hör' meinen Schatz,
Den Hammer er schwinget,
Das rauschet, das klinget,
Das dringt in die Weite
Wie Glockengeläute
Durch Gassen und Platz.

Am schwarzen Kamin
Da sitzet mein Lieber,
Doch geh' ich vorüber,
Die Bälge dann sausen,
Die Flammen aufbrausen
Und lodern um ihn.

198 *Die Rache*

DER Knecht hat erstochen den edeln Herrn,
Der Knecht wär' selber ein Ritter gern.

Er hat ihn erstochen im dunkeln Hain
Und den Leib versenket im tiefen Rhein;

Hat angeleget die Rüstung blank,
Auf des Herren Roß sich geschwungen frank.

Und als er sprengen will über die Brück',
Da stutzet das Roß und bäumt sich zurück.

Und als er die güldnen Sporen ihm gab,
Da schleudert's ihn wild in den Strom hinab.

Mit Arm, mit Fuß er rudert und ringt,
Der schwere Panzer ihn niederzwingt.

199 *Morgenlied*

NOCH ahnt man kaum der Sonne Licht,
Noch sind die Morgenglocken nicht
Im finstern Tal erklungen.

Wie still des Waldes weiter Raum!
Die Vöglein zwitschern nur im Traum,
Kein Sang hat sich erschwungen.

Ich hab' mich längst ins Feld gemacht
Und habe schon dies Lied erdacht
Und hab' es laut gesungen.

200 *Abreise*

SO hab' ich nun die Stadt verlassen,
Wo ich gelebet lange Zeit;
Ich ziehe rüstig meiner Straßen,
Es gibt mir niemand das Geleit.

Man hat mir nicht den Rock zerrissen,
Es wär' auch schade für das Kleid,
Noch in die Wange mich gebissen
Vor übergroßem Herzeleid.

Auch keinem hat's den Schlaf vertrieben,
Daß ich am Morgen weiter geh';
Sie konnten's halten nach Belieben,
Von einer aber tut mir's weh.

201 *Einkehr*

BEI einem Wirte wundermild,
Da war ich jüngst zu Gaste;
Ein goldner Apfel war sein Schild
An einem langen Aste.

Es war der gute Apfelbaum,
Bei dem ich eingekehret;
Mit süßer Kost und frischem Schaum
Hat er mich wohl genähret.

Es kamen in sein grünes Haus
Viel leichtbeschwingte Gäste;
Sie sprangen frei und hielten Schmaus
Und sangen auf das beste.

Ich fand ein Bett zu süßer Ruh
Auf weichen, grünen Matten;
Der Wirt, er deckte selbst mich zu
Mit seinem kühlen Schatten.

Nun fragt' ich nach der Schuldigkeit,
Da schüttelt' er den Wipfel.
Gesegnet sei er alle Zeit
Von der Wurzel bis zum Gipfel!

202 *Heimkehr*

O BRICH nicht, Steg, du zitterst sehr!
O stürz nicht, Fels, du dräuest schwer!
Welt, geh nicht unter, Himmel, fall nicht ein,
Eh' ich mag bei der Liebsten sein!

203 *Frühlingsglaube*

DIE linden Lüfte sind erwacht,
Sie säuseln und weben Tag und Nacht,
Sie schaffen an allen Enden.
O frischer Duft, o neuer Klang!
Nun, armes Herze, sei nicht bang!
Nun muß sich alles, alles wenden.

Die Welt wird schöner mit jedem Tag,
Man weiß nicht, was noch werden mag,
Das Blühen will nicht enden.
Es blüht das fernste, tiefste Tal:
Nun, armes Herz, vergiß der Qual!
Nun muß sich alles, alles wenden.

204 *Der weiße Hirsch*

ES gingen drei Jäger wohl auf die Birsch,
Sie wollten erjagen den weißen Hirsch.

Sie legten sich unter den Tannenbaum,
Da hatten die drei einen seltsamen Traum.

Der erste:
» Mir hat geträumt, ich klopf' auf den Busch,
Da rauschte der Hirsch heraus, husch husch!«

Der zweite:
» Und als er sprang mit der Hunde Geklaff,
Da brannt' ich ihn auf das Fell, piff paff!«

Der dritte:
» Und als ich den Hirsch an der Erde sah,
Da stieß ich lustig ins Horn, trara!«

So lagen sie da und sprachen, die drei,
Da rannte der weiße Hirsch vorbei.

Und eh' die drei Jäger ihn recht gesehn,
So war er davon über Tiefen und Höhn.
Husch husch! piff paff! trara!

205 *Siegfrieds Schwert*

JUNG Siegfried war ein stolzer Knab',
Ging von des Vaters Burg herab,

Wollt' rasten nicht in Vaters Haus,
Wollt' wandern in alle Welt hinaus.

Begegnet' ihm manch Ritter wert
Mit festem Schild und breitem Schwert.

Siegfried nur einen Stecken trug,
Das war ihm bitter und leid genug.

Und als er ging im finstern Wald,
Kam er zu einer Schmiede bald.

Da sah er Eisen und Stahl genug,
Ein lustig Feuer Flammen schlug.

» O Meister, liebster Meister mein,
Laß du mich deinen Gesellen sein!

Und lehr du mich mit Fleiß und Acht,
Wie man die guten Schwerter macht!«

Siegfried den Hammer wohl schwingen kunnt',
Er schlug den Amboß in den Grund.

Er schlug, daß weit der Wald erklang
Und alles Eisen in Stücke sprang.

Und von der letzten Eisenstang'
Macht er ein Schwert so breit und lang.

» Nun hab' ich geschmiedet ein gutes Schwert,
Nun bin ich wie andre Ritter wert.

Nun schlag' ich wie ein andrer Held
Die Riesen und Drachen in Wald und Feld «

206 *Schwäbische Kunde*

ALS Kaiser Rotbart lobesam
Zum heil'gen Land gezogen kam,
Da mußt' er mit dem frommen Heer
Durch ein Gebirge wüst und leer.
Daselbst erhub sich große Not;
Viel Steine gab's und wenig Brot,

Und mancher deutsche Reitersmann
Hat dort den Trunk sich abgetan.
Den Pferden war's so schwach im Magen,
Fast mußt' der Reiter die Mähre tragen.
Nun war ein Herr aus Schwabenland,
Von hohem Wuchs und starker Hand;
Des Rößlein war so krank und schwach,
Er zog es nur am Zaume nach;
Er hätt' es nimmer aufgegeben,
Und kostet's ihn das eigne Leben.
So blieb er bald ein gutes Stück
Hinter dem Heereszug zurück.
Da sprengten plötzlich in die Quer
Fünfzig türkische Reiter daher;
Die huben an, auf ihn zu schießen,
Nach ihm zu werfen mit den Spießen.
Der wackre Schwabe forcht' sich nit,
Ging seines Weges Schritt vor Schritt,
Ließ sich den Schild mit Pfeilen spicken
Und tät nur spöttlich um sich blicken,
Bis einer, dem die Zeit zu lang,
Auf ihn den krummen Säbel schwang.
Da wallt dem Deutschen auch sein Blut,
Er trifft des Türken Pferd so gut,
Er haut ihm ab mit einem Streich
Die beiden Vorderfüß' zugleich.
Als er das Tier zu Fall gebracht,
Da faßt er erst sein Schwert mit Macht,
Er schwingt es auf des Reiters Kopf,
Haut durch bis auf den Sattelknopf,
Haut auch den Sattel noch zu Stücken
Und tief noch in des Pferdes Rücken;
Zur Rechten sieht man wie zur Linken

Einen halben Türken heruntersinken.
Da packt die andern kalter Graus,
Sie fliehen in alle Welt hinaus,
Und jedem ist's, als würd' ihm mitten
Durch Kopf und Leib hindurchgeschnitten.
Drauf kam des Wegs 'ne Christenschar,
Die auch zurückgeblieben war;
Die sahen nun mit gutem Bedacht,
Was Arbeit unser Held gemacht.
Von denen hat's der Kaiser vernommen.
Der ließ den Schwaben vor sich kommen;
Er sprach: » Sag an, mein Ritter wert!
Wer hat dich solche Streich' gelehrt? «
Der Held bedacht' sich nicht zu lang:
» Die Streiche sind bei uns im Schwang;
Sie sind bekannt im ganzen Reiche, —
Man nennt sie halt nur Schwabenstreiche. «

207   *Der blinde König*

WAS steht der nord'schen Fechter Schar
    Hoch auf des Meeres Bord?
Was will in seinem grauen Haar
Der blinde König dort?
Er ruft, in bittrem Harme
Auf seinen Stab gelehnt,
Daß überm Meeresarme
Das Eiland widertönt:

» Gib, Räuber, aus dem Felsverlies
Die Tochter mir zurück!
Ihr Harfenspiel, ihr Lied so süß
War meines Alters Glück.

Vom Tanz auf grünem Strande
Hast du sie weggeraubt;
Dir ist es ewig Schande,
Mir beugt's das graue Haupt.«

Da tritt aus seiner Kluft hervor
Der Räuber, groß und wild,
Er schwingt sein Hünenschwert empor
Und schlägt an seinen Schild:
»Du hast ja viele Wächter,
Warum denn litten's die?
Dir dient so mancher Fechter,
Und keiner kämpft um sie?«

Noch stehn die Fechter alle stumm,
Tritt keiner aus den Reihn,
Der blinde König kehrt sich um:
»Bin ich denn ganz allein?«
Da faßt des Vaters Rechte
Sein junger Sohn so warm:
»Vergönn mir's, daß ich fechte!
Wohl fühl' ich Kraft im Arm.«

»O Sohn, der Feind ist riesenstark,
Ihm hielt noch keiner stand;
Und doch, in dir ist edles Mark,
Ich fühl's am Druck der Hand.
Nimm hier die alte Klinge!
Sie ist der Skalden Preis.
Und fällst du, so verschlinge
Die Flut mich armen Greis!«

Und horch! es schäumet und es rauscht
Der Nachen übers Meer,

LUDWIG UHLAND

Der blinde König steht und lauscht,
Und alles schweigt umher,
Bis drüben sich erhoben
Der Schild' und Schwerter Schall
Und Kampfgeschrei und Toben
Und dumpfer Widerhall.

Da ruft der Greis so freudig bang:
» Sagt an, was ihr erschaut!
Mein Schwert (ich kenn's am guten Klang)
Es gab so scharfen Laut.« —
» Der Räuber ist gefallen,
Er hat den blut'gen Lohn,
Heil dir, du Held vor allen,
Du starker Königssohn! «

Und wieder wird es still umher,
Der König steht und lauscht:
» Was hör' ich kommen übers Meer?
Es rudert und es rauscht.« —
» Sie kommen angefahren,
Dein Sohn mit Schwert und Schild,
In sonnenhellen Haaren
Dein Töchterlein Gunild.«

» Willkommen! « ruft vom hohen Stein
Der blinde Greis hinab,
» Nun wird mein Alter wonnig sein
Und ehrenvoll mein Grab.
Du legst mir, Sohn, zur Seite
Das Schwert von gutem Klang;
Gunilde, du Befreite,
Singst mir den Grabgesang! «

208   *Des Sängers Fluch*

ES stand in alten Zeiten ein Schloß so hoch und hehr,
Weit glänzt' es über die Lande bis an das blaue Meer;
Und rings von duft'gen Gärten ein blütenreicher Kranz,
Drin sprangen frische Brunnen im Regenbogenglanz.

Dort saß ein stolzer König, an Land und Siegen reich,
Er saß auf seinem Throne so finster und so bleich;
Denn was er sinnt, ist Schrecken, und was er blickt, ist Wut,
Und was er spricht, ist Geißel, und was er schreibt, ist
    Blut.

Einst zog nach diesem Schlosse ein edles Sängerpaar,
Der ein' in goldnen Locken, der andre grau von Haar;
Der Alte mit der Harfe, der saß auf schmuckem Roß,
Es schritt ihm frisch zur Seite der blühende Genoß.

Der Alte sprach zum Jungen: »Nun sei bereit, mein
    Sohn!
Denk unsrer tiefsten Lieder, stimm an den vollsten Ton!
Nimm alle Kraft zusammen, die Lust und auch den
    Schmerz!
Es gilt uns heut zu rühren des Königs steinern Herz.«

Schon stehn die beiden Sänger im hohen Säulensaal,
Und auf dem Throne sitzen der König und sein Gemahl;
Der König furchtbar prächtig wie blut'ger Nordlichtschein,
Die Königin süß und milde, als blickte Vollmond drein.

Da schlug der Greis die Saiten, er schlug sie wundervoll,
Daß reicher, immer reicher der Klang zum Ohre schwoll;
Dann strömte himmlisch helle des Jünglings Stimme vor,
Des Alten Sang dazwischen wie dumpfer Geisterchor.

254

LUDWIG UHLAND

Sie singen von Lenz und Liebe, von sel'ger goldner Zeit,
Von Freiheit, Männerwürde, von Treu und Heiligkeit;
Sie singen von allem Süßen, was Menschenbrust durchbebt,
Sie singen von allem Hohen, was Menschenherz erhebt.

Die Höflingsschar im Kreise verlernet jeden Spott,
Des Königs trotz'ge Krieger, sie beugen sich vor Gott;
Die Königin, zerflossen in Wehmut und in Lust,
Sie wirft den Sängern nieder die Rose von ihrer Brust.

» Ihr habt mein Volk verführet, verlockt ihr nun mein
    Weib? «
Der König schreit es wütend, er bebt am ganzen Leib;
Er wirft sein Schwert, das blitzend des Jünglings Brust
    durchdringt,
Draus statt der goldnen Lieder ein Blutstrahl hochauf
    springt.

Und wie von Sturm zerstoben ist all der Hörer Schwarm,
Der Jüngling hat verröchelt in seines Meisters Arm;
Der schlägt um ihn den Mantel und setzt ihn auf das Roß,
Er bind't ihn aufrecht feste, verläßt mit ihm das Schloß.

Doch vor dem hohen Tore, da hält der Sängergreis,
Da faßt er seine Harfe, sie aller Harfen Preis;
An einer Marmorsäule da hat er sie zerschellt,
Dann ruft er, daß es schaurig durch Schloß und Garten
    gellt:

» Weh euch, ihr stolzen Hallen! Nie töne süßer Klang
Durch eure Räume wieder, nie Saite noch Gesang,
Nein, Seufzer nur und Stöhnen und scheuer Sklavenschritt,
Bis euch zu Schutt und Moder der Rachegeist zertritt!

Weh euch, ihr duft'gen Gärten im holden Maienlicht!
Euch zeig' ich dieses Toten entstelltes Angesicht,
Daß ihr darob verdorret, daß jeder Quell versiegt,
Daß ihr in künft'gen Tagen versteint, verödet liegt.

Weh dir, verruchter Mörder, du Fluch des Sängertums!
Umsonst sei all dein Ringen nach Kränzen blut'gen
    Ruhms!
Dein Name sei vergessen, in ew'ge Nacht getaucht,
Sei wie ein letztes Röcheln in leere Luft verhaucht!«

Der Alte hat's gerufen, der Himmel hat's gehört:
Die Mauern liegen nieder, die Hallen sind zerstört;
Nur eine hohe Säule zeugt von verschwundner Pracht,
Auch diese, schon geborsten, kann stürzen über Nacht.

Und rings statt duft'ger Gärten ein ödes Heideland,
Kein Baum verstreuet Schatten, kein Quell durchdringt
    den Sand.
Des Königs Namen meldet kein Lied, kein Heldenbuch;
Versunken und vergessen! Das ist des Sängers Fluch.

209   *Bertran de Born*

DROBEN auf dem schroffen Steine
Raucht in Trümmern Autafort,
Und der Burgherr steht gefesselt
Vor des Königs Zelte dort:
» Kamst du, der mit Schwert und Liedern
Aufruhr trug von Ort zu Ort,
Der die Kinder aufgewiegelt
Gegen ihres Vaters Wort?

LUDWIG UHLAND

Steht vor mir, der sich gerühmet
In vermeßner Prahlerei,
Daß ihm nie mehr als die Hälfte
Seines Geistes nötig sei ?
Nun der halbe dich nicht rettet,
Ruf den ganzen doch herbei,
Daß er neu dein Schloß dir baue,
Deine Ketten brech' entzwei ! « —

» Wie du sagst, mein Herr und König,
Steht vor dir Bertran de Born,
Der mit einem Lied entflammte
Perigord und Ventadorn,
Der dem mächtigen Gebieter
Stets im Auge war ein Dorn,
Dem zu Liebe Königskinder
Trugen ihres Vaters Zorn.

Deine Tochter saß im Saale,
Festlich, eines Herzogs Braut,
Und da sang vor ihr mein Bote,
Dem ein Lied ich anvertraut,
Sang, was einst ihr Stolz gewesen,
Ihres Dichters Sehnsuchtlaut,
Bis ihr leuchtend Brautgeschmeide
Ganz von Tränen war betaut.

Aus des Ölbaums Schlummerschatten
Fuhr dein bester Sohn empor,
Als mit zorn'gen Schlachtgesängen
Ich bestürmen ließ sein Ohr.
Schnell war ihm das Roß gegürtet,
Und ich trug das Banner vor,
Jenem Todespfeil entgegen,
Der ihn traf vor Montforts Tor.

Blutend lag er mir im Arme;
Nicht der scharfe, kalte Stahl —
Daß er sterb' in deinem Fluche,
Das war seines Sterbens Qual.
Strecken wollt' er dir die Rechte
Über Meer, Gebirg und Tal;
Als er deine nicht erreichet,
Drückt' er meine noch einmal.

Da, wie Autafort dort oben,
Ward gebrochen meine Kraft;
Nicht die ganze, nicht die halbe
Blieb mir, Saite nicht, noch Schaft.
Leicht hast du den Arm gebunden,
Seit der Geist mir liegt in Haft;
Nur zu einem Trauerliede
Hat er sich noch aufgerafft. «

Und der König senkt die Stirne:
» Meinen Sohn hast du verführt,
Hast der Tochter Herz verzaubert,
Hast auch meines nun gerührt.
Nimm die Hand, du Freund des Toten,
Die, verzeihend, ihm gebührt!
Weg die Fesseln! Deines Geistes
Hab' ich einen Hauch verspürt. «

210 *Das Glück von Edenhall*

VON Edenhall der junge Lord
Läßt schmettern Festtrommetenschall,
Er hebt sich an des Tisches Bord
Und ruft in trunkner Gäste Schwall:
» Nun her mit dem Glücke von Edenhall! «

LUDWIG UHLAND

Der Schenk vernimmt ungern den Spruch,
Des Hauses ältester Vasall,
Nimmt zögernd aus dem seidnen Tuch
Das hohe Trinkglas von Krystall;
Sie nennen's das Glück von Edenhall.

Darauf der Lord: » Dem Glas zum Preis
Schenk Roten ein aus Portugal! «
Mit Händezittern gießt der Greis,
Und purpurn Licht wird überall;
Es strahlt aus dem Glücke von Edenhall.

Da spricht der Lord und schwingt's dabei:
» Dies Glas von leuchtendem Krystall
Gab meinem Ahn am Quell die Fei;
Drein schrieb sie: ' Kommt dies Glas zu Fall,
Fahr wohl dann, o Glück von Edenhall! '

Ein Kelchglas ward zum Los mit Fug
Dem freud'gen Stamm von Edenhall;
Wir schlürfen gern in vollem Zug,
Wir läuten gern mit lautem Schall.
Stoßt an mit dem Glücke von Edenhall! «

Erst klingt es milde, tief und voll,
Gleich dem Gesang der Nachtigall,
Dann wie des Waldstroms laut Geroll;
Zuletzt erdröhnt wie Donnerhall
Das herrliche Glück von Edenhall.

» Zum Horte nimmt ein kühn Geschlecht
Sich den zerbrechlichen Krystall?
Er dauert länger schon als recht.
Stoßt an! Mit diesem kräft'gen Prall
Versuch' ich das Glück von Edenhall. «

Und als das Trinkglas gellend springt,
Springt das Gewölb mit jähem Knall,
Und aus dem Riß die Flamme dringt;
Die Gäste sind zerstoben all'
Mit dem brechenden Glücke von Edenhall.

Einstürmt der Feind mit Brand und Mord,
Der in der Nacht erstieg den Wall;
Vom Schwerte fällt der junge Lord,
Hält in der Hand noch den Krystall,
Das zersprungene Glück von Edenhall.

Am Morgen irrt der Schenk allein,
Der Greis, in der zerstörten Hall';
Er sucht des Herrn verbrannt Gebein,
Er sucht im grausen Trümmerfall
Die Scherben des Glücks von Edenhall.

» Die Steinwand «, spricht er, » springt zu Stück,
Die hohe Säule muß zu Fall;
Glas ist der Erde Stolz und Glück,
In Splitter fällt der Erdenball
Einst gleich dem Glücke von Edenhall. «

211   *Auf den Tod eines Kindes*

DU kamst, du gingst mit leiser Spur,
Ein flücht'ger Gast im Erdenland;
Woher? wohin? Wir wissen nur:
Aus Gottes Hand in Gottes Hand.

JOSEPH VON EICHENDORFF

1788-1857

212   *Das zerbrochene Ringlein*

IN einem kühlen Grunde
Da geht ein Mühlenrad,
Mein' Liebste ist verschwunden,
Die dort gewohnet hat.

Sie hat mir Treu versprochen,
Gab mir ein'n Ring dabei,
Sie hat die Treu gebrochen,
Mein Ringlein sprang entzwei.

Ich möcht' als Spielmann reisen
Weit in die Welt hinaus
Und singen meine Weisen
Und gehn von Haus zu Haus.

Ich möcht' als Reiter fliegen
Wohl in die blut'ge Schlacht,
Um stille Feuer liegen
Im Feld bei dunkler Nacht.

Hör' ich das Mühlrad gehen:
Ich weiß nicht, was ich will —
Ich möcht' am liebsten sterben,
Da wär's auf einmal still!

213   *Abschied*

O TÄLER weit, o Höhen,
  O schöner, grüner Wald,
Du meiner Lust und Wehen
Andächt'ger Aufenthalt!
Da draußen, stets betrogen,
Saust die geschäft'ge Welt;
Schlag noch einmal die Bogen
Um mich, du grünes Zelt!

Wenn es beginnt zu tagen,
Die Erde dampft und blinkt,
Die Vögel lustig schlagen,
Daß dir dein Herz erklingt:
Da mag vergehn, verwehen
Das trübe Erdenleid,
Da sollst du auferstehen
In junger Herrlichkeit!

Da steht im Wald geschrieben
Ein stilles, ernstes Wort
Von rechtem Tun und Lieben,
Und was des Menschen Hort.
Ich habe treu gelesen
Die Worte schlicht und wahr,
Und durch mein ganzes Wesen
Ward's unaussprechlich klar.

Bald werd' ich dich verlassen,
Fremd in der Fremde gehn,
Auf buntbewegten Gassen
Des Lebens Schauspiel sehn;

Und mitten in dem Leben
Wird deines Ernsts Gewalt
Mich Einsamen erheben,
So wird mein Herz nicht alt.

214 *Die Stille*

ES weiß und rät es doch keiner,
Wie mir so wohl ist, so wohl!
Ach, wüßt' es nur einer, nur einer,
Kein Mensch es sonst wissen soll.

So still ist's nicht draußen im Schnee,
So stumm und verschwiegen sind
Die Sterne nicht in der Höh',
Als meine Gedanken sind.

Ich wünscht', es wäre schon Morgen,
Da fliegen zwei Lerchen auf,
Die überfliegen einander,
Mein Herze folgt ihrem Lauf.

Ich wünscht', ich wäre ein Vöglein
Und zöge über das Meer,
Wohl über das Meer und weiter,
Bis daß ich im Himmel wär'!

215 *Waldgespräch*

»ES ist schon spät, es wird schon kalt,
    Was reitst du einsam durch den Wald?
Der Wald ist lang, du bist allein,
Du schöne Braut! Ich führ' dich heim! « —

»Groß ist der Männer Trug und List,
Vor Schmerz mein Herz gebrochen ist,
Wohl irrt das Waldhorn her und hin,
O flieh! du weißt nicht, wer ich bin.« —

»So reich geschmückt ist Roß und Weib,
So wunderschön der junge Leib,
Jetzt kenn' ich dich — Gott steh' mir bei!
Du bist die Hexe Lorelei.« —

»Du kennst mich wohl—von hohem Stein
Schaut still mein Schloß tief in den Rhein.
Es ist schon spät, es wird schon kalt,
Kommst nimmermehr aus diesem Wald!«

216 *Nachtlied*

VERGANGEN ist der lichte Tag,
    Von ferne kommt der Glocken Schlag;
So reist die Zeit die ganze Nacht,
Nimmt manchen mit, der's nicht gedacht.

Wo ist nun hin die bunte Lust,
Des Freundes Trost und treue Brust,
Des Weibes süßer Augenschein?
Will keiner mit mir munter sein?

Da's nun so stille auf der Welt,
Ziehn Wolken einsam übers Feld,
Und Feld und Baum besprechen sich —
O Menschenkind! was schauert dich?

Wie weit die falsche Welt auch sei,
Bleibt mir doch Einer nur getreu,
Der mit mir weint, der mit mir wacht,
Wenn ich nur recht an ihn gedacht.

Frisch auf denn, liebe Nachtigall,
Du Wasserfall mit hellem Schall!
Gott loben wollen wir vereint,
Bis daß der lichte Morgen scheint!

217 *Der Einsiedler*

KOMM, Trost der Welt, du stille Nacht!
Wie steigst du von den Bergen sacht!
Die Lüfte alle schlafen;
Ein Schiffer nur noch, wandermüd',
Singt übers Meer sein Abendlied
Zu Gottes Lob im Hafen.

Die Jahre wie die Wolken gehn
Und lassen mich hier einsam stehn,
Die Welt hat mich vergessen;
Da tratst du wunderbar zu mir,
Wenn ich beim Waldesrauschen hier
Gedankenvoll gesessen.

O Trost der Welt, du stille Nacht!
Der Tag hat mich so müd' gemacht,
Das weite Meer schon dunkelt;
Laß ausruhn mich von Lust und Not,
Bis daß das ew'ge Morgenrot
Den stillen Wald durchfunkelt.

218 *Morgengebet*

O WUNDERBARES, tiefes Schweigen,
Wie einsam ist's noch auf der Welt!
Die Wälder nur sich leise neigen,
Als ging' der Herr durchs stille Feld.

Ich fühl' mich recht wie neu geschaffen,
Wo ist die Sorge nun und Not?
Was mich noch gestern wollt' erschlaffen,
Ich schäm' mich des im Morgenrot.

Die Welt mit ihrem Gram und Glücke
Will ich, ein Pilger frohbereit,
Betreten nur wie eine Brücke
Zu dir, Herr, übern Strom der Zeit.

Und buhlt mein Lied, auf Weltgunst lauernd,
Um schnöden Sold der Eitelkeit:
Zerschlag mein Saitenspiel, und schauernd
Schweig' ich vor dir in Ewigkeit.

219   *Der frohe Wandersmann*

WEM Gott will rechte Gunst erweisen,
  Den schickt er in die weite Welt;
Dem will er seine Wunder weisen
In Berg und Wald und Strom und Feld.

Die Trägen, die zu Hause liegen,
Erquicket nicht das Morgenrot,
Sie wissen nur von Kinderwiegen,
Von Sorgen, Last und Not um Brot.

Die Bächlein von den Bergen springen,
Die Lerchen schwirren hoch vor Lust;
Was sollt' ich nicht mit ihnen singen
Aus voller Kehl' und frischer Brust?

Den lieben Gott lass' ich nur walten;
Der Bächlein, Lerchen, Wald und Feld
Und Erd' und Himmel will erhalten,
Hat auch mein' Sach' aufs best' bestellt.

220   *Sehnsucht*

ES schienen so golden die Sterne,
  Am Fenster ich einsam stand
Und hörte aus weiter Ferne
Ein Posthorn im stillen Land.
Das Herz mir im Leibe entbrennte,
Da hab' ich mir heimlich gedacht:
Ach, wer da mitreisen könnte
In der prächtigen Sommernacht!

Zwei junge Gesellen gingen
Vorüber am Bergeshang.
Ich hörte im Wandern sie singen
Die stille Gegend entlang:
Von schwindelnden Felsenschlüften,
Wo die Wälder rauschen so sacht,
Von Quellen, die von den Klüften
Sich stürzen in Waldesnacht.

Sie sangen von Marmorbildern,
Von Gärten, die überm Gestein
In dämmernden Lauben verwildern,
Palästen im Mondenschein,
Wo die Mädchen am Fenster lauschen,
Wann der Lauten Klang erwacht,
Und die Brunnen verschlafen rauschen
In der prächtigen Sommernacht.

221   *Meeresstille*

ICH seh' von des Schiffes Rande
Tief in die Flut hinein:
Gebirge und grüne Lande
Und Trümmer im falben Schein
Und zackige Türme im Grunde,
Wie ich's oft im Traum mir gedacht,
Das dämmert alles da unten
Als wie eine prächtige Nacht.

Seekönig auf seiner Warte
Sitzt in der Dämmrung tief,
Als ob er mit langem Barte
Über seiner Harfe schlief';
Da kommen und gehen die Schiffe
Darüber, er merkt es kaum,
Von seinem Korallenriffe
Grüßt er sie wie im Traum.

222   *Frühlingsnacht*

ÜBERN Garten durch die Lüfte
Hört' ich Wandervögel ziehn,
Das bedeutet Frühlingsdüfte,
Unten fängt's schon an zu blühn.

Jauchzen möcht' ich, möchte weinen,
Ist mir's doch, als könnt's nicht sein!
Alte Wunder wieder scheinen
Mit dem Mondesglanz herein.

Und der Mond, die Sterne sagen's,
Und in Träumen rauscht's der Hain,
Und die Nachtigallen schlagen's:
Sie ist deine, sie ist dein!

223 *Wünschelrute*

SCHLÄFT ein Lied in allen Dingen,
Die da träumen fort und fort;
Und die Welt hebt an zu singen,
Triffst du nur das Zauberwort.

224 *Wandernder Dichter*

ICH weiß nicht, was das sagen will!
Kaum tret' ich von der Schwelle still,
Gleich schwingt sich eine Lerche auf
Und jubiliert durchs Blau vorauf.

Das Gras ringsum, die Blumen gar
Stehn mit Juwelen und Perl'n im Haar,
Die schlanken Pappeln, Busch und Saat
Verneigen sich im größten Staat.

Als Bot' voraus das Bächlein eilt,
Und wo der Wind die Wipfel teilt,
Die Au' verstohlen nach mir schaut,
Als wär' sie meine liebe Braut.

Ja, komm' ich müd' ins Nachtquartier,
Die Nachtigall noch vor der Tür
Mir Ständchen bringt, Glühwürmchen bald
Illuminieren rings den Wald.

Umsonst! das ist nun einmal so,
Kein Dichter reist inkognito,
Der lust'ge Frühling merkt es gleich,
Wer König ist in seinem Reich.

225   *Auf meines Kindes Tod*

VON fern die Uhren schlagen,
  Es ist schon tiefe Nacht,
Die Lampe brennt so düster,
Dein Bettlein ist gemacht.

Die Winde nur noch gehen
Wehklagend um das Haus,
Wir sitzen einsam drinne
Und lauschen oft hinaus.

Es ist, als müßtest leise
Du klopfen an die Tür,
Du hätt'st dich nur verirret
Und kämst nun müd' zurück.

Wir armen, armen Toren!
Wir irren ja im Graus
Des Dunkels noch verloren —
Du fandest längst nach Haus.

226   *In der Fremde*

AUS der Heimat hinter den Blitzen rot
  Da kommen die Wolken her,
Aber Vater und Mutter sind lange tot,
Es kennt mich dort keiner mehr.

Wie bald, wie bald kommt die stille Zeit,
Da ruhe ich auch, und über mir
Rauschet die schöne Waldeinsamkeit,
Und keiner mehr kennt mich auch hier.

227 *Frühlingsdämmerung*

IN der stillen Pracht
In allen frischen Büschen und Bäumen
Flüstert's wie Träumen
Die ganze Nacht.
Denn über den mondbeglänzten Ländern
Mit langen weißen Gewändern
Ziehen die schlanken
Wolkenfraun wie geheime Gedanken,
Senden von den Felsenwänden
Hinab die behenden
Frühlingsgesellen, die hellen Waldquellen,
Die's unten bestellen
An die duft'gen Tiefen,
Die gerne noch schliefen.
Nun wiegen und neigen
In ahnendem Schweigen
Sich alle so eigen
Mit Ähren und Zweigen,
Erzählen's den Winden,
Die durch die blühenden Linden
Vorüber den grasenden Rehen
Säuselnd über die See'n gehen,
Daß die Nixen verschlafen auftauchen
Und fragen,
Was sie so lieblich hauchen ——
Wer mag es wohl sagen?

228 *Mondnacht*

ES war, als hätt' der Himmel
Die Erde still geküßt,
Daß sie im Blütenschimmer
Von ihm nun träumen müßt'.

Die Luft ging durch die Felder,
Die Ähren wogten sacht,
Es rauschten leis die Wälder,
So sternklar war die Nacht.

Und meine Seele spannte
Weit ihre Flügel aus,
Flog durch die stillen Lande,
Als flöge sie nach Haus.

229 *Todeslust*

BEVOR er in die blaue Flut gesunken,
Träumt noch der Schwan und singet todestrunken.
Die sommermüde Erde im Verblühen
Läßt all ihr Feuer in den Trauben glühen.

Die Sonne, Funken sprühend, im Versinken
Gibt noch einmal der Erde Glut zu trinken,
Bis, Stern auf Stern, die Trunkne zu umfangen,
Die wunderbare Nacht ist aufgegangen.

1788-1866

230 *Barbarossa*

DER alte Barbarossa,
Der Kaiser Friederich,
Im unterirdschen Schlosse
Hält er verzaubert sich.

Er ist niemals gestorben,
Er lebt darin noch jetzt;
Er hat im Schloß verborgen
Zum Schlaf sich hingesetzt.

Er hat hinabgenommen
Des Reiches Herrlichkeit
Und wird einst wiederkommen
Mit ihr zu seiner Zeit.

Der Stuhl ist elfenbeinern,
Darauf der Kaiser sitzt;
Der Tisch ist marmelsteinern,
Worauf sein Haupt er stützt.

Sein Bart ist nicht von Flachse,
Er ist von Feuersglut,
Ist durch den Tisch gewachsen,
Worauf sein Haupt ausruht.

Er nickt als wie im Traume,
Sein Aug' halb offen zwinkt,
Und je nach langem Raume
Er einem Knaben winkt.

Er spricht im Schlaf zum Knaben:
»Geh hin vors Schloß, o Zwerg,
Und sieh, ob noch die Raben
Herfliegen um den Berg.

Und wenn die alten Raben
Noch fliegen immerdar,
So muß ich auch noch schlafen
Verzaubert hundert Jahr.«

Liebesfrühling

i

231

DU meine Seele, du mein Herz,
Du meine Wonne, du mein Schmerz,
Du meine Welt, in der ich lebe,
Mein Himmel du, darein ich schwebe,
O du mein Grab, in das hinab
Ich ewig meinen Kummer gab!
Du bist die Ruh, du bist der Frieden,
Du bist der Himmel mir beschieden.
Daß du mich liebst, macht mich mir wert,
Dein Blick hat mich vor mir verklärt,
Du hebst mich liebend über mich,
Mein guter Geist, mein beßres Ich!

232

ii

ER ist gekommen
In Sturm und Regen,
Ihm schlug beklommen
Mein Herz entgegen.
Wie konnt' ich ahnen,
Daß seine Bahnen
Sich einen sollten meinen Wegen?

Er ist gekommen
In Sturm und Regen,
Er hat genommen
Mein Herz verwegen.
Nahm er das meine?
Nahm ich das seine?
Die beide kamen sich entgegen.

Er ist gekommen
In Sturm und Regen,
Nun ist entglommen
Des Frühlings Segen.
Der Freund zieht weiter,
Ich seh' es heiter,
Denn er bleibt mein auf allen Wegen.

233   *iii*

ICH liebe dich, weil ich dich lieben muß;
Ich liebe dich, weil ich nicht anders kann;
Ich liebe dich nach einem Himmelsschluß;
Ich liebe dich durch einen Zauberbann.

Dich lieb' ich, wie die Rose ihren Strauch;
Dich lieb' ich, wie die Sonne ihren Schein;
Dich lieb' ich, weil du bist mein Lebenshauch;
Dich lieb' ich, weil dich lieben ist mein Sein.

234 *Kehr ein bei mir!*

DU bist die Ruh,
Der Friede mild,
Die Sehnsucht du,
Und was sie stillt.

Ich weihe dir
Voll Lust und Schmerz
Zur Wohnung hier
Mein Aug' und Herz.

Kehr ein bei mir
Und schließe du
Still hinter dir
Die Pforten zu!

Treib andern Schmerz
Aus dieser Brust!
Voll sei dies Herz
Von deiner Lust.

Dies Augenzelt,
Von deinem Glanz
Allein erhellt,
O füll es ganz!

235 *Aus der Jugendzeit*

AUS der Jugendzeit, aus der Jugendzeit
Klingt ein Lied mir immerdar;
O wie liegt so weit, o wie liegt so weit,
Was mein einst war!

FRIEDRICH RÜCKERT

Was die Schwalbe sang, was die Schwalbe sang,
Die den Herbst und Frühling bringt,
Ob das Dorf entlang, ob das Dorf entlang
Das jetzt noch klingt?

»Als ich Abschied nahm, als ich Abschied nahm,
Waren Kisten und Kasten schwer;
Als ich wieder kam, als ich wieder kam,
War alles leer.«

O du Kindermund, o du Kindermund,
Unbewußter Weisheit froh,
Vogelsprachekund, vogelsprachekund
Wie Salomo!

O du Heimatflur, o du Heimatflur,
Laß zu deinem heil'gen Raum
Mich noch einmal nur, mich noch einmal nur
Entfliehn im Traum!

Als ich Abschied nahm, als ich Abschied nahm,
War die Welt mir voll so sehr;
Als ich wieder kam, als ich wieder kam,
War alles leer.

Wohl die Schwalbe kehrt', wohl die Schwalbe kehrt',
Und der leere Kasten schwoll,
Ist das Herz geleert, ist das Herz geleert,
Wird's nie mehr voll.

Keine Schwalbe bringt, keine Schwalbe bringt
Dir zurück, wonach du weinst;
Doch die Schwalbe singt, doch die Schwalbe singt
Im Dorf wie einst:

»Als ich Abschied nahm, als ich Abschied nahm,
Waren Kisten und Kasten schwer;
Als ich wieder kam, als ich wieder kam,
War alles leer.«

236   *Mit vierzig Jahren*

MIT vierzig Jahren ist der Berg erstiegen,
Wir stehen still und schaun zurück;
Dort sehen wir der Kindheit stilles liegen
Und dort der Jugend lautes Glück.

Noch einmal schau, und dann gekräftigt weiter
Erhebe deinen Wanderstab!
Hindehnt ein Bergesrücken sich, ein breiter,
Und hier nicht, drüben geht's hinab.

Nicht atmend aufwärts brauchst du mehr zu steigen,
Die Ebene zieht von selbst dich fort;
Dann wird sie sich mit dir unmerklich neigen,
Und eh' du's denkst, bist du im Port.

237   *Sprüche*

i

O BLICKE, wenn den Sinn dir will die Welt verwirren,
Zum ew'gen Himmel auf, wo nie die Sterne irren.

ii

Vor jedem steht ein Bild des, was er werden soll;
So lang er das nicht ist, ist nicht sein Friede voll.

iii

Wenn du Gott wolltest Dank für jede Lust erst sagen,
Du fändest gar nicht Zeit, noch über Weh zu klagen.

iv

Nie stille steht die Zeit, der Augenblick entschwebt,
Und den du nicht genützt, den hast du nicht gelebt.

v

Zwei Hälften machen zwar ein Ganzes, aber merk:
Aus halb und halb getan entsteht kein ganzes Werk.

vi

Wehe dem, der zu sterben geht
Und keinem Liebe geschenkt hat,
Dem Becher, der zu Scherben geht
Und keinen Durst'gen getränkt hat.

vii

Willst du, daß wir mit hinein
In das Haus dich bauen,
Laß es dir gefallen, Stein,
Daß wir dich behauen.

viii

Klage nicht, daß dir im Leben
Ward vereitelt manches Hoffen;
Hat, was du gefürchtet eben,
Doch auch meist dich nicht betroffen.

JOSEPH CHRISTIAN VON ZEDLITZ

1790–1862

238 *Die nächtliche Heerschau*

NACHTS um die zwölfte Stunde
Verläßt der Tambour sein Grab,
Macht mit der Trommel die Runde,
Geht emsig auf und ab.

Mit seinen entfleischten Armen
Rührt er die Schlegel zugleich,
Schlägt manchen guten Wirbel,
Reveill' und Zapfenstreich.

Die Trommel klinget seltsam,
Hat gar einen starken Ton :
Die alten toten Soldaten
Erwachen im Grabe davon.

Und die im tiefen Norden
Erstarrt in Schnee und Eis,
Und die in Welschland liegen,
Wo ihnen die Erde zu heiß,

Und die der Nilschlamm decket
Und der arabische Sand,
Sie steigen aus den Gräbern,
Sie nehmen's Gewehr zur Hand.

Und um die zwölfte Stunde
Verläßt der Trompeter sein Grab
Und schmettert in die Trompete
Und reitet auf und ab.

Da kommen auf luftigen Pferden
Die toten Reiter herbei,
Die blutigen alten Schwadronen
In Waffen mancherlei.

Es grinsen die weißen Schädel
Wohl unter dem Helm hervor,
Es halten die Knochenhände
Die langen Schwerter empor.

Und um die zwölfte Stunde
Verläßt der Feldherr sein Grab,
Kommt langsam hergeritten,
Umgeben von seinem Stab.

Er trägt ein kleines Hütchen,
Er trägt ein einfach Kleid,
Und einen kleinen Degen
Trägt er an seiner Seit'.

Der Mond mit gelbem Lichte
Erhellt den weiten Plan:
Der Mann im kleinen Hütchen
Sieht sich die Truppen an.

Die Reihen präsentieren
Und schultern das Gewehr,
Dann zieht mit klingendem Spiele
Vorüber das ganze Heer.

Die Marschäll' und Generale
Schließen um ihn einen Kreis:
Der Feldherr sagt dem Nächsten
Ins Ohr ein Wörtchen leis.

Das Wort geht in die Runde,
Klingt wider fern und nah :
» Frankreich « ist die Parole,
Die Losung : » Sankt Helena ! «

Dies ist die große Parade
Im elysäischen Feld,
Die um die zwölfte Stunde
Der tote Cäsar hält.

THEODOR KÖRNER

1791-1813

239   *Gebet während der Schlacht*

VATER, ich rufe dich !
Brüllend umwölkt mich der Dampf der Geschütze,
Sprühend umzucken mich rasselnde Blitze.
Lenker der Schlachten, ich rufe dich !
Vater du, führe mich !

Vater du, führe mich !
Führ mich zum Siege, führ mich zum Tode :
Herr, ich erkenne deine Gebote ;
Herr, wie du willst, so führe mich !
Gott, ich erkenne dich !

Gott, ich erkenne dich !
So im herbstlichen Rauschen der Blätter,
Als im Schlachtendonnerwetter,
Urquell der Gnade, erkenn' ich dich.
Vater du, segne mich !

Vater du, segne mich!
In deine Hand befehl' ich mein Leben,
Du kannst es nehmen, du hast es gegeben;
Zum Leben, zum Sterben segne mich!
Vater, ich preise dich!

Vater, ich preise dich!
's ist ja kein Kampf für die Güter der Erde;
Das Heiligste schützen wir mit dem Schwerte:
Drum, fallend und siegend, preis' ich dich.
Gott, dir ergeb' ich mich!

Gott, dir ergeb' ich mich!
Wenn mich die Donner des Todes begrüßen,
Wenn meine Adern geöffnet fließen:
Dir, mein Gott, dir ergeb' ich mich!
Vater, ich rufe dich!

WILHELM MÜLLER

1794–1827

240 *Wanderschaft*

DAS Wandern ist des Müllers Lust,
Das Wandern!
Das muß ein schlechter Müller sein,
Dem niemals fiel das Wandern ein,
Das Wandern.

Vom Wasser haben wir's gelernt,
Vom Wasser!
Das hat nicht Rast bei Tag und Nacht,
Ist stets auf Wanderschaft bedacht,
Das Wasser.

Das sehn wir auch den Rädern ab,
   Den Rädern!
Die gar nicht gerne stille stehn,
Die sich mein Tag nicht müde drehn,
   Die Räder.

Die Steine selbst, so schwer sie sind,
   Die Steine!
Sie tanzen mit den muntern Reihn
Und wollen gar noch schneller sein,
   Die Steine.

O Wandern, Wandern, meine Lust,
   O Wandern!
Herr Meister und Frau Meisterin,
Laßt mich in Frieden weiter ziehn
   Und wandern.

241   *Wohin?*

ICH hört' ein Bächlein rauschen
  Wohl aus dem Felsenquell,
Hinab zum Tale rauschen
So frisch und wunderhell.

Ich weiß nicht, wie mir wurde,
Nicht, wer den Rat mir gab,
Ich mußte gleich hinunter
Mit meinem Wanderstab.

Hinunter und immer weiter,
Und immer dem Bache nach;
Und immer frischer rauschte
Und immer heller der Bach.

Ist das denn meine Straße?
O Bächlein, sprich, wohin?
Du hast mit deinem Rauschen
Mir ganz berauscht den Sinn.

Was sag' ich denn vom Rauschen?
Das kann kein Rauschen sein:
Es singen wohl die Nixen
Dort unten ihren Reihn.

Laß singen, Gesell, laß rauschen
Und wandre fröhlich nach!
Es gehn ja Mühlenräder
In jedem klaren Bach.

242 *Halt!*

EINE Mühle seh' ich blinken
Aus den Erlen heraus,
Durch Rauschen und Singen
Bricht Rädergebraus.

Ei willkommen, ei willkommen,
Süßer Mühlengesang!
Und das Haus, wie so traulich,
Und die Fenster, wie blank!

Und die Sonne, wie helle
Vom Himmel sie scheint!
Ei, Bächlein, liebes Bächlein
War es also gemeint?

243   *Ungeduld*

ICH schnitt' es gern in alle Rinden ein,
Ich grüb' es gern in jeden Kieselstein,
Ich möcht' es sä'n auf jedes frische Beet
Mit Kressensamen, der es schnell verrät,
Auf jeden weißen Zettel möcht' ich's schreiben:
Dein ist mein Herz, und soll es ewig bleiben.

Ich möcht' mir ziehen einen jungen Star,
Bis daß er spräch' die Worte rein und klar,
Bis er sie spräch' mit meines Mundes Klang,
Mit meines Herzens vollem, heißem Drang;
Dann säng' er hell durch ihre Fensterscheiben:
Dein ist mein Herz, und soll es ewig bleiben.

Den Morgenwinden möcht' ich's hauchen ein,
Ich möcht' es säuseln durch den regen Hain;
O, leuchtet' es aus jedem Blumenstern!
Trüg' es der Duft zu ihr von nah' und fern!
Ihr Wogen, könnt ihr nichts als Räder treiben?
Dein ist mein Herz, und soll es ewig bleiben.

Ich meint', es müßt' in meinen Augen stehn,
Auf meinen Wangen müßt' man's brennen sehn,
Zu lesen wär's auf meinem stummen Mund,
Ein jeder Atemzug gäb's laut ihr kund;
Und sie merkt nichts von all dem bangen Treiben:
Dein ist mein Herz, und soll es ewig bleiben!

Mein!

244

BÄCHLEIN, laß dein Rauschen sein!
Räder, stellt eu'r Brausen ein!
All' ihr muntern Waldvögelein,
Groß und klein,
Endet eure Melodein!
Durch den Hain
Aus und ein
Schalle heut ein Reim allein:
Die geliebte Müllerin ist mein!
Mein!
Frühling, sind das alle deine Blümelein?
Sonne, hast du keinen hellern Schein?
Ach, so muß ich ganz allein,
Mit dem seligen Worte mein,
Unverstanden in der weiten Schöpfung sein.

Der Lindenbaum

245

AM Brunnen vor dem Tore,
Da steht ein Lindenbaum;
Ich träumt' in seinem Schatten
So manchen süßen Traum.

Ich schnitt in seine Rinde
So manches liebe Wort;
Es zog in Freud' und Leide
Zu ihm mich immer fort.

Ich mußt' auch heute wandern
Vorbei in tiefer Nacht,
Da hab' ich noch im Dunkel
Die Augen zugemacht.

Und seine Zweige rauschten,
Als riefen sie mir zu:
Komm her zu mir, Geselle,
Hier find'st du deine Ruh!

Die kalten Winde bliesen
Mir grad ins Angesicht,
Der Hut flog mir vom Kopfe,
Ich wendete mich nicht.

Nun bin ich manche Stunde
Entfernt von jenem Ort,
Und immer hör' ich's rauschen:
Du fändest Ruhe dort!

246 *Die Post*

VON der Straße her ein Posthorn klingt.
Was hat es, daß es so hoch aufspringt,
    Mein Herz?

Die Post bringt keinen Brief für dich.
Was drängst du denn so wunderlich,
    Mein Herz?

Nun ja, die Post kommt aus der Stadt,
Wo ich ein liebes Liebchen hatt',
    Mein Herz!

Willst wohl einmal hinübersehn,
Und fragen, wie es dort mag gehn,
    Mein Herz?

247 *Heimkehr*

VOR der Türe meiner Lieben
　　Häng' ich auf den Wanderstab;
Was mich durch die Welt getrieben,
Leg' ich ihr zu Füßen ab.

Wanderlustige Gedanken,
Die ihr flattert nah und fern,
Fügt euch in die engen Schranken
Ihrer treuen Arme gern!

Was uns in der weiten Ferne
Suchen hieß ein eitler Traum,
Zeigen uns der Liebe Sterne
In dem traulich kleinen Raum.

Schwalben kommen hergezogen —
Setzt euch, Vöglein, auf mein Dach!
Habt euch müde schon geflogen,
Und noch ist die Welt nicht wach.

Baut in meinen Fensterräumen
Eure Häuschen weich und warm!
Singt mir zu in Morgenträumen
Wanderlust und Wanderharm!

248   *Morgenlied*

WER schlägt so rasch an die Fenster mir
   Mit schwanken grünen Zweigen?
Der junge Morgenwind ist hier
Und will sich lustig zeigen.

»Heraus, heraus, du Menschensohn«,
So ruft der kecke Geselle,
»Es schwärmt von Frühlingswonnen schon
Vor deiner Kammerschwelle.

Hörst du die Käfer summen nicht?
Hörst du das Glas nicht klirren,
Wenn sie, betäubt von Duft und Licht,
Hart an die Scheiben schwirren?

Die Sonnenstrahlen stehlen sich
Behende durch Blätter und Ranken
Und necken auf deinem Lager dich
Mit blendendem Schweben und Schwanken.

Die Nachtigall ist heiser fast,
So lang hat sie gesungen,
Und weil du sie gehört nicht hast,
Ist sie vom Baum gesprungen.

Da schlug ich mit dem leeren Zweig
An deine Fensterscheiben:
Heraus, heraus in des Frühlings Reich!
Er wird nicht lange mehr bleiben.«

Vineta

AUS des Meeres tiefem, tiefem Grunde
Klingen Abendglocken dumpf und matt,
Uns zu geben wunderbare Kunde
Von der schönen alten Wunderstadt.

In der Fluten Schoß hinabgesunken
Blieben unten ihre Trümmer stehn.
Ihre Zinnen lassen goldne Funken
Widerscheinend auf dem Spiegel sehn.

Und der Schiffer, der den Zauberschimmer
Einmal sah im hellen Abendrot,
Nach derselben Stelle schifft er immer,
Ob auch rings umher die Klippe droht.

Aus des Herzens tiefem, tiefem Grunde
Klingt es mir wie Glocken dumpf und matt.
Ach, sie geben wunderbare Kunde
Von der Liebe, die geliebt es hat.

Eine schöne Welt ist da versunken,
Ihre Trümmer blieben unten stehn,
Lassen sich als goldne Himmelsfunken
Oft im Spiegel meiner Träume sehn.

Und dann möcht' ich tauchen in die Tiefen,
Mich versenken in den Widerschein,
Und mir ist, als ob mich Engel riefen
In die alte Wunderstadt herein.

AUGUST GRAF VON PLATEN

1796-1835

250 *Der Pilgrim vor St. Just*

NACHT ist's, und Stürme sausen für und für;
Hispanische Mönche, schließt mir auf die Tür!

Laßt hier mich ruhn, bis Glockenton mich weckt,
Der zum Gebet euch in die Kirche schreckt!

Bereitet mir, was euer Haus vermag,
Ein Ordenskleid und einen Sarkophag!

Gönnt mir die kleine Zelle, weiht mich ein!
Mehr als die Hälfte dieser Welt war mein.

Das Haupt, das nun der Schere sich bequemt,
Mit mancher Krone ward's bediademt.

Die Schulter, die der Kutte nun sich bückt,
Hat kaiserlicher Hermelin geschmückt.

Nun bin ich vor dem Tod den Toten gleich
Und fall' in Trümmer wie das alte Reich.

251 *Das Grab im Busento*

NÄCHTLICH am Busento lispeln bei Cosenza
dumpfe Lieder,
Aus den Wassern schallt es Antwort, und in Wirbeln klingt
es wieder!
Und den Fluß hinauf, hinunter ziehn die Schatten tapfrer
Goten,
Die den Alarich beweinen, ihres Volkes besten Toten.

Allzufrüh und fern der Heimat mußten hier sie ihn begraben,
Während noch die Jugendlocken seine Schulter blond
umgaben.

Und am Ufer des Busento reihten sie sich um die Wette;
Um die Strömung abzuleiten, gruben sie ein frisches Bette.

In der wogenleeren Höhlung wühlten sie empor die Erde,
Senkten tief hinein den Leichnam mit der Rüstung auf
dem Pferde;

Deckten dann mit Erde wieder ihn und seine stolze Habe,
Daß die hohen Stromgewächse wüchsen aus dem Helden-
grabe.

Abgelenkt zum zweiten Male, ward der Fluß herbeigezogen;
Mächtig in ihr altes Bette schäumten die Busentowogen.

Und es sang ein Chor von Männern: »Schlaf in deinen
Heldenehren!
Keines Römers schnöde Habsucht soll dir je das Grab
versehren!«

Sangen's, und die Lobgesänge tönten fort im Gotenheere;
Wälze sie, Busentowelle, wälze sie von Meer zu Meere!

252 *Wie rafft' ich mich auf*

WIE rafft' ich mich auf in der Nacht, in der Nacht,
Und fühlte mich fürder gezogen!
Die Gassen verließ ich, vom Wächter bewacht,
Durchwandelte sacht
In der Nacht, in der Nacht,
Das Tor mit dem gotischen Bogen.

Der Mühlbach rauschte durch felsigen Schacht,
Ich lehnte mich über die Brücke,
Tief unter mir nahm ich der Wogen in acht,
Die wallten so sacht
In der Nacht, in der Nacht,
Doch wallte nicht eine zurücke.

Es drehte sich oben, unzählig entfacht,
Melodischer Wandel der Sterne,
Mit ihnen der Mond in beruhigter Pracht,
Sie funkelten sacht
In der Nacht, in der Nacht,
Durch täuschend entlegene Ferne.

Ich blickte hinauf in der Nacht, in der Nacht,
Ich blickte hinunter aufs neue:
O wehe, wie hast du die Tage verbracht!
Nun stille du sacht
In der Nacht, in der Nacht,
Im pochenden Herzen die Reue!

253   *Im Wasser wogt die Lilie*

IM Wasser wogt die Lilie, die blanke, hin und her;
Doch irrst du, Freund, sobald du sagst, sie schwanke hin
    und her.
Es wurzelt ja so fest ihr Fuß in tiefem Meeresgrund,
Ihr Haupt nur wiegt ein lieblicher Gedanke hin und her.

Venedig

i

254

MEIN Auge ließ das hohe Meer zurücke,
Als aus der Flut Palladios Tempel stiegen,
An deren Staffeln sich die Wellen schmiegen,
Die uns getragen ohne Falsch und Tücke.

Wir landen an, wir danken es dem Glücke,
Und die Lagune scheint zurück zu fliegen,
Der Dogen alte Säulengänge liegen
Vor uns gigantisch mit der Seufzerbrücke.

Venedigs Löwen, sonst Venedigs Wonne,
Mit ehrnen Flügeln sehen wir ihn ragen
Auf seiner kolossalischen Kolonne.

Ich steig' ans Land, nicht ohne Furcht und Zagen,
Da glänzt der Markusplatz im Licht der Sonne:
Soll ich ihn wirklich zu betreten wagen?

ii

255

DIES Labyrinth von Brücken und von Gassen,
Die tausendfach sich ineinander schlingen,
Wie wird hindurchzugehn mir je gelingen?
Wie werd' ich je dies große Rätsel fassen?

Ersteigend erst des Markusturms Terrassen,
Vermag ich vorwärts mit dem Blick zu dringen,
Und aus den Wundern, welche mich umringen,
Entsteht ein Bild, es teilen sich die Massen.

Ich grüße dort den Ozean, den blauen,
Und hier die Alpen, die im weiten Bogen
Auf die Laguneninseln niederschauen.

Und sieh! da kam ein mut'ges Volk gezogen,
Paläste sich und Tempel sich zu bauen
Auf Eichenpfähle mitten in die Wogen.

256   iii

WIE lieblich ist's, wenn sich der Tag verkühlet,
   Hinaus zu sehn, wo Schiff und Gondel schweben,
Wenn die Lagune, ruhig, spiegeleben,
In sich verfließt, Venedig sanft umspület!

Ins Innre wieder dann gezogen fühlet
Das Auge sich, wo nach den Wolken streben
Palast und Kirche, wo ein lautes Leben
Auf allen Stufen des Rialto wühlet.

Ein frohes Völkchen lieber Müßiggänger,
Es schwärmt umher, es läßt durch nichts sich stören
Und stört auch niemals einen Grillenfänger.

Des Abends sammelt sich's zu ganzen Chören,
Denn auf dem Markusplatze will's den Sänger
Und den Erzähler auf der Riva hören.

257   iv

VENEDIG liegt nur noch im Land der Träume
   Und wirft nur Schatten her aus alten Tagen,
Es liegt der Leu der Republik erschlagen,
Und öde feiern seines Kerkers Räume.

Die ehrnen Hengste, die, durch salz'ge Schäume
Dahergeschleppt, auf jener Kirche ragen,
Nicht mehr dieselben sind sie, ach, sie tragen
Des korsikan'schen Uberwinders Zäume.

Wo ist das Volk von Königen geblieben,
Das diese Marmorhäuser durfte bauen,
Die nun verfallen und gemach zerstieben?

Nur selten finden auf der Enkel Brauen
Der Ahnen große Züge sich geschrieben,
An Dogengräbern in den Stein gehauen.

258 *v*

ES scheint ein langes, ew'ges Ach zu wohnen
In diesen Lüften, die sich leise regen;
Aus jenen Hallen weht es mir entgegen,
Wo Scherz und Jubel sonst gepflegt zu thronen.

Venedig fiel, wiewohl's getrotzt Äonen,
Das Rad des Glücks kann nichts zurückbewegen:
Öd' ist der Hafen, wen'ge Schiffe legen
Sich an die schöne Riva der Sclavonen.

Wie hast du sonst, Venetia, geprahlet
Als stolzes Weib mit goldenen Gewändern,
So wie dich Paolo Veronese malet!

Nun steht ein Dichter an den Prachtgeländern
Der Riesentreppe staunend und bezahlet
Den Tränenzoll, der nichts vermag zu ändern!

259 *vi*

WAS läßt im Leben sich zuletzt gewinnen?
Was sichern wir von seinen Schätzen allen?
Das goldne Glück, das süße Wohlgefallen,
Sie eilen — treu ist nur der Schmerz — von hinnen.

Eh' mir ins Nichts die letzten Stunden rinnen,
Will noch einmal ich auf und nieder wallen,
Venedigs Meer, Venedigs Marmorhallen
Beschaun mit sehnsuchtsvoll erstaunten Sinnen.

Das Auge schweift mit emsigem Bestreben,
Als ob zurück in seinem Spiegel bliebe,
Was länger nicht vor ihm vermag zu schweben.

Zuletzt, entziehend sich dem letzten Triebe,
Fällt ach! zum letztenmal im kurzen Leben
Auf jenes Angesicht ein Blick der Liebe.

260 *O süßer Lenz, beflügle deine Schritte*

O SÜSSER Lenz, beflügle deine Schritte,
Komm früher diesmal, als du pflegst zu kommen!
Du bist ein Arzt, wenn unsre Brust beklommen,
Ein milder Arzt von immer sanfter Sitte!

O könnt' ich schon in deiner Blumen Mitte,
Wann kaum der Tag am Horizont entglommen,
Bis er ins Abendrot zuletzt verschwommen,
Von Träumen leben, ohne Wunsch und Bitte!

Wann deine helle Sonne flammt im Blauen,
Würd' ich, ins Gras gestreckt, nach oben blicken
Und würde glauben meinen Freund zu schauen!

Geblendet würde dann mein Auge nicken,
Ich würde schlummern, bis die Sterne tauen,
Und mich im Schlaf an seinem Bild erquicken!

261 *Wer wußte je das Leben recht zu fassen?*

WER wußte je das Leben recht zu fassen?
Wer hat die Hälfte nicht davon verloren
Im Traum, im Fieber, im Gespräch mit Toren,
In Liebesqual, im leeren Zeitverprassen?

Ja, der sogar, der ruhig und gelassen,
Mit dem Bewußtsein, was er soll, geboren,
Frühzeitig einen Lebensgang erkoren,
Muß vor des Lebens Widerspruch erblassen.

Denn jeder hofft doch, daß das Glück ihm lache;
Allein das Glück, wenn's wirklich kommt, ertragen
Ist keines Menschen, wäre Gottes Sache.

Auch kommt es nie, wir wünschen bloß und wagen;
Dem Schläfer fällt es nimmermehr vom Dache,
Und auch der Läufer wird es nicht erjagen.

262 *Ich möchte, wenn ich sterbe*

ICH möchte, wenn ich sterbe, wie die lichten
Gestirne schnell und unbewußt erbleichen,
Erliegen möcht' ich einst des Todes Streichen
Wie Sagen uns von Pindaros berichten.

Ich will ja nicht im Leben oder Dichten
Den großen Unerreichlichen erreichen,
Ich möcht', o Freund, ihm nur im Tode gleichen;
Doch höre nun die schönste der Geschichten.

Er saß im Schauspiel, vom Gesang beweget,
Und hatte, der ermüdet war, die Wangen
Auf seines Lieblings schönes Knie geleget:

Als nun der Chöre Melodien verklangen,
Will wecken ihn, der ihn so sanft geheget,
Doch zu den Göttern war er heimgegangen.

ANNETTE VON DROSTE-HÜLSHOFF
1797–1848

263 *Der Weiher*

ER liegt so still im Morgenlicht,
So friedlich wie ein fromm Gewissen.
Wenn Weste seinen Spiegel küssen,
Des Ufers Blume fühlt es nicht;
Libellen zittern über ihn,
Blaugoldne Stäbchen und Karmin,
Und auf des Sonnenbildes Glanz
Die Wasserspinne führt den Tanz.
Schwertlilienkranz am Ufer steht
Und horcht des Schilfes Schlummerliede,
Ein lindes Säuseln kommt und geht,
Als flüstr' es: Friede! Friede! Friede!

Das Schilf:

Stille, er schläft! stille, stille!
Libelle, reg die Schwingen sacht,
Daß nicht das Goldgewebe schrille;
Und Ufergrün, hab gute Wacht!
Kein Kieselchen laß niederfallen,
Er schläft auf seinem Wolkenflaum,
Und über ihn läßt säuselnd wallen
Das Laubgewölb der alte Baum.
Hoch oben, wo die Sonne glüht,
Wieget der Vogel seine Flügel,
Und wie ein schlüpfend Fischlein zieht
Sein Schatten durch des Teiches Spiegel.
Stille, stille! er hat sich geregt,
Ein fallend Reis hat ihn bewegt,
Das grad' zum Nest der Hänfling trug;
Su, Su! breit', Ast, dein grünes Tuch —
Su, Su! nun schläft er fest genug.

264 *Das Haus in der Heide*

WIE lauscht, vom Abendschein umzuckt,
Die strohgedeckte Hütte,
Recht wie im Nest der Vogel duckt,
Aus dunkler Föhren Mitte!

Am Fensterloche streckt das Haupt
Die weißgestirnte Sterke,
Bläst in den Abendduft und schnaubt
Und stößt ans Holzgewerke.

Seitab ein Gärtchen, dornumhegt,
Mit reinlichem Gelände,
Wo matt ihr Haupt die Glocke trägt,
Aufrecht die Sonnenwende.

Und drinnen kniet ein stilles Kind,
Das scheint den Grund zu jäten;
Nun pflückt sie eine Lilie lind
Und wandelt längs den Beeten.

Am Horizonte Hirten, die
Im Heidekraut sich strecken
Und mit des Aves Melodie
Träumende Lüfte wecken.

Und von der Tenne ab und an
Schallt es wie Hammerschläge,
Der Hobel rauscht, es fällt der Span,
Und langsam knarrt die Säge.

Da hebt der Abendstern gemach
Sich aus den Föhrenzweigen,
Und grade ob der Hütte Dach
Scheint er sich mild zu neigen.

Es ist ein Bild, wie still und heiß
Es alte Meister hegten,
Kunstvolle Mönche, und mit Fleiß
Es auf den Goldgrund legten —

Der Zimmermann, die Hirten gleich
Mit ihrem frommen Liede,
Die Jungfrau mit dem Lilienzweig,
Und rings der Gottesfriede,

Des Sternes wunderlich Geleucht
Aus zarten Wolkenfloren —
Ist etwa hier im Stall vielleicht
Christkindlein heut geboren?

265 *Der Heidemann*

»GEHT Kinder nicht zu weit ins Bruch!
    Die Sonne sinkt, schon surrt den Flug
Die Biene matter, schlafgehemmt,
Am Grunde schwimmt ein blasses Tuch,
Der Heidemann kömmt!« —

Die Knaben spielen fort am Raine,
Sie rupfen Gräser, schnellen Steine,
Sie plätschern in des Teiches Rinne,
Erhaschen die Phalän' am Ried
Und freun sich, wenn die Wasserspinne
Langbeinig in die Binsen flieht.

»Ihr Kinder, legt euch nicht ins Gras!
Seht, wo noch grad' die Biene saß,
Wie weißer Rauch die Glocken füllt.
Scheu aus dem Busche glotzt der Has',
Der Heidemann schwillt!« —

Kaum hebt ihr schweres Haupt die Schmele
Noch aus dem Dunst, in seine Höhle
Schiebt sich der Käfer, und am Halme
Die träge Motte höher kreucht,
Sich flüchtend vor dem feuchten Qualme,
Der unter ihre Flügel steigt.

»Ihr Kinder, haltet euch bei Haus!
Lauft ja nicht in das Bruch hinaus;
Seht, wie bereits der Dorn ergraut,
Die Drossel ächzt zum Nest hinaus;
Der Heidemann braut!« —

Man sieht des Hirten Pfeife glimmen
Und vor ihm her die Herde schwimmen,
Wie Proteus seine Robbenscharen
Heimschwemmt im grauen Ozean.
Am Dach die Schwalben zwitschernd fahren,
Und melancholisch kräht der Hahn.

» Ihr Kinder, bleibt am Hofe dicht !
Seht, wie die feuchte Nebelschicht
Schon an des Pförtchens Klinke reicht ;
Am Grunde schwimmt ein falsches Licht,
Der Heidemann steigt ! « —

Nun strecken nur der Föhren Wipfel
Noch aus dem Dunste grüne Gipfel
Wie übern Schnee Wacholderbüsche ;
Ein leises Brodeln quillt im Moor,
Ein schwaches Schrillen, ein Gezische
Dringt aus der Niederung hervor.

» Ihr Kinder, kommt kommt schnell herein !
Das Irrlicht zündet seinen Schein,
Die Kröte schwillt, die Schlang' im Ried ;
Jetzt ist's unheimlich draußen sein,
Der Heidemann zieht ! « —

Nun sinkt die letzte Nadel, rauchend
Zergeht die Fichte, langsam tauchend
Steigt Nebelschemen aus dem Moore,
Mit Hünenschritten gleitet's fort ;
Ein irres Leuchten zuckt im Rohre,
Der Krötenchor beginnt am Bord.

Und plötzlich scheint ein schwaches Glühen
Des Hünen Glieder zu durchziehen.
Es siedet auf, es färbt die Wellen,
Der Nord, der Nord entzündet sich —
Glutpfeile, Feuerspeere schnellen,
Der Horizont ein Lavastrich !

» Gott gnad' uns ! wie es zuckt und dräut,
Wie's schwelet an der Dünenscheid' !
Ihr Kinder, faltet eure Händ',
Das bringt uns Pest und teure Zeit —
Der Heidemann brennt ! « —

266 Mondesaufgang

AN des Balkones Gitter lehnte ich
Und wartete, du mildes Licht, auf dich.
Hoch über mir, gleich trübem Eiskristalle,
Zerschmolzen, schwamm des Firmamentes Halle ;
Der See verschimmerte mit leisem Dehnen —
Zerfloßne Perlen oder Wolkentränen ?
Es rieselte, es dämmerte um mich,
Ich wartete, du mildes Licht, auf dich !

Hoch stand ich, neben mir der Linden Kamm,
Tief unter mir Gezweige, Ast und Stamm ;
Im Laube summte der Phalänen Reigen,
Die Feuerfliege sah ich glimmend steigen ;
Und Blüten taumelten wie halb entschlafen.
Mir war, als treibe hier ein Herz zum Hafen,
Ein Herz, das übervoll von Glück und Leid
Und Bildern seliger Vergangenheit.

ANNETTE VON DROSTE-HÜLSHOFF

Das Dunkel stieg, die Schatten drangen ein —
Wo weilst du, weilst du denn, mein milder Schein?
Sie drangen ein wie sündige Gedanken,
Des Firmamentes Woge schien zu schwanken.
Verzittert war der Feuerfliege Funken,
Längst die Phaläne an den Grund gesunken,
Nur Bergeshäupter standen hart und nah,
Ein düstrer Richterkreis, im Düster da.

Und Zweige zischelten an meinem Fuß
Wie Warnungsflüstern oder Todesgruß.
Ein Summen stieg im weiten Wassertale
Wie Volksgemurmel vor dem Tribunale.
Mir war, als müßte etwas Rechnung geben,
Als stehe zagend ein verlornes Leben,
Als stehe ein verkümmert Herz allein,
Einsam mit seiner Schuld und seiner Pein.

Da, auf die Wellen sank ein Silberflor,
Und langsam stiegst du, frommes Licht, empor;
Der Alpen finstre Stirnen strichst du leise,
Und aus den Richtern wurden sanfte Greise.
Der Wellen Zucken ward ein lächelnd Winken,
An jedem Zweige sah ich Tropfen blinken,
Und jeder Tropfen schien ein Kämmerlein,
Drin flimmerte der Heimatlampe Schein.

O Mond, du bist mir wie ein später Freund
Der seine Jugend dem Verarmten eint,
Um seine sterbenden Erinnerungen
Des Lebens zarten Widerschein geschlungen;
Bist keine Sonne, die entzückt und blendet,
In Feuerströmen lebt, in Blute endet —
Bist, was dem kranken Sänger sein Gedicht:
Ein fremdes, aber — o, ein mildes Licht.

267   *Im Grase*

SÜSSE Ruh, süßer Taumel im Gras,
  Von des Krautes Arom umhaucht;
Tiefe Flut, tief tieftrunkene Flut,
Wenn die Wolk' am Azure verraucht,
Wenn aufs müde, schwimmende Haupt
Süßes Lachen gaukelt herab,
Liebe Stimme säuselt und träuft
Wie die Lindenblüt' auf ein Grab.

Wenn im Busen die Toten dann,
Jede Leiche sich streckt und regt,
Leise, leise den Odem zieht,
Die geschloßne Wimper bewegt,
Tote Lieb', tote Lust, tote Zeit,
All' die Schätze, im Schutt verwühlt,
Sich berühren mit schüchternem Klang
Gleich den Glöckchen, vom Winde umspielt.

Stunden, flüchtiger ihr als der Kuß
Eines Strahls auf den trauernden See,
Als des ziehenden Vogels Lied,
Das mir niederperlt aus der Höh',
Als des schillernden Käfers Blitz,
Wenn den Sonnenpfad er durcheilt,
Als der flücht'ge Druck einer Hand,
Die zum letzten Male verweilt.

Dennoch, Himmel, immer mir nur,
Dieses eine nur: für das Lied
Jedes freien Vogels im Blau
Eine Seele, die mit ihm zieht,

Nur für jeden kärglichen Strahl
Meinen farbigschillernden Saum,
Jeder warmen Hand meinen Druck,
Und für jedes Glück einen Traum.

HEINRICH HEINE

1797-1856

268   *Die Grenadiere*

NACH Frankreich zogen zwei Grenadier',
Die waren in Rußland gefangen;
Und als sie kamen ins deutsche Quartier,
Sie ließen die Köpfe hangen.

Da hörten sie beide die traurige Mär':
Daß Frankreich verloren gegangen,
Besiegt und zerschlagen das große Heer —
Und der Kaiser, der Kaiser gefangen.

Da weinten zusammen die Grenadier'
Wohl ob der kläglichen Kunde.
Der eine sprach: » Wie weh wird mir,
Wie brennt meine alte Wunde! «

Der andre sprach: » Das Lied ist aus,
Auch ich möcht' mit dir sterben;
Doch hab' ich Weib und Kind zu Haus,
Die ohne mich verderben. «

» Was schert mich Weib, was schert mich Kind,
Ich trage weit beßres Verlangen;
Laß sie betteln gehn, wenn sie hungrig sind —
Mein Kaiser, mein Kaiser gefangen!

Gewähr mir, Bruder, eine Bitt':
Wenn ich jetzt sterben werde,
So nimm meine Leiche nach Frankreich mit,
Begrab mich in Frankreichs Erde.

Das Ehrenkreuz am roten Band
Sollst du aufs Herz mir legen;
Die Flinte gib mir in die Hand,
Und gürt mir um den Degen.

So will ich liegen und horchen still,
Wie eine Schildwach', im Grabe,
Bis einst ich höre Kanonengebrüll
Und wiehernder Rosse Getrabe.

Dann reitet mein Kaiser wohl über mein Grab,
Viel Schwerter klirren und blitzen;
Dann steig' ich gewaffnet hervor aus dem Grab—
Den Kaiser, den Kaiser zu schützen!«

269 *Belsazer*

DIE Mitternacht zog näher schon;
In stiller Ruh' lag Babylon.

Nur oben in des Königs Schloß,
Da flackert's, da lärmt des Königs Troß.

Dort oben in dem Königssaal
Belsazer hielt sein Königsmahl.

Die Knechte saßen in schimmernden Reihn
Und leerten die Becher mit funkelndem Wein.

Es klirrten die Becher, es jauchzten die Knecht';
So klang es dem störrigen Könige recht.

Des Königs Wangen leuchten Glut;
Im Wein erwuchs ihm kecker Mut.

Und blindlings reißt der Mut ihn fort;
Und er lästert die Gottheit mit sündigem Wort.

Und er brüstet sich frech und lästert wild;
Die Knechtenschar ihm Beifall brüllt.

Der König rief mit stolzem Blick;
Der Diener eilt und kehrt zurück.

Er trug viel gülden Gerät auf dem Haupt;
Das war aus dem Tempel Jehovahs geraubt.

Und der König ergriff mit frevler Hand
Einen heiligen Becher, gefüllt bis am Rand.

Und er leert ihn hastig bis auf den Grund
Und rufet laut mit schäumendem Mund':

»Jehovah! dir künd' ich auf ewig Hohn, —
Ich bin der König von Babylon!«

Doch kaum das grause Wort verklang,
Dem König ward's heimlich im Busen bang.

Das gellende Lachen verstummte zumal;
Es wurde leichenstill im Saal.

Und sieh! und sieh! an weißer Wand
Da kam's hervor wie Menschenhand;

Und schrieb, und schrieb an weißer Wand
Buchstaben von Feuer, und schrieb und schwand.

Der König stieren Blicks da saß,
Mit schlotternden Knien und totenblaß.

Die Knechtenschar saß kalt durchgraut
Und saß gar still, gab keinen Laut.

Die Magier kamen, doch keiner verstand
Zu deuten die Flammenschrift an der Wand.

Belsazer ward aber in selbiger Nacht
Von seinen Knechten umgebracht.

An meine Mutter

270   *i*

ICH bin's gewohnt, den Kopf recht hoch zu tragen,
Mein Sinn ist auch ein bißchen starr und zähe;
Wenn selbst der König mir ins Antlitz sähe,
Ich würde nicht die Augen niederschlagen.

Doch, liebe Mutter, offen will ich's sagen:
Wie mächtig auch mein stolzer Mut sich blähe,
In deiner selig süßen, trauten Nähe
Ergreift mich oft ein demutvolles Zagen.

Ist es dein Geist, der heimlich mich bezwinget,
Dein hoher Geist, der alles kühn durchdringet
Und blitzend sich zum Himmelslichte schwinget?

Quält mich Erinnerung, daß ich verübet
So manche Tat, die dir das Herz betrübet?
Das schöne Herz, das mich so sehr geliebet!

271 *ii*

IM tollen Wahn hatt' ich dich einst verlassen;
Ich wollte gehn die ganze Welt zu Ende
Und wollte sehn, ob ich die Liebe fände,
Um liebevoll die Liebe zu umfassen.

Die Liebe suchte ich auf allen Gassen,
Vor jeder Türe streckt' ich aus die Hände
Und bettelte um g'ringe Liebesspende —
Doch lachend gab man mir nur kaltes Hassen.

Und immer irrte ich nach Liebe, immer
Nach Liebe, doch die Liebe fand ich nimmer
Und kehrte um nach Hause, krank und trübe.

Doch da bist du entgegen mir gekommen,
Und ach! was da in deinem Aug' geschwommen,
Das war die süße, langgesuchte Liebe.

272 *Im wunderschönen Monat Mai*

IM wunderschönen Monat Mai,
Als alle Knospen sprangen,
Da ist in meinem Herzen
Die Liebe aufgegangen.

Im wunderschönen Monat Mai,
Als alle Vögel sangen,
Da hab' ich ihr gestanden
Mein Sehnen und Verlangen.

273 *Auf Flügeln des Gesanges*

AUF Flügeln des Gesanges,
Herzliebchen, trag' ich dich fort,
Fort nach den Fluren des Ganges,
Dort weiß ich den schönsten Ort.

Dort liegt ein rotblühender Garten
Im stillen Mondenschein ;
Die Lotosblumen erwarten
Ihr trautes Schwesterlein.

Die Veilchen kichern und kosen
Und schaun nach den Sternen empor ;
Heimlich erzählen die Rosen
Sich duftende Märchen ins Ohr.

Es hüpfen herbei und lauschen
Die frommen, klugen Gazell'n ;
Und in der Ferne rauschen
Des heiligen Stromes Well'n.

Dort wollen wir niedersinken
Unter dem Palmenbaum
Und Liebe und Ruhe trinken
Und träumen seligen Traum.

274 *Die Lotosblume*

DIE Lotosblume ängstigt
Sich vor der Sonne Pracht,
Und mit gesenktem Haupte
Erwartet sie träumend die Nacht.

Der Mond, der ist ihr Buhle,
Er weckt sie mit seinem Licht,
Und ihm entschleiert sie freundlich
Ihr frommes Blumengesicht.

Sie blüht und glüht und leuchtet
Und starret stumm in die Höh';
Sie duftet und weinet und zittert
Vor Liebe und Liebesweh.

275 *Ein Fichtenbaum steht einsam*

EIN Fichtenbaum steht einsam
Im Norden auf kahler Höh'.
Ihn schläfert; mit weißer Decke
Umhüllen ihn Eis und Schnee.

Er träumt von einer Palme,
Die fern im Morgenland
Einsam und schweigend trauert
Auf brennender Felsenwand.

276 *Aus alten Märchen winkt es*

AUS alten Märchen winkt es
Hervor mit weißer Hand;
Da singt es und da klingt es
Von einem Zauberland,

Wo große Blumen schmachten
Im goldnen Abendlicht
Und zärtlich sich betrachten
Mit bräutlichem Gesicht,

Wo alle Bäume sprechen
Und singen wie ein Chor,
Und laute Quellen brechen
Wie Tanzmusik hervor,

Und Liebesweisen tönen,
Wie du sie nie gehört,
Bis wundersüßes Sehnen
Dich wundersüß betört.

Ach, könnt' ich dorthin kommen
Und dort mein Herz erfreun,
Und aller Qual entnommen
Und frei und selig sein!

Ach, jenes Land der Wonne,
Das seh' ich oft im Traum;
Doch kommt die Morgensonne,
Verfließt's wie eitel Schaum.

277 *Es fällt ein Stern herunter*

ES fällt ein Stern herunter
Aus seiner funkelnden Höh'!
Das ist der Stern der Liebe,
Den ich dort fallen seh'.

Es fallen vom Apfelbaume
Der Blüten und Blätter viel.
Es kommen die neckenden Lüfte
Und treiben damit ihr Spiel.

Es singt der Schwan im Weiher
Und rudert auf und ab,
Und immer leiser singend
Taucht er ins Flutengrab.

Es ist so still und dunkel!
Verweht ist Blatt und Blüt',
Der Stern ist knisternd zerstoben,
Verklungen das Schwanenlied.

278   *Lorelei*

ICH weiß nicht, was soll es bedeuten,
Daß ich so traurig bin;
Ein Märchen aus alten Zeiten,
Das kommt mir nicht aus dem Sinn.

Die Luft ist kühl, und es dunkelt,
Und ruhig fließt der Rhein;
Der Gipfel des Berges funkelt
Im Abendsonnenschein.

Die schönste Jungfrau sitzet
Dort oben wunderbar,
Ihr goldnes Geschmeide blitzet,
Sie kämmt ihr goldenes Haar.

Sie kämmt es mit goldenem Kamme
Und singt ein Lied dabei;
Das hat eine wundersame,
Gewaltige Melodei.

Den Schiffer im kleinen Schiffe
Ergreift es mit wildem Weh;
Er schaut nicht die Felsenriffe,
Er schaut nur hinauf in die Höh'.

Ich glaube, die Wellen verschlingen
Am Ende Schiffer und Kahn;
Und das hat mit ihrem Singen
Die Lorelei getan.

279 *Wir saßen am Fischerhause*

WIR saßen am Fischerhause
Und schauten nach der See;
Die Abendnebel kamen
Und stiegen in die Höh'.

Im Leuchtturm wurden die Lichter
Allmählich angesteckt,
Und in der weiten Ferne
Ward noch ein Schiff entdeckt.

Wir sprachen von Sturm und Schiffbruch,
Vom Seemann, und wie er lebt
Und zwischen Himmel und Wasser
Und Angst und Freude schwebt.

Wir sprachen von fernen Küsten,
Vom Süden und vom Nord,
Und von den seltsamen Völkern
Und seltsamen Sitten dort.

Am Ganges duftet's und leuchtet's,
Und Riesenbäume blühn,
Und schöne, stille Menschen
Vor Lotosblumen knien.

In Lappland sind schmutzige Leute,
Plattköpfig, breitmäulig und klein;
Sie kauern ums Feuer und backen
Sich Fische, und quäken und schrein.

Die Mädchen horchten ernsthaft,
Und endlich sprach niemand mehr;
Das Schiff war nicht mehr sichtbar,
Es dunkelte gar zu sehr.

280 *Du schönes Fischermädchen*

DU schönes Fischermädchen,
Treibe den Kahn ans Land;
Komm zu mir und setze dich nieder,
Wir kosen Hand in Hand.

Leg an mein Herz dein Köpfchen,
Und fürchte dich nicht zu sehr;
Vertraust du dich doch sorglos
Täglich dem wilden Meer.

Mein Herz gleicht ganz dem Meere,
Hat Sturm und Ebb' und Flut,
Und manche schöne Perle
In seiner Tiefe ruht.

281   *Das Meer erglänzte*

DAS Meer erglänzte weit hinaus
Im letzten Abendscheine;
Wir saßen am einsamen Fischerhaus,
Wir saßen stumm und alleine.

Der Nebel stieg, das Wasser schwoll,
Die Möwe flog hin und wieder;
Aus deinen Augen liebevoll
Fielen die Tränen nieder.

Ich sah sie fallen auf deine Hand
Und bin aufs Knie gesunken;
Ich hab' von deiner weißen Hand
Die Tränen fortgetrunken.

Seit jener Stunde verzehrt sich mein Leib,
Die Seele stirbt vor Sehnen —
Mich hat das unglücksel'ge Weib
Vergiftet mit ihren Tränen.

282 *Mein Kind, wir waren Kinder*

MEIN Kind, wir waren Kinder,
Zwei Kinder, klein und froh;
Wir krochen ins Hühnerhäuschen,
Versteckten uns unter das Stroh.

Wir krähten wie die Hähne,
Und kamen Leute vorbei —
» Kikeriki ! « sie glaubten,
Es wäre Hahnengeschrei.

Die Kisten auf unserem Hofe,
Die tapezierten wir aus
Und wohnten drin beisammen
Und machten ein vornehmes Haus.

Des Nachbars alte Katze
Kam öfters zum Besuch;
Wir machten ihr Bückling' und Knickse
Und Komplimente genug.

Wir haben nach ihrem Befinden
Besorglich und freundlich gefragt;
Wir haben seitdem dasselbe
Mancher alten Katze gesagt.

Wir saßen auch oft und sprachen
Vernünftig wie alte Leut'
Und klagten, wie alles besser
Gewesen zu unserer Zeit,

Wie Lieb' und Treu' und Glauben
Verschwunden aus der Welt,
Und wie so teuer der Kaffee,
Und wie so rar das Geld! — —

Vorbei sind die Kinderspiele,
Und alles rollt vorbei —
Das Geld und die Welt und die Zeiten,
Und Glauben und Lieb' und Treu'.

283   *Herz, mein Herz, sei nicht
              beklommen*

HERZ, mein Herz, sei nicht beklommen
Und ertrage dein Geschick.
Neuer Frühling gibt zurück,
Was der Winter dir genommen.

Und wie viel ist dir geblieben,
Und wie schön ist noch die Welt !
Und mein Herz, was dir gefällt,
Alles, alles darfst du lieben !

284   *Du bist wie eine Blume*

DU bist wie eine Blume
So hold und schön und rein ;
Ich schau' dich an, und Wehmut
Schleicht mir ins Herz hinein.

Mir ist, als ob ich die Hände
Aufs Haupt dir legen sollt',
Betend, daß Gott dich erhalte
So rein und schön und hold.

285 *Der Tod, das ist die kühle Nacht*

DER Tod, das ist die kühle Nacht,
Das Leben ist der schwüle Tag.
Es dunkelt schon, mich schläfert,
Der Tag hat mich müd' gemacht.

Über mein Bett erhebt sich ein Baum,
Drin singt die junge Nachtigall;
Sie singt von lauter Liebe,
Ich hör' es sogar im Traum.

286 *Die Wallfahrt nach Kevlaar*

AM Fenster stand die Mutter,
Im Bette lag der Sohn.
» Willst du nicht aufstehn, Wilhelm,
Zu schaun die Prozession ? «

» Ich bin so krank, o Mutter,
Daß ich nicht hör' und seh' ;
Ich denk' an das tote Gretchen,
Da tut das Herz mir weh. « —

» Steh auf, wir wollen nach Kevlaar,
Nimm Buch und Rosenkranz ;
Die Mutter Gottes heilt dir
Dein krankes Herze ganz. «

Es flattern die Kirchenfahnen,
Es singt im Kirchenton ;
Das ist zu Köllen am Rheine,
Da geht die Prozession.

Die Mutter folgt der Menge,
Den Sohn, den führet sie,
Sie singen beide im Chore :
» Gelobt seist du, Marie ! «

* * *

HEINRICH HEINE

Die Mutter Gottes zu Kevlaar
Trägt heut ihr bestes Kleid;
Heut hat sie viel zu schaffen,
Es kommen viel kranke Leut'.

Die kranken Leute bringen
Ihr dar als Opferspend'
Aus Wachs gebildete Glieder,
Viel wächserne Füß' und Händ'.

Und wer eine Wachshand opfert,
Dem heilt an der Hand die Wund';
Und wer einen Wachsfuß opfert,
Dem wird der Fuß gesund.

Nach Kevlaar ging mancher auf Krücken,
Der jetzo tanzt auf dem Seil,
Gar mancher spielt jetzt die Bratsche,
Dem dort kein Finger war heil.

Die Mutter nahm ein Wachslicht
Und bildete draus ein Herz.
» Bring das der Mutter Gottes,
Dann heilt sie deinen Schmerz! «

Der Sohn nahm seufzend das Wachsherz,
Ging seufzend zum Heiligenbild;
Die Träne quillt aus dem Auge,
Das Wort aus dem Herzen quillt:

» Du Hochgebenedeite,
Du reine Gottesmagd,
Du Königin des Himmels,
Dir sei mein Leid geklagt!

Ich wohnte mit meiner Mutter
Zu Köllen in der Stadt,
Der Stadt, die viele hundert
Kapellen und Kirchen hat.

Und neben uns wohnte Gretchen,
Doch die ist tot jetzund —
Marie, dir bring' ich ein Wachsherz,
Heil du meine Herzenswund'!

Heil du mein krankes Herze —
Ich will auch spät und früh
Inbrünstiglich beten und singen:
Gelobt seist du, Marie!«

*   *   *

Der kranke Sohn und die Mutter,
Die schliefen im Kämmerlein;
Da kam die Mutter Gottes
Ganz leise geschritten herein.

Sie beugte sich über den Kranken
Und legte ihre Hand
Ganz leise auf sein Herze
Und lächelte mild und schwand.

Die Mutter schaut' alles im Traume
Und hat noch mehr geschaut;
Sie erwachte aus dem Schlummer,
Die Hunde bellten so laut.

Da lag dahingestrecket
Ihr Sohn, und der war tot;
Es spielt' auf den bleichen Wangen
Das lichte Morgenrot.

Die Mutter faltet die Hände,
Ihr war, sie wußte nicht, wie;
Andächtig sang sie leise:
» Gelobt seist du, Marie! «

Die Nordsee

287   i

Abenddämmerung

AM blassen Meeresstrande
Saß ich gedankenbekümmert und einsam.
Die Sonne neigte sich tiefer und warf
Glührote Streifen auf das Wasser;
Und die weißen, weiten Wellen,
Von der Flut gedrängt,
Schäumten und rauschten näher und näher —
Ein seltsam Geräusch, ein Flüstern und Pfeifen,
Ein Lachen und Murmeln, Seufzen und Sausen,
Dazwischen ein wiegenliedheimliches Singen —
Mir war, als hört' ich verschollne Sagen,
Uralte, liebliche Märchen . . .

288   ii

Sonnenuntergang

DIE glühend rote Sonne steigt
Hinab ins weit aufschauernde,
Silbergraue Weltmeer;
Luftgebilde, rosig angehaucht,

Wallen ihr nach ; und gegenüber,
Aus herbstlich dämmernden Wolkenschleiern,
Ein traurig todblasses Antlitz,
Bricht hervor der Mond ;
Und hinter ihm, Lichtfünkchen,
Nebelweit, schimmern die Sterne.

289　　　　　*iii*

Die Nacht am Strande

STERNLOS und kalt ist die Nacht,
Es gärt das Meer ;
Und über dem Meer, platt auf dem Bauch,
Liegt der ungestaltete Nordwind,
Und heimlich, mit ächzend gedämpfter Stimme
Wie'n störriger Griesgram, der gut gelaunt wird,
Schwatzt er ins Wasser hinein
Und erzählt viel tolle Geschichten,
Riesenmärchen, totschlaglaunig,
Uralte Sagen aus Norweg ;
Und dazwischen, weitschallend, lacht er und heult er
Beschwörungslieder der Edda,
Auch Runensprüche,
So dunkeltrotzig und zaubergewaltig,
Daß die weißen Meerkinder
Hoch aufspringen und jauchzen,
Übermut-berauscht.

290 *Leise zieht durch mein Gemüt*

LEISE zieht durch mein Gemüt
Liebliches Geläute.
Klinge, kleines Frühlingslied,
Kling hinaus ins Weite.

Kling hinaus bis an das Haus,
Wo die Blumen sprießen.
Wenn du eine Rose schaust,
Sag, ich lass' sie grüßen.

291 *Die schlanke Wasserlilie*

DIE schlanke Wasserlilie
Schaut träumend empor aus dem See;
Da grüßt der Mond herunter
Mit lichtem Liebesweh.

Verschämt senkt sie das Köpfchen
Wieder hinab zu den Well'n —
Da sieht sie zu ihren Füßen
Den armen blassen Gesell'n.

292 *Es war ein alter König*

ES war ein alter König,
Sein Herz war schwer, sein Haupt war grau;
Der arme alte König,
Er nahm eine junge Frau.

Es war ein schöner Page,
Blond war sein Haupt, leicht war sein Sinn;
Er trug die seidne Schleppe
Der jungen Königin.

Kennst du das alte Liedchen?
Es klingt so süß, es klingt so trüb'!
Sie mußten beide sterben,
Sie hatten sich viel zu lieb.

293 *Es ragt ins Meer der Runenstein*

ES ragt ins Meer der Runenstein,
Da sitz' ich mit meinen Träumen.
Es pfeift der Wind, die Möwen schrein,
Die Wellen, die wandern und schäumen.

Ich habe geliebt manch schönes Kind
Und manchen guten Gesellen —
Wo sind sie hin? Es pfeift der Wind,
Es schäumen und wandern die Wellen.

294 *Der Asra*

TÄGLICH ging die wunderschöne
Sultanstochter auf und nieder
Um die Abendzeit am Springbrunn,
Wo die weißen Wasser plätschern.

Täglich stand der junge Sklave
Um die Abendzeit am Springbrunn,
Wo die weißen Wasser plätschern;
Täglich ward er bleich und bleicher.

Eines Abends trat die Fürstin
Auf ihn zu mit raschen Worten:
»Deinen Namen will ich wissen,
Deine Heimat, deine Sippschaft!«

Und der Sklave sprach: »Ich heiße
Mohamed, ich bin aus Yemen,
Und mein Stamm sind jene Asra,
Welche sterben, wenn sie lieben.«

295   *Childe Harold*

EINE starke, schwarze Barke
Segelt trauervoll dahin.
Die vermummten und verstummten
Leichenhüter sitzen drin.

Toter Dichter, stille liegt er,
Mit entblößtem Angesicht;
Seine blauen Augen schauen
Immer noch zum Himmelslicht.

Aus der Tiefe klingt's, als riefe
Eine kranke Nixenbraut,
Und die Wellen, sie zerschellen
An dem Kahn wie Klagelaut.

Wo?

WO wird einst des Wandermüden
Letzte Ruhestätte sein?
Unter Palmen in dem Süden?
Unter Linden an dem Rhein?

Werd' ich wo in einer Wüste
Eingescharrt von fremder Hand?
Oder ruh' ich an der Küste
Eines Meeres in dem Sand?

Immerhin! Mich wird umgeben
Gotteshimmel dort wie hier,
Und als Totenlampen schweben
Nachts die Sterne über mir.

297   *Mein Tag war heiter*

MEIN Tag war heiter, glücklich meine Nacht.
Mir jauchzte stets mein Volk, wenn ich die Leier
Der Dichtkunst schlug.   Mein Lied war Lust und Feuer,
Hat manche schöne Gluten angefacht.

Noch blüht mein Sommer, dennoch eingebracht
Hab' ich die Ernte schon in meine Scheuer —
Und jetzt soll ich verlassen, was so teuer,
So lieb und teuer mir die Welt gemacht!

Der Hand entsinkt das Saitenspiel.   In Scherben
Zerbricht das Glas, das ich so fröhlich eben
An meine übermüt'gen Lippen preßte.

O Gott! wie häßlich bitter ist das Sterben!
O Gott! wie süß und traulich läßt sich leben
In diesem traulich süßen Erdenneste!

298   *Der Nöck*

ES tönt des Nöcken Harfenschall :
Da steht der wilde Wasserfall,
    Umschwebt mit Schaum und Wogen
    Den Nöck im Regenbogen.
      Die Bäume neigen
      Sich tief und schweigen,
Und atmend horcht die Nachtigall.—

»O Nöck, was hilft das Singen dein?
Du kannst ja doch nicht selig sein !
    Wie kann dein Singen taugen? «—
    Der Nöck erhebt die Augen,
      Sieht an die Kleinen,
      Beginnt zu weinen . . .
Und senkt sich in die Flut hinein.

Da rauscht und braust der Wasserfall,
Hoch fliegt hinweg die Nachtigall ;
    Die Bäume heben mächtig
    Die Häupter grün und prächtig.
      O weh, es haben
      Die wilden Knaben
Den Nöck betrübt im Wasserfall.

» Komm wieder, Nöck, du singst so schön !
Wer singt, kann in den Himmel gehn !
    Du wirst mit deinem Klingen
    Zum Paradiese dringen !
      O komm, es haben
      Gescherzt die Knaben :
Komm wieder, Nöck, und singe schön !«

Da tönt des Nöcken Harfenschall,
Und wieder steht der Wasserfall,
Umschwebt mit Schaum und Wogen
Den Nöck im Regenbogen.
Die Bäume neigen
Sich tief und schweigen,
Und atmend horcht die Nachtigall.

Es spielt der Nöck und singt mit Macht
Von Meer und Erd und Himmelspracht.
Mit Singen kann er lachen
Und selig weinen machen. —
Der Wald erbebet,
Die Sonn' entschwebet . . .
Er singt bis in die Sternennacht!

299   *Die Heinzelmännchen*

WIE war zu Köln es doch vordem
Mit Heinzelmännchen so bequem!
Denn, war man faul — man legte sich
Hin auf die Bank und pflegte sich.
Da kamen bei Nacht,
Eh' man's gedacht,
Die Männlein und schwärmten
Und klappten und lärmten,
Und rupften
Und zupften
Und hüpften und trabten
Und putzten und schabten.
Und eh' ein Faulpelz noch erwacht,
War all' sein Tagewerk bereits gemacht.

Die Zimmerleute streckten sich
Hin auf die Spän' und reckten sich.

AUGUST KOPISCH

Indessen kam die Geisterschar
Und sah, was da zu zimmern war.
Nahm Meißel und Beil
Und die Säg' in Eil';
Sie sägten und stachen
Und hieben und brachen,
Berappten
Und kappten,
Visierten wie Falken
Und setzten die Balken.
Eh' sich's der Zimmermann versah —
Klapp! stand das ganze Haus schon fertig da.

Beim Bäckermeister war nicht Not,
Die Heinzelmännchen backten Brot.
Die faulen Burschen legten sich,
Die Heinzelmännchen regten sich
Und ächzten daher
Mit den Säcken schwer,
Und kneteten tüchtig
Und wogen es richtig
Und hoben
Und schoben
Und fegten und backten
Und klopften und hackten.
Die Burschen schnarchten noch im Chor,
Da rückte schon das Brot, das neue, vor.

Beim Fleischer ging es just so zu:
Gesell und Bursche lag in Ruh'.
Indessen kamen die Männlein her
Und hackten das Schwein die Kreuz und Quer.
Das ging so geschwind
Wie die Mühl' im Wind!

Die klappten mit Beilen,
Die schnitzten an Speilen,
          Die spülten,
          Die wühlten
Und mengten und mischten
Und stopften und wischten.
Tat der Gesell die Augen auf —
Wapp! hing die Wurst da schon im Ausverkauf.

Beim Schenken war es so: es trank
Der Küfer, bis er niedersank;
Am hohlen Fasse schlief er ein,
Die Männlein sorgten um den Wein
          Und schwefelten fein
          Alle Fässer ein,
Und rollten und hoben
Mit Winden und Kloben
          Und schwenkten
          Und senkten
Und gossen und panschten
Und mengten und mauschten.
Und eh' der Küfer noch erwacht,
War schon der Wein geschönt und fein gemacht.

Einst hatt' ein Schneider große Pein:
Der Staatsrock sollte fertig sein;
Warf hin das Zeug und legte sich
Hin auf das Ohr und pflegte sich.
          Da schlüpften sie frisch
          In den Schneidertisch
Und schnitten und rückten
Und nähten und stickten
          Und faßten
          Und paßten

Und strichen und guckten
Und zupften und ruckten,
Und eh' mein Schneiderlein erwacht,
War Bürgermeisters Rock bereits gemacht.

Neugierig war des Schneiders Weib
Und macht sich diesen Zeitvertreib:
Streut Erbsen hin die andere Nacht.
Die Heinzelmännchen kommen sacht;
  Eins fährt nun aus,
  Schlägt hin im Haus,
 Die gleiten von Stufen
 Und plumpen in Kufen,
   Die fallen
   Mit Schallen,
 Die lärmen und schreien
 Und vermaledeien.
Sie springt hinunter auf den Schall
Mit Licht: husch husch husch husch! — ver-
schwinden all'.

O weh! nun sind sie alle fort,
Und keines ist mehr hier am Ort.
Man kann nicht mehr wie sonsten ruhn,
Man muß nun alles selber tun.
   Ein jeder muß fein
   Selbst fleißig sein
 Und kratzen und schaben
 Und rennen und traben
   Und schniegeln
   Und bügeln
 Und klopfen und hacken
 Und kochen und backen.
Ach, daß es noch wie damals wär'!
Doch kommt die schöne Zeit nicht wieder her.

NIKOLAUS LENAU
(NIKOLAUS VON STREHLENAU)

1802-1850

300 *See und Wasserfall*

DIE Felsen, schroff und wild,
Der See, die Waldumnachtung
Sind dir ein stilles Bild
Tiefsinniger Betrachtung.

Und dort, mit Donnerhall
Hineilend zwischen Steinen,
Läßt dir der Wasserfall
Die kühne Tat erscheinen.

Du sollst, gleich jenem Teich,
Betrachtend dich verschließen;
Dann kühn, dem Bache gleich,
Zur Tat hinunterschießen.

301 *Bitte*

WEIL' auf mir, du dunkles Auge,
Übe deine ganze Macht,
Ernste, milde, träumerische,
Unergründlich süße Nacht!

Nimm mit deinem Zauberdunkel
Diese Welt von hinnen mir,
Daß du über meinem Leben
Einsam schwebest für und für.

302 *Schilflied*

AUF dem Teich, dem regungslosen,
Weilt des Mondes holder Glanz,
Flechtend seine bleichen Rosen
In des Schilfes grünen Kranz.

Hirsche wandeln dort am Hügel,
Blicken in die Nacht empor;
Manchmal regt sich das Geflügel
Träumerisch im tiefen Rohr.

Weinend muß mein Blick sich senken;
Durch die tiefste Seele geht
Mir ein süßes Deingedenken
Wie ein stilles Nachtgebet

303 *Der Lenz*

DA kommt der Lenz, der schöne Junge,
Den alles lieben muß,
Herein mit einem Freudensprunge
Und lächelt seinen Gruß;

Und schickt sich gleich mit frohem Necken
Zu all den Streichen an,
Die er auch sonst dem alten Recken,
Dem Winter, angetan.

Er gibt sie frei, die Bächlein alle,
Wie auch der Alte schilt,
Die der in seiner Eisesfalle
So streng gefangen hielt.

NIKOLAUS LENAU

Schon ziehn die Wellen flink von dannen
Mit Tänzen und Geschwätz
Und spötteln über des Tyrannen
Zerronnenes Gesetz.

Den Jüngling freut es, wie die raschen
Hinlärmen durchs Gefild,
Und wie sie scherzend sich enthaschen
Sein aufgeblühtes Bild.

Froh lächelt seine Mutter Erde
Nach ihrem langen Harm ;
Sie schlingt mit jubelnder Geberde
Das Söhnlein in den Arm.

In ihren Busen greift der Lose
Und zieht ihr schmeichelnd keck
Das sanfte Veilchen und die Rose
Hervor aus dem Versteck.

Und sein geschmeidiges Gesinde
Schickt er zu Berg und Tal :
» Sagt, daß ich da bin, meine Winde,
Den Freunden allzumal ! «

Er zieht das Herz an Liebesketten
Rasch über manche Kluft
Und schleudert seine Singraketen,
Die Lerchen, in die Luft.

304 *Liebesfeier*

AN ihren bunten Liedern klettert
Die Lerche selig in die Luft;
Ein Jubelchor von Sängern schmettert
Im Walde voller Blüt' und Duft.

Da sind, so weit die Blicke gleiten,
Altare festlich aufgebaut,
Und all die tausend Herzen läuten
Zur Liebesfeier dringend laut.

Der Lenz hat Rosen angezündet
An Leuchtern von Smaragd im Dom,
Und jede Seele schwillt und mündet
Hinüber in den Opferstrom.

305 *Herbstklage*

HOLDER Lenz, du bist dahin!
Nirgends, nirgends darfst du bleiben!
Wo ich sah dein frohes Blühn,
Braust des Herbstes banges Treiben.

Wie der Wind so traurig fuhr
Durch den Strauch, als ob er weine·
Sterbeseufzer der Natur
Schauern durch die welken Haine.

Wieder ist — wie bald! wie bald! —
Mir ein Jahr dahingeschwunden.
Fragend rauscht es aus dem Wald:
» Hat dein Herz sein Glück gefunden? «

Waldesrauschen, wunderbar
Hast du mir das Herz getroffen!
Treulich bringt ein jedes Jahr
Welkes Laub und welkes Hoffen.

306　　　　　　　　*Winternacht*

VOR Kälte ist die Luft erstarrt,
　　Es kracht der Schnee von meinen Tritten,
Es dampft mein Hauch, es klirrt mein Bart;
Nur fort, nur immer fortgeschritten!

Wie feierlich die Gegend schweigt!
Der Mond bescheint die alten Fichten,
Die, sehnsuchtsvoll zum Tod geneigt,
Den Zweig zurück zur Erde richten.

Frost, friere mir ins Herz hinein,
Tief in das heißbewegte, wilde!
Daß einmal Ruh mag drinnen sein,
Wie hier im nächtlichen Gefilde!

Der Postillon

LIEBLICH war die Maiennacht,
Silberwölklein flogen,
Ob der holden Frühlingspracht
Freudig hingezogen.

Schlummernd lagen Wies' und Hain,
Jeder Pfad verlassen;
Niemand als der Mondenschein
Wachte auf der Straßen.

Leise nur das Lüftchen sprach,
Und es zog gelinder
Durch das stille Schlafgemach
All der Frühlingskinder.

Heimlich nur das Bächlein schlich,
Denn der Blüten Träume
Dufteten gar wonniglich
Durch die stillen Räume.

Rauher war mein Postillon,
Ließ die Geißel knallen,
Über Berg und Tal davon
Frisch sein Horn erschallen.

Und von flinken Rossen vier
Scholl der Hufe Schlagen,
Die durchs blühende Revier
Trabten mit Behagen.

Wald und Flur im schnellen Zug
Kaum gegrüßt — gemieden;
Und vorbei wie Traumesflug
Schwand der Dörfer Frieden.

NIKOLAUS LENAU

Mitten in dem Maienglück
Lag ein Kirchhof innen,
Der den raschen Wanderblick
Hielt zu ernstem Sinnen.

Hingelehnt an Bergesrand
War die bleiche Mauer,
Und das Kreuzbild Gottes stand
Hoch, in stummer Trauer.

Schwager ritt auf seiner Bahn
Stiller jetzt und trüber;
Und die Rosse hielt er an,
Sah zum Kreuz hinüber:

» Halten muß hier Roß und Rad,
Mag's Euch nicht gefährden:
Drüben liegt mein Kamerad
In der kühlen Erden!

Ein gar herzlieber Gesell!
Herr, 's ist ewig schade!
Keiner blies das Horn so hell
Wie mein Kamerade!

Hier ich immer halten muß,
Dem dort unterm Rasen
Zum getreuen Brudergruß
Sein Leiblied zu blasen!«

Und dem Kirchhof sandt' er zu
Frohe Wandersänge,
Daß es in die Grabesruh
Seinem Bruder dränge.

Und des Hornes heller Ton
Klang vom Berge wieder,
Ob der tote Postillon
Stimmt' in seine Lieder. —

Weiter ging's durch Feld und Hag
Mit verhängtem Zügel;
Lang mir noch im Ohre lag
Jener Klang vom Hügel.

308 *Frage*

O MENSCHENHERZ, was ist dein Glück?
Ein rätselhaft geborner
Und, kaum gegrüßt, verlorner,
Unwiederholter Augenblick!

309 *Meeresstille*

STURM mit seinen Donnerschlägen
Kann mir nicht wie du
So das tiefste Herz bewegen,
Tiefe Meeresruh!

Du allein nur konntest lehren
Uns den schönen Wahn
Seliger Musik der Sphären,
Stiller Ozean!

343

Nächtlich Meer, nun ist dein Schweigen
So tief ungestört,
Daß die Seele wohl ihr eigen
Träumen klingen hört;

Daß im Schutz geschloßnen Mundes
Doch mein Herz erschrickt,
Das Geheimnis heil'gen Bundes
Fester an sich drückt.

310 *Sturmesmythe*

STUMM und regungslos in sich verschlossen
Ruht die tiefe See dahingegossen,
Sendet ihren Gruß dem Strande nicht;
Ihre Wellenpulse sind versunken,
Ungespüret glühn die Abendfunken
Wie auf einem Totenangesicht.

Nicht ein Blatt am Strande wagt zu rauschen,
Wie betroffen stehn die Bäume, lauschen,
Ob kein Lüftchen, keine Welle wacht.
Und die Sonne ist hinabgeschieden,
Hüllend breitet um den Todesfrieden
Schleier nun auf Schleier stille Nacht.

Plötzlich auf am Horizonte tauchen
Dunkle Wolken, die herüberhauchen
Schwer, in stürmischer Beklommenheit;
Eilig kommen sie heraufgefahren,
Haben sich in angstverwornen Scharen
Um die stumme Schläferin gereiht.

Und sie neigen sich herab und fragen:
»Lebst du noch «? in lauten Donnerklagen,
Und sie weinen aus ihr banges Weh.
Zitternd leuchten sie mit scheuem Grauen
Auf das stille Bett herab und schauen,
Ob die alte Mutter tot, die See.

Nein, sie lebt! sie lebt! Der Töchter Kummer
Hat sie aufgestört aus ihrem Schlummer,
Und sie springt vom Lager hoch empor:
Mutter — Kinder — brausend sich umschlingen,
Und sie tanzen freudewild und singen
Ihrer Lieb' ein Lied im Sturmeschor.

311   *Die drei Zigeuner*

DREI Zigeuner fand ich einmal
Liegen an einer Weide,
Als mein Fuhrwerk mit müder Qual
Schlich durch sandige Heide.

Hielt der eine für sich allein
In den Händen die Fiedel,
Spielte, umglüht vom Abendschein,
Sich ein feuriges Liedel.

Hielt der zweite die Pfeif' im Mund,
Blickte nach seinem Rauche,
Froh, als ob er vom Erdenrund
Nichts zum Glücke mehr brauche.

Und der dritte behaglich schlief,
Und sein Cimbal am Baum hing,
Über die Saiten der Windhauch lief,
Über sein Herz ein Traum ging.

An den Kleidern trugen die drei
Löcher und bunte Flicken,
Aber sie boten trotzig frei
Spott den Erdengeschicken.

Dreifach haben sie mir gezeigt,
Wenn das Leben uns nachtet,
Wie man's verraucht, verschläft, vergeigt
Und es dreimal verachtet.

Nach den Zigeunern lang noch schaun
Mußt' ich im Weiterfahren,
Nach den Gesichtern dunkelbraun,
Den schwarzlockigen Haaren.

312   *An die Entfernte*

DIESE Rose pflück' ich hier
In der fremden Ferne;
Liebes Mädchen, dir, ach dir
Brächt' ich sie so gerne!

Doch bis ich zu dir mag ziehn
Viele weite Meilen,
Ist die Rose längst dahin,
Denn die Rosen eilen.

346

Nie soll weiter sich ins Land
Lieb' von Liebe wagen,
Als sich blühend in der Hand
Läßt die Rose tragen;

Oder als die Nachtigall
Halme bringt zum Neste,
Oder als ihr süßer Schall
Wandert mit dem Weste.

313 *Kommen und Scheiden*

SO oft sie kam, erschien mir die Gestalt
So lieblich wie das erste Grün im Wald.

Und was sie sprach, drang mir zum Herzen ein
Süß wie des Frühlings erstes Lied im Hain.

Und als Lebwohl sie winkte mit der Hand,
War's, ob der letzte Jugendtraum mir schwand.

314 *Der Nachtwind hat in den Bäumen*

DER Nachtwind hat in den Bäumen
Sein Rauschen eingestellt,
Die Vögel sitzen und träumen
Am Aste traut gesellt.

Die ferne, schmächtige Quelle,
Weil alles andre ruht,
Läßt hörbar nun Welle auf Welle
Hinflüstern ihre Flut.

Und wenn die Nähe verklungen,
Dann kommen an die Reih'
Die leisen Erinnerungen
Und weinen fern vorbei.

Daß alles vorübersterbe,
Ist alt und allbekannt;
Doch diese Wehmut, die herbe,
Hat niemand noch gebannt.

315   *Rings ein Verstummen*

RINGS ein Verstummen, ein Entfärben;
Wie sanft den Wald die Lüfte streicheln,
Sein welkes Laub ihm abzuschmeicheln;
Ich liebe dieses milde Sterben.

Von hinnen geht die stille Reise,
Die Zeit der Liebe ist verklungen,
Die Vögel haben ausgesungen,
Und dürre Blätter sinken leise.

Die Vögel zogen nach dem Süden,
Aus dem Verfall des Laubes tauchen
Die Nester, die nicht Schutz mehr brauchen,
Die Blätter fallen stets, die müden.

In dieses Waldes leisem Rauschen
Ist mir, als hör' ich Kunde wehen,
Daß alles Sterben und Vergehen
Nur heimlichstill vergnügtes Tauschen.

Die Drei

DREI Reiter nach verlorner Schlacht,
Wie reiten sie so sacht, so sacht!

Aus tiefen Wunden quillt das Blut,
Es spürt das Roß die warme Flut.

Vom Sattel tropft das Blut, vom Zaum,
Und spült hinunter Staub und Schaum.

Die Rosse schreiten sanft und weich,
Sonst flöss' das Blut zu rasch, zu reich.

Die Reiter reiten dicht gesellt,
Und einer sich am andern hält.

Sie sehn sich traurig ins Gesicht,
Und einer um den andern spricht:

» Mir blüht daheim die schönste Maid,
Drum tut mein früher Tod mir leid.«

» Hab' Haus und Hof und grünen Wald,
Und sterben muß ich hier so bald!«

» Den Blick hab' ich in Gottes Welt,
Sonst nichts, doch schwer mir's Sterben fällt.«

Und lauernd auf den Todesritt
Ziehn durch die Luft drei Geier mit.

Sie teilen kreischend unter sich:
» Den speisest du, den du, den ich.«

1802–27

317   *Reiters Morgengesang*

MORGENROT,
Leuchtest mir zum frühen Tod?
Bald wird die Trompete blasen,
Dann muß ich mein Leben lassen,
Ich und mancher Kamerad!

Kaum gedacht,
War der Lust ein End' gemacht.
Gestern noch auf stolzen Rossen,
Heute durch die Brust geschossen,
Morgen in das kühle Grab!

Ach, wie bald
Schwindet Schönheit und Gestalt!
Tust du stolz mit deinen Wangen,
Die wie Milch und Purpur prangen?
Ach, die Rosen welken all!

Darum still
Füg' ich mich, wie Gott es will.
Nun, so will ich wacker streiten,
Und sollt' ich den Tod erleiden,
Stirbt ein braver Reitersmann.

JULIUS MOSEN

1803–67

318 *Hofers Tod*

ZU Mantua in Banden
Der treue Hofer war,
In Mantua zum Tode
Führt' ihn der Feinde Schar.
Es blutete der Brüder Herz,
Ganz Deutschland, ach! in Schmach und Schmerz,
Mit ihm das Land Tirol.

Die Hände auf dem Rücken
Andreas Hofer ging
Mit ruhig festen Schritten;
Ihm schien der Tod gering,
Der Tod, den er so manches Mal
Vom Iselberg geschickt ins Tal
Im heil'gen Land Tirol.

Doch als aus Kerkergittern
Im festen Mantua
Die treuen Waffenbrüder
Die Händ' er strecken sah,
Da rief er laut: » Gott sei mit euch,
Mit dem verratnen Deutschen Reich'
Und mit dem Land Tirol! «

JULIUS MOSEN

Dem Tambour will der Wirbel
Nicht unterm Schlegel vor,
Als nun Andreas Hofer
Schritt durch das finstre Tor.
Andreas, noch in Banden frei,
Dort stand er fest auf der Bastei,
Der Mann vom Land Tirol.

Dort soll er niederknien,
Er sprach : » Das tu ich nit !
Will sterben, wie ich stehe,
Will sterben, wie ich stritt,
So wie ich steh' auf dieser Schanz.
Es leb' mein guter Kaiser Franz,
Mit ihm sein Land Tirol!«

Und von der Hand die Binde
Nimmt ihm der Korporal,
Andreas Hofer betet
Allhier zum letzten Mal.
Dann ruft er : » Nun, so trefft mich recht !
Gebt Feuer ! — Ach, wie schießt ihr schlecht !
Ade, mein Land Tirol !«

EDUARD MÖRIKE

1804-75

319   Gesang zu zweien in der Nacht

Sie :

WIE süß der Nachtwind nun die Wiese streift
Und klingend jetzt den jungen Hain durchläuft!
Da noch der freche Tag verstummt,
Hört man der Erdenkräfte flüsterndes Gedränge,
Das aufwärts in die zärtlichen Gesänge
Der reingestimmten Lüfte summt.

Er :

Vernehm' ich doch die wunderbarsten Stimmen,
Vom lauen Wind wollüstig hingeschleift,
Indes, mit ungewissem Licht gestreift,
Der Himmel selber scheinet hinzuschwimmen.

Sie :

Wie ein Gewebe zuckt die Luft manchmal,
Durchsichtiger und heller aufzuwehen ;
Dazwischen hört man weiche Töne gehen
Von sel'gen Feen, die im blauen Saal
Zum Sphärenklang,
Und fleißig mit Gesang,
Silberne Spindeln hin und wieder drehen.

Er :

O holde Nacht, du gehst mit leisem Tritt
Auf schwarzem Samt, der nur am Tage grünet,
Und luftig schwirrender Musik bedienet
Sich nun dein Fuß zum leichten Schritt,
Womit du Stund' um Stunde missest,
Dich lieblich in dir selbst vergissest —
Du schwärmst, es schwärmt der Schöpfung Seele mit.

EDUARD MÖRIKE

320 *An einem Wintermorgen vor*
Sonnenaufgang

O FLAUMENLEICHTE Zeit der dunkeln Frühe!
Welch neue Welt bewegest du in mir?
Was ist's, daß ich auf einmal nun in dir
Von sanfter Wollust meines Daseins glühe?

Einem Kristall gleicht meine Seele nun,
Den noch kein falscher Strahl des Lichts getroffen;
Zu fluten scheint mein Geist, er scheint zu ruhn,
Dem Eindruck naher Wunderkräfte offen,
Die aus dem nahen Gürtel blauer Luft
Zuletzt ein Zauberwort vor meine Sinne ruft.

Bei hellen Augen glaub' ich doch zu schwanken;
Ich schließe sie, daß nicht der Traum entweiche.
Seh' ich hinab in lichte Feenreiche?
Wer hat den bunten Schwarm von Bildern und Gedanken
Zur Pforte meines Herzens hergeladen,
Die glänzend sich in diesem Busen baden,
Goldfarb'gen Fischlein gleich im Gartenteiche?

Ich höre bald der Hirtenflöten Klänge,
Wie um die Krippe jener Wundernacht,
Bald weinbekränzter Jugend Lustgesänge.
Wer hat das friedenselige Gedränge
In meine traurigen Wände hergebracht?

Und welch Gefühl entzückter Stärke,
Indem mein Sinn sich frisch zur Ferne lenkt!
Vom ersten Mark des heut'gen Tags getränkt,
Fühl' ich mir Mut zu jedem frommen Werke.

Die Seele fliegt, soweit der Himmel reicht,
Der Genius jauchzt in mir! Doch sage,
Warum wird jetzt der Blick von Wehmut feucht?
Ist's ein verloren Glück, was mich erweicht?
Ist es ein werdendes, was ich im Herzen trage? —
Hinweg, mein Geist! hier gilt kein Stillestehn:
Es ist ein Augenblick, und alles wird verwehn!

Dort, sieh, am Horizont lüpft sich der Vorhang schon!
Es träumt der Tag, nun sei die Nacht entflohn;
Die Purpurlippe, die geschlossen lag,
Haucht, halb geöffnet, süße Atemzüge:
Auf einmal blitzt das Aug', und wie ein Gott, der Tag
Beginnt im Sprung die königlichen Flüge!

321   *Nachts*

HORCH! auf der Erde feuchtem Grund gelegen
Arbeitet schwer die Nacht der Dämmerung entgegen!
Indessen dort, in blauer Luft gezogen,
Die Fäden leicht, unhörbar fließen,
Und hin und wieder mit gestähltem Bogen
Die lust'gen Sterne goldne Pfeile schießen.

Im Erdenschoß, im Hain und auf der Flur
Wie wühlt es jetzo rings in der Natur
Von nimmersatter Kräfte Gärung!
Und welche Ruhe doch! und welch ein Wohlbedacht!
Mir aber in geheimer Brust erwacht
Ein peinlich Widerspiel von Fülle und Entbehrung
Vor diesem Bild, so schweigend und so groß!
Mein Herz, wie gerne machtest du dich los!

Du schwankendes, dem jeder Halt gebricht,
Willst, kaum entflohn, zurück zu deinesgleichen.
Trägst du der Schönheit Götterstille nicht,
So beuge dich! denn hier ist kein Entweichen.

322 *Septembermorgen*

IM Nebel ruhet noch die Welt,
Noch träumen Wald und Wiesen:
Bald siehst du, wenn der Schleier fällt,
Den blauen Himmel unverstellt,
Herbstkräftig die gedämpfte Welt
In warmem Golde fließen.

323 *Um Mitternacht*

GELASSEN stieg die Nacht ans Land,
Lehnt träumend an der Berge Wand,
Ihr Auge sieht die goldne Wage nun
Der Zeit in gleichen Schalen stille ruhn;
 Und kecker rauschen die Quellen hervor,
 Sie singen der Mutter, der Nacht, ins Ohr
 Vom Tage,
 Vom heute gewesenen Tage.

Das uralt alte Schlummerlied,
Sie achtet's nicht, sie ist es müd';
Ihr klingt des Himmels Bläue süßer noch,
Der flücht'gen Stunden gleichgeschwungnes Joch.
 Doch immer behalten die Quellen das Wort,
 Es singen die Wasser im Schlafe noch fort
 Vom Tage,
 Vom heute gewesenen Tage.

324   *Frage und Antwort*

FRAGST du mich, woher die bange
    Liebe mir zum Herzen kam,
Und warum ich ihr nicht lange
Schon den bittern Stachel nahm?

Sprich, warum mit Geisterschnelle
Wohl der Wind die Flügel rührt,
Und woher die süße Quelle
Die verborgnen Wasser führt?

Banne du auf seiner Fährte
Mir den Wind in vollem Lauf!
Halte mit der Zaubergerte
Du die süßen Quellen auf!

325   *In der Frühe*

KEIN Schlaf noch kühlt das Auge mir,
    Dort gehet schon der Tag herfür
An meinem Kammerfenster.
Es wühlet mein verstörter Sinn
Noch zwischen Zweifeln her und hin
Und schaffet Nachtgespenster.
— Ängste, quäle
Dich nicht länger, meine Seele!
Freu dich! schon sind da und dorten
Morgenglocken wach geworden.

326 *Im Frühling*

HIER lieg' ich auf dem Frühlingshügel:
Die Wolke wird mein Flügel,
Ein Vogel fliegt mir voraus.
Ach sag mir, alleinzige Liebe,
Wo du bleibst, daß ich bei dir bliebe!
Doch du und die Lüfte, ihr habt kein Haus.

Der Sonnenblume gleich steht mein Gemüte offen,
Sehnend,
Sich dehnend
In Lieben und Hoffen.
Frühling, was bist du gewillt?
Wann werd' ich gestillt?

Die Wolke seh' ich wandeln und den Fluß,
Es dringt der Sonne goldner Kuß
Mir tief bis ins Geblüt hinein;
Die Augen, wunderbar berauschet,
Tun, als schliefen sie ein,
Nur noch das Ohr dem Ton der Biene lauschet.

Ich denke dies und denke das,
Ich sehne mich und weiß nicht recht, nach was:
Halb ist es Lust, halb ist es Klage;
Mein Herz, o sage,
Was webst du für Erinnerung
In golden grüner Zweige Dämmerung?
— Alte unnennbare Tage!

327 *Mein Fluß*

O FLUSS, mein Fluß im Morgenstrahl !
Empfange nun, empfange
Den sehnsuchtsvollen Leib einmal,
Und küsse Brust und Wange !
— Er fühlt mir schon herauf die Brust,
Er kühlt mit Liebesschauerlust
Und jauchzendem Gesange.

Es schlüpft der goldne Sonnenschein
In Tropfen an mir nieder,
Die Woge wieget aus und ein
Die hingegebnen Glieder ;
Die Arme hab' ich ausgespannt,
Sie kommt auf mich herzugerannt,
Sie faßt und läßt mich wieder.

Du murmelst so, mein Fluß, warum ?
Du trägst seit alten Tagen
Ein seltsam Märchen mit dir um
Und mühst dich, es zu sagen ;
Du eilst so sehr und läufst so sehr,
Als müßtest du im Land umher,
Man weiß nicht wen, drum fragen.

Der Himmel, blau und kinderrein,
Worin die Wellen singen,
Der Himmel ist die Seele dein :
O laß mich ihn durchdringen !
Ich tauche mich mit Geist und Sinn
Durch die vertiefte Bläue hin
Und kann sie nicht erschwingen !

Was ist so tief, so tief wie sie?
Die Liebe nur alleine.
Sie wird nicht satt und sättigt nie
Mit ihrem Wechselscheine.
— Schwill an, mein Fluß, und hebe dich!
Mit Grausen übergieße mich!
Mein Leben um das deine!

Du weisest schmeichelnd mich zurück
Zu deiner Blumenschwelle.
So trage denn allein dein Glück,
Und wieg auf deiner Welle
Der Sonne Pracht, des Mondes Ruh:
Nach tausend Irren kehrest du
Zur ew'gen Mutterquelle!

328   *Lied vom Winde*

SAUSEWIND! Brausewind!
Dort und hier!
Deine Heimat sage mir!

»Kindlein, wir fahren
Seit viel vielen Jahren
Durch die weit weite Welt,
Und möchten's erfragen,
Die Antwort erjagen,
Bei den Bergen, den Meeren,
Bei des Himmels klingenden Heeren,
Die wissen es nie.
Bist du klüger als sie,
Magst du es sagen.

— Fort, wohlauf!
Halt uns nicht auf!
Kommen andre nach, unsre Brüder,
Da frag wieder!«

Halt an! Gemach!
Eine kleine Frist!
Sagt, wo der Liebe Heimat ist,
Ihr Anfang, ihr Ende?

»Wer's nennen könnte!
Schelmisches Kind,
Lieb' ist wie Wind,
Rasch und lebendig,
Ruhet nie,
Ewig ist sie,
Aber nicht immer beständig.
— Fort! Wohlauf! auf!
Halt uns nicht auf!
Fort über Stoppel und Wälder und Wiesen!
Wenn ich dein Schätzchen seh',
Will ich es grüßen.
Kindlein, ade!«

329   *Die traurige Krönung*

ES war ein König Milesint,
    Von dem will ich euch sagen:
Der meuchelte sein Bruderskind,
Wollte selbst die Krone tragen.
Die Krönung ward mit Prangen
Auf Liffey-Schloß begangen.
O Irland! Irland! warest du so blind?

EDUARD MÖRIKE

Der König sitzt um Mitternacht
Im leeren Marmorsaale,
Sieht irr in all die neue Pracht,
Wie trunken von dem Mahle;
Er spricht zu seinem Sohne:
»Noch einmal bring die Krone!
Doch schau, wer hat die Pforten aufgemacht?«

Da kommt ein seltsam Totenspiel,
Ein Zug mit leisen Tritten,
Vermummte Gäste groß und viel,
Eine Krone schwankt inmitten;
Es drängt sich durch die Pforte
Mit Flüstern ohne Worte;
Dem Könige, dem wird so geisterschwül.

Und aus der schwarzen Menge blickt
Ein Kind mit frischer Wunde;
Es lächelt sterbensweh und nickt,
Es macht im Saal die Runde,
Es trippelt zu dem Throne,
Es reichet eine Krone
Dem Könige, des Herze tief erschrickt.

Darauf der Zug von dannen strich,
Von Morgenluft berauschet,
Die Kerzen flackern wunderlich,
Der Mond am Fenster lauschet;
Der Sohn mit Angst und Schweigen
Zum Vater tät sich neigen —
Er neiget über eine Leiche sich.

330 *Das verlassene Mägdlein*

FRÜH, wann die Hähne krähn,
 Eh' die Sternlein verschwinden,
Muß ich am Herde stehn,
Muß Feuer zünden.

Schön ist der Flammen Schein,
Es springet die Funken;
Ich schaue so drein,
In Leid versunken.

Plötzlich, da kommt es mir,
Treuloser Knabe,
Daß ich die Nacht von dir
Geträumet habe.

Träne auf Träne dann
Stürzet hernieder;
So kommt der Tag heran —
O ging' er wieder!

331 *Er ist's*

FRÜHLING läßt sein blaues Band
 Wieder flattern durch die Lüfte;
Süße, wohlbekannte Düfte
Streifen ahnungsvoll das Land.
Veilchen träumen schon,
Wollen balde kommen.
— Horch, von fern ein leiser Harfenton!
Frühling, ja du bist's!
Dich hab' ich vernommen!

332   *An die Geliebte*

WENN ich, von deinem Anschaun tief gestillt,
   Mich stumm an deinem heil'gen Wert vergnüge,
Dann hör' ich recht die leisen Atemzüge
Des Engels, welcher sich in dir verhüllt.

Und ein erstaunt, ein fragend Lächeln quillt
Auf meinem Mund, ob mich kein Traum betrüge,
Daß nun in dir, zu ewiger Genüge,
Mein kühnster Wunsch, mein einz'ger, sich erfüllt?

Von Tiefe dann zu Tiefen stürzt mein Sinn,
Ich höre aus der Gottheit nächt'ger Ferne
Die Quellen des Geschicks melodisch rauschen.

Betäubt kehr' ich den Blick nach oben hin,
Zum Himmel auf — da lächeln alle Sterne;
Ich knie, ihrem Lichtgesang zu lauschen.

333   *Heimweh*

ANDERS wird die Welt mit jedem Schritt,
   Den ich weiter von der Liebsten mache;
Mein Herz, das will nicht weiter mit.
Hier scheint die Sonne kalt ins Land,
Hier deucht mir alles unbekannt,
Sogar die Blumen am Bache!
Hat jede Sache
So fremd eine Miene, so falsch ein Gesicht.
Das Bächlein murmelt wohl und spricht:
Armer Knabe, komm bei mir vorüber,
Siehst auch hier Vergißmeinnicht!
— Ja, die sind schön an jedem Ort,
Aber nicht wie dort.
Fort, nur fort!
Die Augen gehn mir über!

334 *Nur zu!*

SCHÖN prangt im Silbertau die junge Rose,
Den ihr der Morgen in den Busen rollte;
Sie blüht, als ob sie nie verblühen wollte,
Sie ahnet nichts vom letzten Blumenlose.

Der Adler strebt hinan ins Grenzenlose,
Sein Auge trinkt sich voll von sprüh'ndem Golde;
Er ist der Tor nicht, daß er fragen sollte,
Ob er das Haupt nicht an die Wölbung stoße.

Mag denn der Jugend Blume uns verbleichen,
Noch glänzet sie und reizt unwiderstehlich;
Wer will zu früh so süßem Trug entsagen?

Und Liebe, darf sie nicht dem Adler gleichen?
Doch fürchtet sie; auch fürchten ist ihr selig,
Denn all ihr Glück, was ist's? — ein endlos Wagen!

335 *Rosenzeit! wie schnell vorbei*

ROSENZEIT! wie schnell vorbei,
　　　Schnell vorbei
Bist du doch gegangen!
Wär' mein Lieb nur blieben treu,
　　　Blieben treu,
Sollte mir nicht bangen.

Um die Ernte wohlgemut,
　　　Wohlgemut
Schnitterinnen singen.
Aber, ach! mir krankem Blut,
　　　Mir krankem Blut
Will nichts mehr gelingen.

Schleiche so durchs Wiesental,
    So durchs Tal,
Als im Traum verloren,
Nach dem Berg, da tausendmal,
    Tausendmal
Er mir Treu' geschworen.

Oben auf des Hügels Rand,
    Abgewandt,
Wein' ich bei der Linde;
An dem Hut mein Rosenband,
    Von seiner Hand,
Spielet in dem Winde.

336   *Elfenlied*

BEI Nacht im Dorf der Wächter rief:
        Elfe!
Ein ganz kleines Elfchen im Walde schlief —
      Wohl um die elfe —
Und meint, es rief ihm aus dem Tal
Bei seinem Namen die Nachtigall,
Oder Silpelit hätt' ihm gerufen.
Reibt sich der Elf die Augen aus,
Begibt sich vor sein Schneckenhaus
Und ist als wie ein trunken Mann,
Sein Schläflein war nicht voll getan,
Und humpelt also tippe tapp
Durchs Haselholz ins Tal hinab,
Schlupft an der Mauer hin so dicht,
Da sitzt der Glühwurm, Licht an Licht.

366

»Was sind das helle Fensterlein?
Da drin wird eine Hochzeit sein:
Die Kleinen sitzen beim Mahle
Und treiben's in dem Saale.
Da guck' ich wohl ein wenig 'nein!«
— Pfui, stößt den Kopf an harten Stein!
Elfe, gelt, du hast genug?
    Gukuk! Gukuk!!

337   *Zum neuen Jahre*

WIE heimlicherweise
 Ein Engelein leise
Mit rosigen Füßen
Die Erde betritt,
So nahte der Morgen.
Jauchzt ihm, ihr Frommen,
Ein heilig Willkommen,
Ein heilig Willkommen!
Herz, jauchze du mit!

In Ihm sei's begonnen,
Der Monde und Sonnen
An blauen Gezelten
Des Himmels bewegt.
Du, Vater, Du rate!
Lenke Du und wende!
Herr, Dir in die Hände
Sei Anfang und Ende,
Sei alles gelegt!

338 *Gebet*

HERR! schicke was Du willt,
Ein Liebes oder Leides;
Ich bin vergnügt, daß beides
Aus Deinen Händen quillt.

Wollest mit Freuden
Und wollest mit Leiden
Mich nicht überschütten!
Doch in der Mitten
Liegt holdes Bescheiden.

339 *Verborgenheit*

LASS, o Welt, o laß mich sein!
Locket nicht mit Liebesgaben,
Laßt dies Herz alleine haben
Seine Wonne, seine Pein!

Was ich traure, weiß ich nicht,
Es ist unbekanntes Wehe;
Immerdar durch Tränen sehe
Ich der Sonne liebes Licht.

Oft bin ich mir kaum bewußt,
Und die helle Freude zücket
Durch die Schwere, so mich drücket,
Wonniglich in meiner Brust.

Laß, o Welt, o laß mich sein!
Locket nicht mit Liebesgaben,
Laßt dies Herz alleine haben
Seine Wonne, seine Pein!

340   *Jägerlied*

ZIERLICH ist des Vogels Tritt im Schnee,
     Wenn er wandelt auf des Berges Höh':
Zierlicher schreibt Liebchens liebe Hand,
Schreibt ein Brieflein mir in ferne Land'.

In die Lüfte hoch ein Reiher steigt,
Dahin weder Pfeil noch Kugel fleugt:
Tausendmal so hoch und so geschwind
Die Gedanken treuer Liebe sind.

341   *Die Soldatenbraut*

ACH, wenn's nur der König auch wüßt',
     Wie wacker mein Schätzelein ist!
Für den König, da ließ' er sein Blut,
Für mich aber ebensogut.

Mein Schatz hat kein Band und kein' Stern,
Kein Kreuz wie die vornehmen Herrn,
Mein Schatz wird auch kein General;
Hätt' er nur seinen Abschied einmal!

Es scheinen drei Sterne so hell
Dort über Marien-Kapell;
Da knüpft uns ein rosenrot Band,
Und ein Hauskreuz ist auch bei der Hand.

342 *Der Genesene an die Hoffnung*

TÖDLICH graute mir der Morgen:
　Doch schon lag mein Haupt — wie süß —
Hoffnung dir im Schoß verborgen,
Bis der Sieg gewonnen hieß.
Opfer bracht' ich allen Göttern,
Doch vergessen warest du;
Seitwärts von den ew'gen Rettern
Sahest du dem Feste zu.

O vergib, du Vielgetreue!
Tritt aus deinem Dämmerlicht,
Daß ich dir ins ewig neue,
Mondenhelle Angesicht
Einmal schaue, recht von Herzen,
Wie ein Kind und sonder Harm;
Ach, nur einmal ohne Schmerzen
Schließe mich in deinen Arm!

343 *Schön-Rohtraut*

WIE heißt König Ringangs Töchterlein?
　Rohtraut, Schön-Rohtraut.
Was tut sie denn den ganzen Tag,
Da sie wohl nicht spinnen und nähen mag?
　Tut fischen und jagen.
O daß ich doch ihr Jäger wär'!
Fischen und Jagen freute mich sehr.
　— Schweig stille, mein Herze!

Und über eine kleine Weil',
    Rohtraut, Schön-Rohtraut,
So dient der Knab' auf Ringangs Schloß
In Jägertracht und hat ein Roß,
    Mit Rohtraut zu jagen.
O daß ich doch ein Königssohn wär'!
Rohtraut, Schön-Rohtraut lieb' ich so sehr.
    — Schweig stille, mein Herze!

Einsmals sie ruhten am Eichenbaum,
    Da lacht Schön-Rohtraut:
Was siehst mich an so wunniglich?
Wenn du das Herz hast, küsse mich!
    Ach! erschrak der Knabe!
Doch denket er: mir ist's vergunnt,
Und küsset Schön-Rohtraut auf den Mund.
    — Schweig stille, mein Herze!

Darauf sie ritten schweigend heim,
    Rohtraut, Schön-Rohtraut;
Es jauchzt der Knab' in seinem Sinn:
Und würd'st du heute Kaiserin,
    Mich sollt's nicht kränken:
Ihr tausend Blätter im Walde wißt,
Ich hab' Schön-Rohtrauts Mund geküßt!
    — Schweig stille, mein Herze!

344 *Auf einer Wanderung*

IN ein freundliches Städtchen tret' ich ein,
In den Straßen liegt roter Abendschein.
Aus einem offnen Fenster eben,
Über den reichsten Blumenflor
Hinweg, hört man Goldglockentöne schweben,
Und eine Stimme scheint ein Nachtigallenchor,
Daß die Blüten beben,
Daß die Lüfte leben,
Daß in höherem Rot die Rosen leuchten vor.

Lang hielt ich staunend, lustbeklommen.
Wie ich hinaus vors Tor gekommen,
Ich weiß es wahrlich selber nicht.
Ach hier, wie liegt die Welt so licht!
Der Himmel wogt in purpurnem Gewühle,
Rückwärts die Stadt in goldnem Rauch;
Wie rauscht der Erlenbach, wie rauscht im Grund die Mühle!
Ich bin wie trunken, irrgeführt —
O Muse, du hast mein Herz berührt
Mit einem Liebeshauch!

345 *Neue Liebe*

KANN auch ein Mensch des andern auf der Erde
Ganz, wie er möchte, sein? —
In langer Nacht bedacht' ich mir's, und mußte sagen: nein!

So kann ich niemands heißen auf der Erde,
Und niemand wäre mein? —
Aus Finsternissen hell in mir aufzückt ein Freudenschein:

Sollt' ich mit Gott nicht können sein,
So wie ich möchte, Mein und Dein?
Was hielte mich, daß ich's nicht heute werde?

Ein süßes Schrecken geht durch mein Gebein!
Mich wundert, daß es mir ein Wunder wollte sein,
Gott selbst zu eigen haben auf der Erde!

346 *Denk es, o Seele!*

EIN Tännlein grünet wo,
  Wer weiß, im Walde,
Ein Rosenstrauch, wer sagt,
  In welchem Garten?
Sie sind erlesen schon,
  Denk es, o Seele,
Auf deinem Grab zu wurzeln
  Und zu wachsen.

Zwei schwarze Rößlein weiden
  Auf der Wiese,
Sie kehren heim zur Stadt
  In muntern Sprüngen.
Sie werden schrittweis gehn
  Mit deiner Leiche;
Vielleicht, vielleicht noch eh'
  An ihren Hufen
Das Eisen los wird,
  Das ich blitzen sehe!

ROBERT REINICK

1805–52

347 *Wie ist doch die Erde so schön!*

WIE ist doch die Erde so schön, so schön!
    Das wissen die Vögelein:
Sie heben ihr leicht Gefieder
Und singen so fröhliche Lieder
In den blauen Himmel hinein.

Wie ist doch die Erde so schön, so schön!
Das wissen die Flüss' und Seen:
Sie malen in klarem Spiegel
Die Gärten und Städt' und Hügel
Und die Wolken, die drüber gehn!

Und Sänger und Maler wissen es,
Und es wissen's viel andere Leut'!
Und wer's nicht malt, der singt es,
Und wer's nicht singt, dem klingt es
In dem Herzen vor lauter Freud'!

348 *An den Sonnenschein*

O SONNENSCHEIN! o Sonnenschein!
    Wie scheinst du mir ins Herz hinein,
Weckst drinnen lauter Liebeslust,
Daß mir so enge wird die Brust!

Und enge wird mir Stub' und Haus,
Und wie ich lauf' zum Tor hinaus,
Da lockst du gar ins frische Grün
Die allerschönsten Mädchen hin!

O Sonnenschein! Du glaubest wohl,
Daß ich wie du es machen soll,
Der jede schmucke Blume küßt,
Die eben nur sich dir erschließt?

Hast doch so lang die Welt erblickt
Und weißt, daß sich's für mich nicht schickt;
Was machst du mir denn solche Pein?
O Sonnenschein! o Sonnenschein!

349   *Wohin mit der Freud'?*

ACH du klar blauer Himmel,
Und wie schön bist du heut!
Möcht' ans Herz gleich dich drücken
Vor Jubel und Freud'.
Aber's geht doch nicht an,
Denn du bist mir zu weit,
Und mit all meiner Freud'
Was fang' ich doch an?

Ach du licht grüne Welt,
Und wie strahlst du voll Lust!
Und ich möcht' mich gleich werfen
Dir vor Lieb' an die Brust.
Aber's geht doch nicht an,
Und das ist ja mein Leid,
Und mit all meiner Freud'
Was fang' ich doch an?

Und da sah ich mein Lieb
Unterm Lindenbaum stehn,
War so klar wie der Himmel,
Wie die Erde so schön,

Und wir küßten uns beid',
Und wir sangen vor Lust,
Und da hab' ich gewußt:
Wohin mit der Freud'!

ANASTASIUS GRÜN

(ALEXANDER GRAF VON AUERSPERG)

1806–76

350 *Das Blatt im Buche*

ICH hab' eine alte Muhme,
Die ein altes Büchlein hat.
Es liegt in dem alten Buche
Ein altes, dürres Blatt.

So dürr sind wohl auch die Hände,
Die einst im Lenz ihr's gepflückt.
Was mag doch die Alte haben?
Sie weint, so oft sie's erblickt.

351 *Zwei Heimgekehrte*

ZWEI Wanderer zogen hinaus zum Tor,
Zur herrlichen Alpenwelt empor.
Der eine ging, weil's Mode just,
Den andern trieb der Drang in der Brust.

Und als daheim nun wieder die zwei,
Da rückt die ganze Sippe herbei,
Da wirbelt's von Fragen ohne Zahl:
»Was habt ihr gesehn? Erzählt einmal!«

Der eine drauf mit Gähnen spricht:
»Was wir gesehn? Viel Rares nicht!
Ach, Bäume, Wiesen, Bach und Hain,
Und blauen Himmel und Sonnenschein!«

Der andere lächelnd dasselbe spricht,
Doch leuchtenden Blicks, mit verklärtem Gesicht:
»Ei, Bäume, Wiesen, Bach und Hain,
Und blauen Himmel und Sonnenschein!«

ERNST VON FEUCHTERSLEBEN

1806–49

352 *Es ist bestimmt in Gottes Rat'*

ES ist bestimmt in Gottes Rat',
Daß man, was man am liebsten hat,
Muß meiden;
Wiewohl nichts in dem Lauf der Welt
Dem Herzen, ach! so sauer fällt
Als Scheiden! ja Scheiden!

So dir geschenkt ein Knösplein was,
So tu es in ein Wasserglas —
Doch wisse:
Blüht morgen dir ein Röslein auf,
Es welkt wohl noch die Nacht darauf;
Das wisse! ja wisse!

Und hat dir Gott ein Lieb beschert,
Und hältst du sie recht innig wert,
Die Deine —
Es werden wohl acht Bretter sein,
Da legst du sie, wie bald! hinein;
Dann weine! ja weine!

Nur mußt du mich auch recht verstehn,
Ja recht verstehn!
Wenn Menschen auseinander gehn,
So sagen sie: Auf Wiedersehn!
Ja, Wiedersehn!

FRIEDRICH THEODOR VISCHER

1807–87

353 Pastors Abendspaziergang

DAS Abendrot brennt an des Himmels Saum,
Ich schlendre so, als wie im halben Traum,
Zum Dorf hinaus auf grünem Wiesenwege
Am Wald hinunter, wie ich täglich pflege.

Rings auf der Wiese wimmelt es und schafft,
Vom frischen Heu kommt mit gewürz'ger Kraft
Ein süßer Duft auf kühler Lüfte Wogen,
Mein alter Liebling, zu mir hergezogen.

Rot, Blau und Gold, ein ganzes Farbenreich,
Betrachtet sich im spiegelhellen Teich,
Wildenten sieht man durch die Wellen streben
Und hoch in Lüften Weih und Sperber schweben.

Ein flüsternd Wehen geht im dunklen Wald,
Die Vögel rufen, daß es weithin schallt,
Die Unke will sich auf der Flöte zeigen,
Die Grille zirpt, und auch die Schnaken geigen.

Studieren wollt' ich einen Predigtplan,
Nun hör' ich selbst die große Predigt an,
Voll Kraft und Mark, ein Menschenherz zu stärken,
Die große Predigt von des Meisters Werken.

354   *Zu spät*

SIE haben dich fortgetragen,
Ich kann es dir nicht mehr sagen,
Wie oft ich bei Tag und Nacht
Dein gedacht,
Dein und was ich dir angetan
Auf dunkler Jugendbahn.
Ich habe gezaudert, versäumet,
Hab' immer von Frist geträumet;
Über den Hügel der Wind nun weht:
Es ist zu spät.

355   *Bald*

ES währt noch eine kurze Weile,
Daß du durch diese Straße gehst
Hinauf, herab die lange Zeile,
Und manchmal grüßend stille stehst.

Bald wird der ein' und andre sagen:
Den Alten sehen wir nicht mehr,
Er ging an kalt und warmen Tagen
Doch hier sein Stündchen hin und her.

Es sei! Des Lebens volle Schalen
Hab' ich geneigt an meinen Mund,
Und auch des Lebens ganze Qualen
Hab' ich geschmeckt bis auf den Grund.

Getan ist manches, was ich sollte,
Nicht spurlos lass' ich meine Bahn;
Doch manches, was ich sollt' und wollte,
Wie manches ist noch ungetan!

Wohl sinkt sie immer noch zu frühe
Herab, die wohlbekannte Nacht,
Doch wer mit aller Sorg' und Mühe
Hat je sein Tagewerk vollbracht?

Schau um dich! Sieh die hellen Blicke,
Der Wangen jugendfrisches Blut,
Und sage dir: In jede Lücke
Ergießt sich junge Lebensflut.

Es ist gesorgt, brauchst nicht zu sorgen;
Mach Platz, die Menschheit stirbt nicht aus,
Sie feiert ewig neue Morgen,
Du steige fest ins dunkle Haus!

356 *Frage*

EINST wird die Weltposaune dröhnen,
Und mächtig aus des Engels Mund,
Ein lauter Donner, wird es tönen:
Du, Erde, öffne deinen Schlund.

Sie schüttelt träumend ihre Glieder,
Und alle Gräber tun sich auf
Und geben ihre Toten wieder,
Die kommen staunend Hauf zu Hauf.

Dann, wenn den großen Spruch zu sprechen
Der Ew'ge sich vom Stuhl erhebt,
Und stockend alle Herzen brechen,
Und Todesangst die Welt durchbebt,

Und laut erkracht des Himmels Krone,
Dann ringsum Schweigen fürchterlich —
Dann will ich stehn vor Deinem Throne
Und fragen: »Warum schufst Du mich?«

357　　　　　*Spruch*

WENN Gift und Galle die Welt dir beut
　　Und du möchtest das Herz dir gesund bewahren:
Mach andern Freud'!
Du wirst erfahren,
Daß Freude freut.

FERDINAND FREILIGRATH
1810–76
358　*O lieb, so lang du lieben kannst!*

O LIEB, so lang du lieben kannst!
　　O lieb, so lang du lieben magst!
Die Stunde kommt, die Stunde kommt,
Wo du an Gräbern stehst und klagst.

Und sorge, daß dein Herze glüht
Und Liebe hegt und Liebe trägt,
So lang ihm noch ein andres Herz
In Liebe warm entgegenschlägt.

Und wer dir seine Brust erschließt,
O tu ihm, was du kannst, zulieb
Und mach ihm jede Stunde froh
Und mach ihm keine Stunde trüb!

Und hüte deine Zunge wohl!
Bald ist ein böses Wort gesagt.
O Gott, es war nicht bös gemeint —
Der andre aber geht und klagt.

FERDINAND FREILIGRATH

O lieb, so lang du lieben kannst!
O lieb, so lang du lieben magst!
Die Stunde kommt, die Stunde kommt,
Wo du an Gräbern stehst und klagst.

Dann kniest du nieder an der Gruft
Und birgst die Augen trüb und naß
— Sie sehn den andern nimmermehr —
Ins lange, feuchte Kirchhofgras

Und sprichst: »O schau auf mich herab,
Der hier an deinem Grabe weint!
Vergib, daß ich gekränkt dich hab'!
O Gott, es war nicht bös gemeint!«

Er aber sieht und hört dich nicht,
Kommt nicht, daß du ihn froh umfängst;
Der Mund, der oft dich küßte, spricht
Nie wieder: »Ich vergab dir längst.«

Er tat's, vergab dir lange schon;
Doch manche heiße Träne fiel
Um dich und um dein herbes Wort.
Doch still — er ruht, er ist am Ziel.

O lieb, so lang du lieben kannst!
O lieb, so lang du lieben magst!
Die Stunde kommt, die Stunde kommt,
Wo du an Gräbern stehst und klagst!

359 *Die Trompete von Gravelotte*

SIE haben Tod und Verderben gespien:
Wir haben es nicht gelitten.
Zwei Kolonnen Fußvolk, zwei Batterien,
Wir haben sie niedergeritten.

Die Säbel geschwungen, die Zäume verhängt,
Tief die Lanzen und hoch die Fahnen,
So haben wir sie zusammengesprengt —
Kürassiere wir und Ulanen.

Doch ein Blutritt war es, ein Todesritt;
Wohl wichen sie unsern Hieben,
Doch von zwei Regimentern, was ritt und was stritt,
Unser zweiter Mann ist geblieben.

Die Brust durchschossen, die Stirn zerklafft,
So lagen sie bleich auf dem Rasen,
In der Kraft, in der Jugend dahingerafft —
Nun, Trompeter, zum Sammeln geblasen!

Und er nahm die Trompet', und er hauchte hinein;
Da — die mutig mit schmetterndem Grimme
Uns geführt in den herrlichen Kampf hinein,
Der Trompete versagte die Stimme!

Nur ein klanglos Wimmern, ein Schrei voll Schmerz
Entquoll dem metallenen Munde;
Eine Kugel hatte durchlöchert ihr Erz —
Um die Toten klagte die wunde!

Um die Tapfern, die Treuen, die Wacht am Rhein,
Um die Brüder, die heut gefallen;
Um sie alle, es ging uns durch Mark und Bein,
Erhub sie gebrochenes Lallen.

Und nun kam die Nacht, und wir ritten hindann,
Rundum die Wachtfeuer lohten;
Die Rosse schnoben, der Regen rann —
Und wir dachten der Toten, der Toten.

FRIEDRICH HEBBEL
1813-63

360 *Nachtlied*

QUELLENDE, schwellende Nacht,
Voll von Lichtern und Sternen:
In den ewigen Fernen,
Sage, was ist da erwacht?

Herz in der Brust wird beengt;
Steigendes, neigendes Leben,
Riesenhaft fühle ich's weben,
Welches das meine verdrängt.

Schlaf, da nahst du dich leis
Wie dem Kinde die Amme,
Und um die dürftige Flamme
Ziehst du den schützenden Kreis.

361 *Bubensonntag*

WENN ich einst, ein kleiner Bube,
Sonntags früh im Bette lag,
Und die helle Kirchenglocke
All das Schweigen unterbrach:

O wie schlüpft' ich dann so hurtig
Aus dem Bett ins Kleid hinein,
Und wie gern ließ ich das Frühstück,
Um zuerst bei Gott zu sein!

FRIEDRICH HEBBEL

Ein Gesangbuch unterm Arme,
Eh' ich 's Lesen noch verstand,
Ging ich fort, gebeugten Hauptes,
Fromm verschränkend Hand in Hand.

Kam mein Hündchen froh gesprungen,
Schalt ich : »Komm mir nicht zu nah !«
Kaum daß ich, zur Seite schielend,
Nach der Vogelfalle sah.

Fiel die Kirchentür nun knarrend
Hinter meinem Rücken zu,
Sprach ich furchtsam-zuversichtlich :
»Jetzt allein sind Gott und du !«

Längst mit ganzem, vollem Herzen
Hing ich ja an meinem Gott,
Doch daß niemand ihn erblicke,
Hielt ich stets für eitel Spott,

Und so hofft' ich jeden Morgen
Endlich einmal ihn zu sehn ;
War's denn nichts in meinen Jahren,
Stets um fünfe aufzustehn ?

Auf dem hohen Turm die Glocke
War schon lange wieder stumm,
Der Altar warf düstre Schatten,
Gräber lagen ringsherum.

Drang ein Schall zu mir herüber,
Dacht' ich : »Jetzt wirst du ihn schaun !«
Aber meine Augen schlossen
Sich zugleich vor Angst und Graun.

Und dies Zittern, dies Erbangen
Und mein kalter Todesschweiß —
Daß der Herr vorbeigewandelt,
Galt mir alles für Beweis.

Still und träumend dann zu Hause
Schlich ich mich in süßer Qual,
Und mein klopfend Herz gelobte
Sich mehr Mut fürs nächste Mal.

362   *Erleuchtung*

IN unermeßlich tiefen Stunden
Hast du, in ahnungsvollem Schmerz,
Den Geist des Weltalls nie empfunden,
Der niederflammte in dein Herz?

Jedwedes Dasein zu ergänzen
Durch ein Gefühl, das ihn umfaßt,
Schließt er sich in die engen Grenzen
Der Sterblichkeit als reichster Gast.

Da tust du in die dunkeln Risse
Des Unerforschten einen Blick
Und nimmst in deine Finsternisse
Ein leuchtend Bild der Welt zurück.

Du trinkst das allgemeinste Leben,
Nicht mehr den Tropfen, der dir floß,
Und ins Unendliche verschweben
Kann leicht, wer es im Ich genoß.

363 *Abendgefühl*

FRIEDLICH bekämpfen
Nacht sich und Tag.
Wie das zu dämpfen,
Wie das zu lösen vermag!

Der mich bedrückte,
Schläfst du schon, Schmerz?
Was mich beglückte,
Sage, was war's doch, mein Herz?

Freude wie Kummer,
Fühl' ich, zerrann,
Aber den Schlummer
Führten sie leise heran.

Und im Entschweben,
Immer empor,
Kommt mir das Leben
Ganz wie ein Schlummerlied vor.

364 *Der Baum in der Wüste*

ES steht ein Baum im Wüstensand,
Der einzige, der dort gedieh;
Die Sonne hat ihn fast verbrannt,
Der Regen tränkt den durst'gen nie.

In seiner falben Krone hängt
Gewürzig eine Frucht voll Saft,
Er hat sein Mark hinein gedrängt,
Sein Leben, seine höchste Kraft.

Die Stunde, wo sie überschwer
Zu Boden fallen muß, ist nah;
Es zieht kein Wanderer daher,
Und für ihn selbst ist sie nicht da.

365 *Adams Opfer*

DIE schönsten Früchte, frisch gepflückt,
Trägt er zum grünen Festaltar
Und bringt, mit Blumen reich geschmückt,
Sie fromm als Morgenopfer dar.

Erst blickt er froh, dann wird er still:
»O Herr, wie arm erschein' ich mir!
Wenn ich den Dank dir bringen will,
So borge ich selbst den von dir!«

366 *Requiem*

SEELE, vergiß sie nicht,
Seele, vergiß nicht die Toten!

Sieh, sie umschweben dich,
Schauernd, verlassen,
Und in den heiligen Gluten,
Die den Armen die Liebe schürt,
Atmen sie auf und erwarmen
Und genießen zum letztenmal
Ihr verglimmendes Leben.

Seele, vergiß sie nicht,
Seele, vergiß nicht die Toten.

Sieh, sie umschweben dich,
Schauernd, verlassen,
Und wenn du dich erkaltend
Ihnen verschließest, erstarren sie
Bis hinein in das Tiefste.

Dann ergreift sie der Sturm der Nacht,
Dem sie, zusammengekrampft in sich,
Trotzten im Schoße der Liebe,
Und er jagt sie mit Ungestüm
Durch die unendliche Wüste hin,
Wo nicht Leben mehr ist, nur Kampf
Losgelassener Kräfte
Um erneuertes Sein!

    Seele, vergiß sie nicht,
    Seele, vergiß nicht die Toten.

367   *Die Weihe der Nacht*

NÄCHTLICHE Stille!
  Heilige Fülle,
Wie von göttlichem Segen schwer,
Säuselt aus ewiger Ferne daher.

Was da lebte,
Was aus engem Kreise
Auf ins Weitste strebte,
Sanft und leise
Sank es in sich selbst zurück
Und quillt auf in unbewußtem Glück.

Und von allen Sternen nieder
Strömt ein wunderbarer Segen,
Daß die müden Kräfte wieder
Sich in neuer Frische regen.
Und aus seinen Finsternissen
Tritt der Herr, so weit er kann,
Und die Fäden, die zerrissen,
Knüpft er alle wieder an.

368 *Leben*

SEELE, die du, unergründlich
Tief versenkt, dich ätherwärts
Schwingen möchtest und allstündlich
Dich gehemmt wähnst durch den Schmerz —
An den Taucher, an den stillen,
Denke, der in finstrer See
Fischt nach eines Höhern Willen:
Nur vom Atmen kommt sein Weh.

Ist die Perle erst gefunden
In der öden Wellengruft,
Wird er schnell empor gewunden,
Daß ihn heilen Licht und Luft.
Was sich lange ihm verhehlte,
Wird ihm dann auf einmal klar:
Daß, was ihn im Abgrund quälte,
Eben nur sein Leben war.

369 *Das Kind am Brunnen*

FRAU Amme, Frau Amme, das Kind ist erwacht!
Doch die liegt ruhig im Schlafe.
Die Vöglein zwitschern, die Sonne lacht,
Am Hügel weiden die Schafe.

Frau Amme, Frau Amme, das Kind steht auf,
Es wagt sich weiter und weiter!
Hinab zum Brunnen nimmt es den Lauf,
Da stehen Blumen und Kräuter.

FRIEDRICH HEBBEL

Frau Amme, Frau Amme, der Brunnen ist tief!
Sie schläft, als läge sie drinnen.
Das Kind läuft schnell, wie es nie noch lief,
Die Blumen locken's von hinnen.

Nun steht es am Brunnen, nun ist es am Ziel,
Nun pflückt es die Blumen sich munter;
Doch bald ermüdet das reizende Spiel,
Da schaut's in die Tiefe hinunter.

Und unten erblickt es ein holdes Gesicht,
Mit Augen, so hell und so süße.
Es ist sein eignes, das weiß es noch nicht,
Viel stumme freundliche Grüße!

Das Kindlein winkt, der Schatten geschwind
Winkt aus der Tiefe ihm wieder.
Herauf! Herauf! so meint's das Kind;
Der Schatten: Hernieder! Hernieder!

Schon beugt es sich über den Brunnenrand.
Frau Amme, du schläfst noch immer!
Da fallen die Blumen ihm aus der Hand
Und trüben den lockenden Schimmer.

Verschwunden ist sie, die süße Gestalt,
Verschluckt von der hüpfenden Welle;
Das Kind durchschauert's fremd und kalt,
Und schnell enteilt es der Stelle.

370   *An den Äther*

ALLEWIGER und unbegrénzter Äther!
Durchs Engste, wie durchs Weiteste Ergoßner!
Von keinem Ring des Daseins Ausgeschloßner!
Von jedem Hauch des Lebens still Durchwehter!

Des Unerforschten einziger Vertreter!
Sein erster und sein würdigster Entsproßner!
Von ihm allein in tiefster Ruh' Umfloßner!
Dir gegenüber werd' auch ich ein Beter!

Mein schweifend Auge, das dich gern umspannte,
Schließt sich vor dir in Ehrfurcht, eh' es scheitert,
Denn nichts ermißt der Blick als seine Schranken.

So auch mein Geist vor Gott, denn er erkannte,
Daß er, umfaßt, sich nie so sehr erweitert,
Den Allumfasser wieder zu umranken.

371   *Ich und Du*

WIR träumten von einander
Und sind davon erwacht,
Wir leben um uns zu lieben
Und sinken zurück in die Nacht.

Du tratst aus meinem Traume,
Aus deinem trat ich hervor;
Wir sterben, wenn sich eines
Im andern ganz verlor.

Auf einer Lilie zittern
Zwei Tropfen rein und rund,
Zerfließen in eins und rollen
Hinab in des Kelches Grund.

372 *Gebet*

DIE du über die Sterne weg
   Mit der geleerten Schale
Aufschwebst, um sie am ew'gen Born
   Eilig wieder zu füllen:
Einmal schwenke sie noch, o Glück,
   Einmal, lächelnde Göttin!
Sieh, ein einziger Tropfen hängt
   Noch verloren am Rande,
Und der einzige Tropfen genügt,
   Eine himmlische Seele,
Die hier unten in Schmerz erstarrt,
   Wieder in Wonne zu lösen.
Ach! sie weint dir süßeren Dank
   Als die anderen alle,
Die du glücklich und reich gemacht;
   Laß ihn fallen, den Tropfen!

373 *Meeresleuchten*

AUS des Meeres dunklen Tiefen
   Stieg die Venus still empor,
Als die Nachtigallen riefen
In dem Hain, den sie erkor.

Und zum Spiegel, voll Verlangen,
Glätteten die Wogen sich,
Um ihr Bild noch aufzufangen,
Da sie selbst auf ewig wich.

Lächelnd gönnte sie dem feuchten
Element den letzten Blick,
Davon blieb dem Meer sein Leuchten
Bis auf diesen Tag zurück.

374 *Sommerbild*

ICH sah des Sommers letzte Rose stehn,
Sie war, als ob sie bluten könne, rot;
Da sprach ich schauernd im Vorübergehn:
»So weit im Leben ist zu nah am Tod!«

Es regte sich kein Hauch am heißen Tag,
Nur leise strich ein weißer Schmetterling;
Doch ob auch kaum die Luft sein Flügelschlag
Bewegte, sie empfand es und verging.

375 *Herbstbild*

DIES ist ein Herbsttag, wie ich keinen sah!
Die Luft ist still, als atmete man kaum,
Und dennoch fallen raschelnd, fern und nah,
Die schönsten Früchte ab von jedem Baum.

O stört sie nicht, die Feier der Natur!
Dies ist die Lese, die sie selber hält,
Denn heute löst sich von den Zweigen nur,
Was vor dem milden Strahl der Sonne fällt.

376 *Den bängsten Traum begleitet*

DEN bängsten Traum begleitet
Ein heimliches Gefühl,
Daß alles nichts bedeutet,
Und wär' uns noch so schwül.
Da spielt in unser Weinen
Ein Lächeln hold hinein;
Ich aber möchte meinen,
So sollt' es immer sein!

377 *Sprüche*

i

WÜNSCHE dir nicht zu scharf das Auge; denn
wenn du die Toten
In der Erde erst siehst, siehst du die Blumen nicht mehr.

ii

Kinder sind Rätsel von Gott und schwerer als alle zu
lösen,
Aber der Liebe gelingt's, wenn sie sich selber bezwingt.

iii

Ob du dich selber erkennst? Du tust es sicher, sobald du
Mehr Gebrechen an dir als an den andern entdeckst.

iv

Deine Tugenden halte für allgemeine des Menschen,
Deine Fehler jedoch für dein besonderes Teil.

v

Was du teurer bezahlst, die Lüge oder die Wahrheit?
Jene kostet dein Ich, diese doch höchstens dein Glück!

EMANUEL GEIBEL

1815–84

378   *Der Mai ist gekommen*

DER Mai ist gekommen, die Bäume schlagen aus,
Da bleibe, wer Lust hat, mit Sorgen zu Haus!
Wie die Wolken wandern am himmlischen Zelt,
So steht auch mir der Sinn in die weite, weite Welt.

Herr Vater, Frau Mutter, daß Gott euch behüt'!
Wer weiß, wo in der Ferne mein Glück mir noch blüht.
Es gibt so manche Straße, da nimmer ich marschiert,
Es gibt so manchen Wein, den ich nimmer noch probiert.

Frisch auf drum, frisch auf im hellen Sonnenstrahl!
Wohl über die Berge, wohl durch das tiefe Tal!
Die Quellen erklingen, die Bäume rauschen all,
Mein Herz ist wie 'ne Lerche und stimmet ein mit Schall.

Und abends im Städtlein, da kehr' ich durstig ein:
» Herr Wirt, Herr Wirt, eine Kanne blanken Wein!
Ergreife die Fiedel, du lust'ger Spielmann du!
Von meinem Schatz das Liedel, das sing' ich dazu.«

Und find' ich keine Herberg, so lieg' ich zu Nacht
Wohl unter blauem Himmel, die Sterne halten Wacht;
Im Winde die Linde, die rauscht mich ein gemach,
Es küsset in der Früh' das Morgenrot mich wach.

O Wandern, o Wandern, du freie Burschenlust!
Da wehet Gottes Odem so frisch in die Brust,
Da singet und jauchzet das Herz zum Himmelszelt:
Wie bist du doch so schön, o du weite, weite Welt!

379 *Morgenwanderung*

WER recht in Freuden wandern will,
Der geh' der Sonn' entgegen;
Da ist der Wald so kirchenstill,
Kein Lüftchen mag sich regen;
  Noch sind nicht die Lerchen wach,
  Nur im hohen Gras der Bach
Singt leise den Morgensegen.

Die ganze Welt ist wie ein Buch,
Darin uns aufgeschrieben
In bunten Zeilen manch ein Spruch,
Wie Gott uns treu geblieben;
  Wald und Blumen nah und fern
  Und der helle Morgenstern
Sind Zeugen von seinem Lieben.

Da zieht die Andacht wie ein Hauch
Durch alle Sinnen leise,
Da pocht ans Herz die Liebe auch
In ihrer stillen Weise,
  Pocht und pocht, bis sich's erschließt
  Und die Lippe überfließt
Von lautem, jubelndem Preise.

Und plötzlich läßt die Nachtigall
Im Busch ihr Lied erklingen,
In Berg und Tal erwacht der Schall
Und will sich aufwärts schwingen,
  Und der Morgenröte Schein
  Stimmt in lichter Glut mit ein:
» Laßt uns dem Herrn lobsingen!«

397

380 *Hoffnung*

UND dräut der Winter noch so sehr
Mit trotzigen Gebärden,
Und streut er Eis und Schnee umher,
Es muß doch Frühling werden.

Und drängen die Nebel noch so dicht
Sich vor den Blick der Sonne,
Sie wecket doch mit ihrem Licht
Einmal die Welt zur Wonne.

Blast nur, ihr Stürme, blast mit Macht,
Mir soll darob nicht bangen;
Auf leisen Sohlen über Nacht
Kommt doch der Lenz gegangen.

Da wacht die Erde grünend auf,
Weiß nicht, wie ihr geschehen,
Und lacht in den sonnigen Himmel hinauf
Und möchte vor Lust vergehen.

Sie flicht sich blühende Kränze ins Haar
Und schmückt sich mit Rosen und Ähren
Und läßt die Brünnlein rieseln klar,
Als wären es Freudenzähren.

Drum still! Und wie es frieren mag,
O Herz, gib dich zufrieden;
Es ist ein großer Maientag
Der ganzen Welt beschieden.

Und wenn dir oft auch bangt und graut,
Als sei die Höll' auf Erden,
Nur unverzagt auf Gott vertraut!
Es muß doch Frühling werden.

381   *Nun die Schatten dunkeln*

NUN die Schatten dunkeln,
Stern an Stern erwacht:
Welch ein Hauch der Sehnsucht
Flutet in der Nacht!

Durch das Meer der Träume
Steuert ohne Ruh,
Steuert meine Seele
Deiner Seele zu.

Die sich dir ergeben,
Nimm sie ganz dahin!
Ach, du weißt, daß nimmer
Ich mein eigen bin.

382   *Wo des Ölwalds Schatten dämmern*

WO des Ölwalds Schatten dämmern,
Rast' ich matt vom Sonnenschein;
Fern am Berg bei ihren Lämmern
Lagern Hirten und schalmei'n.

Müd' eintönig schwimmt die Weise
Durch den Mittagsduft heran,
Und mir träumt, es sei das leise
Flötenspiel des großen Pan.

383 *Gebet*

HERR, den ich tief im Herzen trage, sei du mit mir!
Du Gnadenhort in Glück und Plage, sei du mit mir!
Im Brand des Sommers, der dem Manne die Wange
    bräunt,
Wie in der Jugend Rosenhage sei du mit mir!
Behüte mich am Born der Freude vor Übermut,
Und wenn ich an mir selbst verzage, sei du mit mir!
Gib deinen Geist zu meinem Liede, daß rein es sei,
Und daß kein Wort mich einst verklage, sei du mit mir!
Dein Segen ist wie Tau den Reben; nichts kann ich selbst,
Doch daß ich kühn das Höchste wage, sei du mit mir!
O du mein Trost, du meine Stärke, mein Sonnenlicht,
Bis an das Ende meiner Tage sei du mit mir!

384 *Auf dem See*

NUN fließt die Welt in kühlem Mondenlicht,
Die Berge sind in weißem Duft versunken;
Der See, der leis um meinen Kahn sich bricht,
Spielt fern hinaus in irren Silberfunken,
Doch sein Gestad' erkenn' ich nicht.
Wie weit! Wie still! Da schließt in mir ein Sinn
Sich auf, das Unnennbarste zu verstehen;
Uralte Melodien gehen
Durch meine Brust gedämpft dahin.
Es sinkt, wie Tau, der Ewigkeit Gedanke
Kühl schauernd über mich und füllt mich ganz,
Und mich umflutet sonder Schranke
Ein uferloses Meer von weißem Glanz.

385 *Mittagszauber*

IM Garten wandelt hohe Mittagszeit,
Der Rasen glänzt, die Wipfel schatten breit;
Von oben sieht, getaucht in Sonnenschein
Und leuchtend Blau, der alte Dom herein.

Am Birnbaum sitzt mein Töchterchen im Gras;
Die Märchen liest sie, die als Kind ich las;
Ihr Antlitz glüht, es ziehn durch ihren Sinn
Schneewittchen, Däumling, Schlangenkönigin.

Kein Laut von außen stört; 's ist Feiertag —
Nur dann und wann vom Turm ein Glockenschlag!
Nur dann und wann der mattgedämpfte Schall
Im hohen Gras von eines Apfels Fall!

Da kommt auf mich ein Dämmern wunderbar;
Gleichwie im Traum verschmilzt, was ist und war:
Die Seele löst sich und verliert sich weit
Ins Märchenreich der eignen Kinderzeit.

Ostseelieder

386 *i*

WENN überm Meer das Frührot brennt
Und alle Küsten rauchen,
Wie lieb' ich dann, ins Element
Befreit hinabzutauchen!

Tiefpurpurn schwillt um mich die Flut
Und zittert, Well' an Welle;
Mir deucht, ich bad' in Drachenblut
Wie Siegfried einst, der schnelle.

Mein Herz wird fest, und wie es lauscht,
Von junger Kraft durchdrungen,
Versteht's, was Wind und Woge rauscht,
Und aller Vögel Zungen.

387 ii

SANFT verglimmt des Tages Helle,
Und vom letzten Strahl geküßt
Liegt die glatte Meereswelle
Wie geschmolz'ner Amethyst.

Kaum ein Lüftchen rührt die Schwingen,
Schweigen rings und Abendglut!
Nur der Fischer leises Singen
Schwebt verhallend auf der Flut.

Jetzt erstirbt's; ihr Nachen gleitet
Ohne Laut dem Hafen zu,
Und um meine Seele breitet
Sich dein Zauber, Meeresruh.

388 iii

NUN kommt der Sturm geflogen,
Der heulende Nordost,
Daß hoch in Riesenwogen
Die See ans Ufer tost.

Das ist ein rasend Gischen,
Ein Donnern und ein Schwall,
Gewölk und Abgrund mischen
All ihrer Stimmen Schall.

Und in der Winde Sausen
Und in der Möwe Schrein,
In Schaum und Wellenbrausen
Jauchz' ich berauscht hinein.

Schon mein' ich, daß der Reigen
Des Meergotts mich umhallt,
Die Wogen seh' ich steigen
In grüner Roßgestalt,

Und drüber hoch im Wagen,
Vom Nixenschwarm umringt,
Ihn selbst, den Alten, ragen,
Wie er den Dreizack schwingt.

389 *Frühlingslied*

MIT geheimnisvollen Düften
Grüßt vom Hang der Wald mich schon,
Über mir in hohen Lüften
Schwebt der erste Lerchenton.

In den süßen Laut versunken
Wall' ich hin durchs Saatgefild,
Das noch halb vom Schlummer trunken
Sanft dem Licht entgegenschwillt.

Welch ein Sehnen! welch ein Träumen!
Ach, du möchtest vorm Verglühn
Mit den Blumen, mit den Bäumen,
Altes Herz, noch einmal blühn.

390 *Sanssouci*

DIES ist der Königspark. Rings Bäume, Blumen,
    Vasen!
Sieh, wie ins Muschelhorn die Steintritonen blasen!
Die Nymphe spiegelt klar sich in des Beckens Schoß;
Sieh hier der Flora Bild in hoher Rosen Mitten,
Die Laubengänge sieh, so regelrecht geschnitten,
Als wären's Verse Boileaus!

Vorbei am luft'gen Haus voll fremder Vögelstimmen
Laß uns den Hang empor zu den Terrassen klimmen,
Die der Orange Wuchs umkränzt mit falbem Grün!
Dort oben ragt, wo frisch sich Tann' und Buche mischen,
Das schmucklos heitre Schloß mit breiten Fensternischen,
Darin des Abends Feuer glühn.

Dort lehnt ein Mann im Stuhl: sein Haupt ist vorgesunken,
Sein blaues Auge sinnt, und oft in hellen Funken
Entzündet sich's; so sprüht aus dunkler Luft ein Blitz.
Ein dreigespitzter Hut bedeckt der Schläfe Weichen,
Sein Krückstock irrt im Sand und schreibt verworrne
    Zeichen —
Nicht irrst du: das ist König Fritz.

Er sitzt und sinnt und schreibt. Kannst du sein Brüten
    deuten?
Denkt er an Kunersdorf, an Roßbach oder Leuthen,
An Hochkirchs Nacht, durchglüht von Flammen hundert-
    fach?
Wie dort im roten Qualm gerollt die Feldkanonen,
Indes die Reiterei mit rasselnden Schwadronen
Der Grenadiere Viereck brach.

Schwebt ein Gesetz ihm vor, mit dem er weis' und milde
Sein schlachterstarktes Volk zu schöner Menschheit bilde,
Ein Friedensgruß, wo jüngst die Kriegespauke scholl?
Ersinnt er einen Reim, der seinen Sieg verkläre,
Oder ein Epigramm, mit dem bei Tisch Voltaire,
Der Schalk, gezüchtigt werden soll?

Vielleicht auch treten ihm die Bilder nah, die alten,
Da er im Mondenlicht in seines Schlafrocks Falten
Die sanfte Flöt' ergriff, des Vaters Ärgernis;
Des treuen Freundes Geist will er heraufbeschwören,
Dem — ach um ihn! — das Blei aus sieben Feuerröhren
Die kühne Jünglingsbrust zerriß.

Träumt in die Zukunft er? Zeigt ihm den immer vollern,
Den immer kühnern Flug des Aars von Hohenzollern,
Der schon den Doppelaar gebändigt, ein Gesicht?
Gedenkt er, wie dereinst ganz Deutschland hoffend lausche
Und bangend, wenn daher sein schwarzer Fittich rausche? —
O nein, das alles ist es nicht.

Er murrt: »O Schmerz, als Held gesandt sein einem
    Volke,
Dem nie der Muse Bild erschien auf goldner Wolke!
August sein auf dem Thron, wenn kein Horaz ihm singt!
Was hilft's, vom fremden Schwan die weißen Federn
    borgen!
Und doch, was bleibt uns sonst? — Erschein, erschein,
    o Morgen,
Der uns den Götterliebling bringt!«

Er spricht's und ahnet nicht, daß jene Morgenröte
Den Horizont schon küßt, daß schon der junge Goethe
Mit seiner Rechten fast den vollen Kranz berührt,
Er, der das scheue Kind, noch rot von süßem Schrecken,
Die deutsche Poesie aus welschen Taxushecken
Zum freien Dichterwalde führt.

391   *Sprüche*

i

DIE schöne Form macht kein Gedicht,
Der schöne Gedanke tut's auch noch nicht;
Es kommt drauf an, daß Leib und Seele
Zur guten Stunde sich vermähle.

ii

Ein gut Gedicht ist wie ein schöner Traum,
Es zieht dich in sich, und du merkst es kaum;
Es trägt dich mühlos fort durch Raum und Zeit,
Du schaust und trinkst im Schau'n Vergessenheit,
Und gleich als hättest du im Schlaf geruht,
Steigst du erfrischt aus seiner klaren Flut.

iii

Zweck? Das Kunstwerk hat nur einen,
Still im eignen Glanz zu ruhn;
Aber durch ihr bloß Erscheinen
Mag die Schönheit Wunder tun.

iv

Der Maulwurf hört in seinem Loch
Ein Lerchenlied erklingen
Und spricht : wie sinnlos ist es doch
Zu fliegen und zu singen !

v

Proben gibt es zwei, darinnen
Sich der Mann bewähren muß :
Bei der Arbeit recht Beginnen,
Beim Genießen rechter Schluß.

WOLFGANG MÜLLER

1816–73

392   *Der Mönch von Heisterbach*

EIN junger Mönch im Kloster Heisterbach
Lustwandelt an des Gartens fernstem Ort ;
Der Ewigkeit sinnt still und tief er nach
Und forscht dabei in Gottes heil'gem Wort.

Er liest, was Petrus, der Apostel, sprach :
» Dem Herren ist ein Tag wie tausend Jahr',
Und tausend Jahre sind ihm wie ein Tag, «
Doch wie er sinnt, es wird ihm nimmer klar.

Und er verliert sich zweifelnd in den Wald ;
Was um ihn vorgeht, hört und sieht er nicht ;
Erst wie die fromme Vesperglocke schallt,
Gemahnt es ihn der ernsten Klosterpflicht.

Im Lauf erreichet er den Garten schnell;
Ein Unbekannter öffnet ihm das Tor.
Er stutzt, — doch sieh, schon glänzt die Kirche hell,
Und draus ertönt der Brüder heil'ger Chor.

Nach seinem Stuhle eilend, tritt er ein,
Doch wunderbar — ein andrer sitzet dort!
Er überblickt der Mönche lange Reihn,
Nur Unbekannte findet er am Ort.

Der Staunende wird angestaunt ringsum,
Man fragt nach Namen, fragt nach dem Begehr,
Er sagt's — dann murmelt man durchs Heiligtum ·
»Dreihundert Jahre hieß so niemand mehr.«

»Der letzte dieses Namens«, tönt es dann,
»Er war ein Zweifler und verschwand im Wald;
Man gab den Namen keinem mehr fortan!«
Er hört das Wort, es überläuft ihn kalt.

Er nennet nun den Abt und nennt das Jahr;
Man nimmt das alte Klosterbuch zur Hand;
Da wird ein großes Gotteswunder klar:
Er ist's, der drei Jahrhunderte verschwand.

Ha, welche Lösung! Plötzlich graut sein Haar,
Er sinkt dahin und ist dem Tod geweiht,
Und sterbend mahnt er seiner Brüder Schar:
»Gott ist erhaben über Ort und Zeit!

Was er verhüllt, macht nur ein Wunder klar!
Drum grübelt nicht, denkt meinem Schicksal nach!
Ich weiß: ihm ist ein Tag wie tausend Jahr',
Und tausend Jahre sind ihm wie ein Tag!«

LEBRECHT DREVES

1816–70

393   *Vor Jena*

AUF den Bergen die Burgen,
Im Tale die Saale,
Die Mädchen im Städtchen —
Einst alles wie heut!
Ihr werten Gefährten,
Wo seid ihr zur Zeit mir,
Ihr lieben, geblieben?
Ach, alle zerstreut!

Die einen sie weinen,
Die andern sie wandern,
Die dritten noch mitten
Im Wechsel der Zeit;
Auch viele am Ziele,
Zu den Toten entboten,
Verdorben, gestorben
In Lust oder Leid.

Ich alleine, der eine,
Schau' wieder hernieder
Zur Saale im Tale,
Doch traurig und stumm;
Eine Linde im Winde,
Die wiegt sich und biegt sich,
Rauscht schaurig und traurig,
Ich weiß wohl warum!

GEORG HERWEGH

1817-75

394　　　　*Reiterlied*

DIE lange Nacht ist nun herum,
Wir reiten still, wir reiten stumm,
　Und reiten ins Verderben.
Wie weht so scharf der Morgenwind!
Frau Wirtin, noch ein Glas geschwind
　Vorm Sterben, vorm Sterben!

Du junges Gras, was stehst so grün?
Mußt bald wie lauter Röslein blühn,
　Mein Blut ja soll dich färben.
Den ersten Schluck, ans Schwert die Hand,
Den trink' ich, für das Vaterland
　Zu sterben, zu sterben.

Und schnell den zweiten hinterdrein,
Und der soll für die Freiheit sein,
　Der zweite Schluck vom Herben!
Dies Restchen — nun, wem bring' ich's gleich?
Dies Restchen dir, o Römisch Reich,
　Zum Sterben, zum Sterben!

Dem Liebchen — doch das Glas ist leer,
Die Kugel saust, es blitzt der Speer;
　Bringt meinem Kind die Scherben!
Auf! in den Feind wie Wetterschlag!
O Reiterlust, am frühen Tag
　Zu sterben, zu sterben!

THEODOR STORM

1817-88

395 *Oktoberlied*

DER Nebel steigt, es fällt das Laub;
Schenk ein den Wein, den holden!
Wir wollen uns den grauen Tag
Vergolden, ja vergolden.

Und geht es draußen noch so toll,
Unchristlich oder christlich,
Ist doch die Welt, die schöne Welt
So gänzlich unverwüstlich!

Und wimmert auch einmal das Herz —
Stoß an und laß es klingen!
Wir wissen's doch, ein rechtes Herz
Ist gar nicht umzubringen.

Der Nebel steigt, es fällt das Laub;
Schenk ein den Wein, den holden!
Wir wollen uns den grauen Tag
Vergolden, ja vergolden!

Wohl ist es Herbst; doch warte nur,
Doch warte nur ein Weilchen!
Der Frühling kommt, der Himmel lacht,
Es steht die Welt in Veilchen.

Die blauen Tage brechen an;
Und ehe sie verfließen,
Wir wollen sie, mein wackrer Freund,
Genießen, ja genießen!

396 *Abseits*

ES ist so still: die Heide liegt
Im warmen Mittagssonnenstrahle,
Ein rosenroter Schimmer fliegt
Um ihre alten Gräbermale;
Die Kräuter blühn; der Heideduft
Steigt in die blaue Sommerluft.

Laufkäfer hasten durchs Gesträuch
In ihren goldnen Panzerröckchen,
Die Bienen hängen Zweig um Zweig
Sich an der Edelheide Glöckchen;
Die Vögel schwirren aus dem Kraut —
Die Luft ist voller Lerchenlaut.

Ein halbverfallen niedrig Haus
Steht einsam hier und sonnbeschienen;
Der Kätner lehnt zur Tür hinaus,
Behaglich blinzelnd nach den Bienen;
Sein Junge auf dem Stein davor
Schnitzt Pfeifen sich aus Kälberrohr.

Kaum zittert durch die Mittagsruh
Ein Schlag der Dorfuhr, der entfernten;
Dem Alten fällt die Wimper zu,
Er träumt von seinen Honigernten. —
Kein Klang der aufgeregten Zeit
Drang noch in diese Einsamkeit.

397   *Die Stadt*

AM grauen Strand, am grauen Meer
Und seitab liegt die Stadt;
Der Nebel drückt die Dächer schwer,
Und durch die Stille braust das Meer
Eintönig um die Stadt.

Es rauscht kein Wald, es schlägt im Mai
Kein Vogel ohn' Unterlaß;
Die Wandergans mit hartem Schrei
Nur fliegt in Herbstesnacht vorbei,
Am Strande weht das Gras.

Doch hängt mein ganzes Herz an dir,
Du graue Stadt am Meer;
Der Jugend Zauber für und für
Ruht lächelnd doch auf dir, auf dir,
Du graue Stadt am Meer.

398   *Meine Mutter hat's gewollt*

MEINE Mutter hat's gewollt,
Den andern ich nehmen sollt';
Was ich zuvor besessen,
Mein Herz sollt' es vergessen;
Das hat es nicht gewollt.

Meine Mutter klag' ich an,
Sie hat nicht wohl getan;
Was sonst in Ehren stünde,
Nun ist es worden Sünde.
Was fang' ich an?

413

Für all mein Stolz und Freud'
Gewonnen hab' ich Leid.
Ach, wär' das nicht geschehen,
Ach, könnt' ich betteln gehen
Über die braune Heid'!

399 *Lied des Harfenmädchens*

HEUTE, nur heute
Bin ich so schön;
Morgen, ach morgen
Muß alles vergehn!
Nur diese Stunde
Bist du noch mein;
Sterben, ach sterben
Soll ich allein.

400 *Die Nachtigall*

DAS macht, es hat die Nachtigall
Die ganze Nacht gesungen;
Da sind von ihrem süßen Schall,
Da sind in Hall und Widerhall
Die Rosen aufgesprungen.

Sie war doch sonst ein wildes Kind;
Nun geht sie tief in Sinnen,
Trägt in der Hand den Sommerhut
Und duldet still der Sonne Glut,
Und weiß nicht, was beginnen.

Das macht, es hat die Nachtigall
Die ganze Nacht gesungen;
Da sind von ihrem süßen Schall,
Da sind in Hall und Widerhall
Die Rosen aufgesprungen.

401   *Einer Toten*

DAS aber kann ich nicht ertragen,
Daß so wie sonst die Sonne lacht ;
Daß wie in deinen Lebenstagen
Die Uhren gehn, die Glocken schlagen,
Einförmig wechseln Tag und Nacht ;

Daß, wenn des Tages Lichter schwanden,
Wie sonst der Abend uns vereint ;
Und daß, wo sonst dein Stuhl gestanden,
Schon andre ihre Plätze fanden,
Und nichts dich zu vermissen scheint ;

Indessen von den Gitterstäben
Die Mondesstreifen schmal und karg
In deine Gruft hinunterweben,
Und mit gespenstig trübem Leben
Hinwandeln über deinen Sarg.

402   *Schließe mir die Augen beide*

SCHLIESSE mir die Augen beide
Mit den lieben Händen zu !
Geht doch alles, was ich leide,
Unter deiner Hand zur Ruh.

Und wie leise sich der Schmerz
Well' um Welle schlafen leget,
Wie der letzte Schlag sich reget,
Füllest du mein ganzes Herz.

403 *Trost*

SO komme, was da kommen mag!
So lang du lebest, ist es Tag.

Und geht es in die Welt hinaus,
Wo du mir bist, bin ich zu Haus.

Ich seh' dein liebes Angesicht,
Ich sehe die Schatten der Zukunft nicht.

404 *Über die Heide*

ÜBER die Heide hallet mein Schritt;
Dumpf aus der Erde wandert es mit.

Herbst ist gekommen, Frühling ist weit —
Gab es denn einmal selige Zeit?

Brauende Nebel geisten umher,
Schwarz ist das Kraut und der Himmel so leer.

Wär' ich hier nur nicht gegangen im Mai!
Leben und Liebe — wie flog es vorbei!

KLAUS GROTH

1819–99

405 *Regenlied*

WALLE, Regen, walle nieder,
Wecke mir die Träume wieder,
Die ich in der Kindheit träumte,
Wenn das Naß im Sande schäumte!

Wenn die matte Sommerschwüle
Lässig stritt mit frischer Kühle,
Und die blanken Blätter tauten,
Und die Saaten dunkler blauten.

KLAUS GROTH

Welche Wonne, in dem Fließen
Dann zu stehn mit nackten Füßen!
An dem Grase hinzustreifen
Und den Schaum mit Händen greifen,

Oder mit den heißen Wangen
Kalte Tropfen aufzufangen,
Und den neu erwachten Düften
Seine Kinderbrust zu lüften!

Wie die Kelche, die da troffen,
Stand die Seele atmend offen,
Wie die Blumen, düftetrunken
In den Himmelstau versunken.

Schauernd kühlte jeder Tropfen
Tief bis an des Herzens Klopfen,
Und der Schöpfung heilig Weben
Drang bis ins verborgne Leben.—

Walle, Regen, walle nieder,
Wecke meine alten Lieder,
Die wir in der Türe sangen,
Wenn die Tropfen draußen klangen!

Möchte ihnen wieder lauschen,
Ihrem süßen, feuchten Rauschen,
Meine Seele sanft betauen
Mit dem frommen Kindergrauen.

406 *Heimweh*

O WÜSST' ich doch den Weg zurück,
  Den lieben Weg zum Kinderland!
O warum sucht' ich nach dem Glück
Und ließ der Mutter Hand?

O wie mich sehnet auszuruhn,
Von keinem Streben aufgeweckt,
Die müden Augen zuzutun,
Von Liebe sanft bedeckt!

Und nichts zu forschen, nichts zu spähn,
Und nur zu träumen leicht und lind,
Der Zeiten Wandel nicht zu sehn,
Zum zweiten Mal ein Kind!

O zeigt mir doch den Weg zurück,
Den lieben Weg zum Kinderland!
Vergebens such' ich nach dem Glück —
Ringsum ist öder Strand!

GOTTFRIED KELLER

1819–90

407 *Unter Sternen*

W ENDE dich, du kleiner Stern,
  Erde! wo ich lebe,
Daß mein Aug', der Sonne fern,
Sternenwärts sich hebe!

Heilig ist die Sternenzeit,
Öffnet alle Grüfte;
Strahlende Unsterblichkeit
Wandelt durch die Lüfte.

Mag die Sonne nun bislang
Andern Zonen scheinen,
Hier fühl' ich Zusammenhang
Mit dem All und Einen!

Hohe Lust, im dunklen Tal,
Selber ungesehen,
Durch den majestät'schen Saal
Atmend mitzugehen!

Schwinge dich, o grünes Rund,
In die Morgenröte!
Scheidend rückwärts singt mein Mund
Jubelnde Gebete!

408   *Sommernacht*

ES wallt das Korn weit in die Runde,
Und wie ein Meer dehnt es sich aus;
Doch liegt auf seinem stillen Grunde
Nicht Seegewürm, noch andrer Graus:
Da träumen Blumen nur von Kränzen
Und trinken der Gestirne Schein.
O goldnes Meer, dein friedlich Glänzen
Saugt meine Seele gierig ein!

In meiner Heimat grünen Talen
Da herrscht ein alter schöner Brauch:
Wann hell die Sommersterne strahlen,
Der Glühwurm schimmert durch den Strauch,
Dann geht ein Flüstern und ein Winken,
Das sich dem Ährenfelde naht,
Dann geht ein nächtlich Silberblinken
Von Sicheln durch die goldne Saat.

Das sind die Bursche jung und wacker,
Die sammeln sich im Feld zuhauf
Und suchen den gereiften Acker
Der Witwe oder Waise auf,
Die keines Vaters, keiner Brüder
Und keines Knechtes Hilfe weiß —
Ihr schneiden sie den Segen nieder,
Die reinste Lust ziert ihren Fleiß.

Schon sind die Garben festgebunden
Und rasch in einen Ring gebracht;
Wie lieblich floh'n die kurzen Stunden,
Es war ein Spiel in kühler Nacht!
Nun wird geschwärmt und hell gesungen
Im Garbenkreis, bis Morgenluft
Die nimmermüden braunen Jungen
Zur eignen schweren Arbeit ruft.

409 *Abendregen*

LANGSAM und schimmernd fiel ein Regen,
In den die Abendsonne schien;
Der Wandrer schritt auf schmalen Wegen
Mit düstrer Seele drunter hin.

Er sah die großen Tropfen blinken
Im Fallen durch den goldnen Strahl;
Er fühlt' es kühl aufs Haupt ihm sinken
Und sprach mit schauernd süßer Qual:

» Nun weiß ich, daß ein Regenbogen
Sich hoch um meine Stirne zieht,
Den auf dem Pfad, so ich gezogen,
Die heitre Ferne spielen sieht.

Und die mir hier am nächsten stehen,
Und wer mich wohl zu kennen meint,
Sie können selber doch nicht sehen,
Wie er versöhnend ob mir scheint.

So wird, wenn andre Tage kamen,
Die sonnig auf dies Heute sehn,
Um meinen fernen blassen Namen
Des Friedens heller Bogen stehn. «

410 *Abendlied an die Natur*

HÜLL ein mich in die grünen Decken,
Mit deinem Säuseln sing mich ein,
Bei guter Zeit magst du mich wecken
Mit deines Tages jungem Schein !
Ich hab' mich müd in dir ergangen,
Mein Aug' ist matt von deiner Pracht.
Nun ist mein einziges Verlangen,
Im Traum zu ruhn in deiner Nacht.

Des Kinderauges freudig Leuchten
Schon fingest du mit Blumen ein,
Und wollte junger Gram es feuchten,
Du scheuchtest ihn mit buntem Schein.
Ob wildes Hassen, maßlos Lieben
Mich zeither auch gefangen nahm:
Doch immer bin ich Kind geblieben,
Wenn ich zu dir ins Freie kam !

Geliebte, die mit ew'ger Treue
Und ew'ger Jugend mich erquickt,
Du einz'ge Lust, die ohne Reue
Und ohne Nachweh mich entzückt —

Sollt' ich dir jemals untreu werden,
Dich kalt vergessen, ohne Dank,
Dann ist mein Fall genaht auf Erden,
Mein Herz verdorben oder krank!

O steh mir immerdar im Rücken,
Lieg' ich im Feld mit meiner Zeit!
Mit deinen warmen Mutterblicken
Ruh auf mir auch im schärfsten Streit!
Und sollte mich das Ende finden,
Schnell decke mich mit Rasen zu;
O selig Sterben und Verschwinden
In deiner stillen Herbergsruh!

411 *Abendlied*

AUGEN, meine lieben Fensterlein,
Gebt mir schon so lange holden Schein,
Lasset freundlich Bild um Bild herein:
Einmal werdet ihr verdunkelt sein!

Fallen einst die müden Lider zu,
Löscht ihr aus, dann hat die Seele Ruh';
Tastend streift sie ab die Wanderschuh',
Legt sich auch in ihre finstre Truh'.

Noch zwei Fünklein sieht sie glimmend stehn
Wie zwei Sternlein, innerlich zu sehn,
Bis sie schwanken und dann auch vergehn,
Wie von eines Falters Flügelwehn.

Doch noch wandl' ich auf dem Abendfeld,
Nur dem sinkenden Gestirn gesellt;
Trinkt, o Augen, was die Wimper hält,
Von dem goldnen Überfluß der Welt!

412 *Frühlingsglaube*

ES wandert eine schöne Sage
Wie Veilchenduft auf Erden um,
Wie sehnend eine Liebesklage
Geht sie bei Tag und Nacht herum.

Das ist das Lied vom Völkerfrieden
Und von der Menschheit letztem Glück,
Von goldner Zeit, die einst hienieden,
Der Traum als Wahrheit, kehrt zurück.

Wo einig alle Völker beten
Zum einen König, Gott und Hirt:
Von jenem Tag, wo den Propheten
Ihr leuchtend Recht gesprochen wird.

Dann wird's nur eine Schmach noch geben,
Nur eine Sünde in der Welt:
Des Eigen-Neides Widerstreben,
Der es für Traum und Wahnsinn hält.

Wer jene Hoffnung gab verloren
Und böslich sie verloren gab,
Der wäre besser ungeboren:
Denn lebend wohnt er schon im Grab.

413 *Waldlied*

ARM in Arm und Kron' an Krone steht der Eichenwald
      verschlungen,
Heut hat er bei guter Laune mir sein altes Lied gesungen.

Fern am Rande fing ein junges Bäumchen an sich sacht
      zu wiegen,
Und dann ging es immer weiter an ein Sausen, an ein
      Biegen;

Kam es her in mächt'gem Zuge, schwoll es an zu breiten
      Wogen,
Hoch sich durch die Wipfel wälzend kam die Sturmesflut
      gezogen.

Und nun sang und pfiff es graulich in den Kronen, in den
      Lüften,
Und dazwischen knarrt' und dröhnt' es unten in den
      Wurzelgrüften.

Manchmal schwang die höchste Eiche gellend ihren Schaft
      alleine,
Donnernder erscholl nur immer drauf der Chor vom ganzen
      Haine!

Einer wilden Meeresbrandung hat das schöne Spiel ge-
      glichen;
Alles Laub war weißlich schimmernd nach Nordosten
      hingestrichen.

Also streicht die alte Geige Pan der Alte laut und leise,
Unterrichtend seine Wälder in der alten Weltenweise.

In den sieben Tönen schweift er unerschöpflich auf und
    nieder,
In den sieben alten Tönen, die umfassen alle Lieder.

Und es lauschen still die jungen Dichter und die jungen
    Finken,
Kauernd in den dunklen Büschen sie die Melodien trinken.

414 *Ein Fischlein steht am kühlen Grund*

EIN Fischlein steht am kühlen Grund,
  Durchsichtig fließen die Wogen,
Und senkrecht ob ihm hat sein Rund
Ein schwebender Falk' gezogen.

Der ist so lerchenklein zu sehn
Zuhöchst im Himmelsdome ;
Er sieht das Fischlein ruhig stehn,
Glänzend im tiefen Strome.

Und dieses auch hinwieder sieht
Ins Blaue durch seine Welle.
Ich glaube gar, das Sehnen zieht
Eins an des andern Stelle.

415 *Winternacht*

NICHT ein Flügelschlag ging durch die Welt,
Still und blendend lag der weiße Schnee.
Nicht ein Wölklein hing am Sternenzelt,
Keine Welle schlug im starren See.

Aus der Tiefe stieg der Seebaum auf,
Bis sein Wipfel in dem Eis gefror;
An den Ästen klomm die Nix' herauf,
Schaute durch das grüne Eis empor.

Auf dem dünnen Glase stand ich da,
Das die schwarze Tiefe von mir schied;
Dicht ich unter meinen Füßen sah
Ihre weiße Schönheit Glied um Glied.

Mit ersticktem Jammer tastet' sie
An der harten Decke her und hin,
Ich vergess' das dunkle Antlitz nie,
Immer, immer liegt es mir im Sinn!

416 *Wenn schlanke Lilien wandelten*

WENN schlanke Lilien wandelten, vom Weste leis
geschwungen,
Wär' doch ein Gang, wie deiner ist, nicht gleicherweis'
gelungen!

Wohin du gehst, da ist nicht Gram, da ebnet sich der Pfad,
So dacht' ich, als vom Garten her dein Schritt mir leis
erklungen.

Und nach dem Takt, in dem du gehst, dem leichten,
reizenden,
Hab' ich, im Nachschaun wiegend mich, dies Liedlein
leis gesungen.

Die Zeit geht nicht

417

DIE Zeit geht nicht, sie stehet still,
Wir ziehen durch sie hin;
Sie ist ein' Karawanserai,
Wir sind die Pilger drin.

Ein Etwas, form- und farbenlos,
Das nur Gestalt gewinnt,
Wo ihr drin auf und nieder taucht,
Bis wieder ihr zerrinnt.

Es blitzt ein Tropfen Morgentau
Im Strahl des Sonnenlichts;
Ein Tag kann eine Perle sein
Und ein Jahrhundert nichts.

Es ist ein weißes Pergament
Die Zeit, und jeder schreibt
Mit seinem roten Blut darauf,
Bis ihn der Strom vertreibt.

An dich, du wunderbare Welt,
Du Schönheit ohne End',
Auch ich schreib' meinen Liebesbrief
Auf dieses Pergament.

Froh bin ich, daß ich aufgeblüht
In deinem runden Kranz;
Zum Dank trüb' ich die Quelle nicht
Und lobe deinen Glanz.

418 *Siehst du den Stern*

SIEHST du den Stern im fernsten Blau,
Der flimmernd fast erbleicht?
Sein Licht braucht eine Ewigkeit,
Bis es dein Aug' erreicht!

Vielleicht vor tausend Jahren schon
Zu Asche stob der Stern,
Und doch steht dort sein milder Schein
Noch immer still und fern.

Dem Wesen solchen Scheines gleicht,
Der ist und doch nicht ist,
O Lieb', dein anmutvolles Sein,
Wenn du gestorben bist!

THEODOR FONTANE

1819-98

419 *Archibald Douglas*

»ICH hab' es getragen sieben Jahr',
Und ich kann es nicht tragen mehr,
Wo immer die Welt am schönsten war,
Da war sie öd' und leer.

Ich will hintreten vor sein Gesicht
In dieser Knechtsgestalt,
Er kann meine Bitte versagen nicht,
Ich bin ja worden alt.

Und trüg' er noch den alten Groll,
Frisch wie am ersten Tag,
So komme, was da kommen soll,
Und komme, was da mag.«

THEODOR FONTANE

Graf Douglas spricht's.   Am Weg ein Stein
Lud ihn zu harter Ruh,
Er sah in Wald und Feld hinein,
Die Augen fielen ihm zu.

Er trug einen Harnisch, rostig und schwer,
Darüber ein Pilgerkleid —
Da horch, vom Waldrand scholl es her
Wie von Hörnern und Jagdgeleit.

Und Kies und Staub aufwirbelte dicht,
Herjagte Meut' und Mann,
Und ehe der Graf sich aufgericht't,
Waren Roß und Reiter heran.

König Jakob saß auf hohem Roß,
Graf Douglas grüßte tief,
Dem König das Blut in die Wangen schoß,
Der Douglas aber rief:

»König Jakob, schaue mich gnädig an
Und höre mich mit Geduld!
Was meine Brüder dir angetan,
Es war nicht meine Schuld.

Denk nicht an den alten Douglas-Neid,
Der trotzig dich bekriegt,
Denk lieber an die Kinderzeit,
Wo ich dich auf den Knieen gewiegt.

Denk lieber zurück an Stirling-Schloß,
Wo ich Spielzeug dir geschnitzt,
Dich gehoben auf deines Vaters Roß
Und Pfeile dir zugespitzt.

Denk lieber zurück an Linlithgow,
An den See und den Vogelherd,
Wo ich dich fischen und jagen froh
Und schwimmen und springen gelehrt.

O denk an alles, was einsten war,
Und sänftige deinen Sinn,
Ich hab' es gebüßet sieben Jahr',
Daß ich ein Douglas bin.«

»Ich seh' dich nicht, Graf Archibald,
Ich hör' deine Stimme nicht,
Mir ist, als ob ein Rauschen im Wald
Von alten Zeiten spricht.

Mir klingt das Rauschen süß und traut,
Ich lausch' ihm immer noch,
Dazwischen aber klingt es laut:
Er ist ein Douglas doch.

Ich seh' dich nicht, ich höre dich nicht,
Das ist alles, was ich kann,
Ein Douglas vor meinem Angesicht
Wär' ein verlorener Mann.«

König Jakob gab seinem Roß den Sporn,
Bergan ging jetzt sein Ritt,
Graf Douglas faßte den Zügel vorn
Und hielt mit dem Könige Schritt.

Der Weg war steil, und die Sonne stach,
Und sein Panzerhemd war schwer,
Doch ob er schier zusammenbrach,
Er lief doch nebenher.

»König Jakob, ich war dein Seneschall,
Ich will es nicht fürder sein,
Ich will nur warten dein Roß im Stall
Und ihm schütten die Körner ein.

Ich will ihm selber machen die Streu
Und es tränken mit eigner Hand,
Nur laß mich atmen wieder aufs neu
Die Luft im Vaterland.

Und willst du nicht, so hab einen Mut,
Und ich will es danken dir,
Und zieh dein Schwert und triff mich gut
Und laß mich sterben hier.«

König Jakob sprang herab vom Pferd,
Hell leuchtete sein Gesicht,
Aus der Scheide zog er sein breites Schwert,
Aber fallen ließ er es nicht.

»Nimm's hin, nimm's hin und trag es neu
Und bewache mir meine Ruh!
Der ist in tiefster Seele treu,
Wer die Heimat liebt wie du.

Zu Roß, wir reiten nach Linlithgow,
Und du reitest an meiner Seit',
Da wollen wir fischen und jagen froh
Als wie in alter Zeit.«

420 *Schloß Eger*

LÄRMEND, im Schloß zu Eger,
Über dem Ungerwein
Sitzen die Würdenträger
Herzogs Wallenstein:
Tertschka, des Feldherrn Schwager,
Illo und Kinsky dazu,
Ihre Heimat das Lager
Und die Schlacht ihre Ruh.

Lustig flackern die Kerzen,
Aber der Tertschka spricht:
»Ist mir's Nacht im Herzen
Oder vorm Gesicht?
Diese Lichter leuchten
Wie in dunkler Gruft,
Und die Wände, die feuchten,
Hauchen Grabesluft.«

Feurig funkelt der Unger,
Aber der Kinsky spricht:
»Draußen bei Frost und Hunger
Schüttelte so mich's nicht,
Hielte lieber bei Lützen
Wieder in Qualm und Rauch;
Wolle Gott uns schützen,
Oder — der Teufel auch.«

Illo nur, Herz wie Kehle
Hält er bei Laune sich,
Dicht ist seine Seele
Gegen Hieb und Stich,

Trägt ein Büffelkoller
Wie sein Körper traun,
Lustiger und toller
War er nie zu schaun.

Und vom Trunke heiser
Ruft er jetzt und lacht:
» Das erst ist der Kaiser,
Wer den Kaiser macht;
Eid und Treue brechen,
Taten wir's allein?
Hoch der König der Tschechen,
Herzog Wallenstein! «

Burg- und Schloßbewohner
Ruhen . . . Da sieh, in Stahl,
Buttlersche Dragoner
Dringen in den Saal;
Buttler selbst, im Helme,
Tritt an den Illo: » Sprich,
Seid ihr Schurken und Schelme,
Oder gut kaiserlich? «

Hei, da fahren die Klingen
Wie von selber heraus,
Von dem Pfeifen und Schwingen
Löschen die Lichter aus;
Weiter geht es im Dunkeln,
Nein, im Dunkeln nicht:
Ihrer Augen Funkeln
Gibt das rechte Licht.

Tertschka fällt ; daneben
Kinsky mit Fluch und Schwur ;
Mehr um Tod wie Leben
Ficht selbst Illo nur,
Schlägt blindhin in Scherben
Schädel und Flaschen jetzt,
Wie ein Eber im Sterben
Noch die Hauer wetzt.

Licht und Fackel kommen,
Geben düstern Schein :
Ineinander verschwommen
Blinken Blut und Wein ;
Überall im Saale
Leichen in buntem Gemisch,
Stumm vor seinem Mahle
Sitzt der Tod am Tisch.

Buttler aber, wie Wetter
Donnert jetzt : » Laßt sie ruhn !
Das sind erst die Blätter,
An die Wurzel nun ! «
Bald in des Schlosses Ferne
Hört man's krachen und schrein ; —
Schau nicht in die Sterne,
Rette dich, Wallenstein !

HERMANN LINGG

1820–1905

421 *Heimkehr*

IN meine Heimat kam ich wieder,
Es war die alte Heimat noch,
Dieselbe Luft, dieselben Lieder,
Und alles war ein andres doch.

Die Welle rauschte wie vor Zeiten,
Am Waldweg sprang wie sonst das Reh,
Von fern erklang ein Abendläuten,
Die Berge glänzten aus dem See.

Doch vor dem Haus, wo uns vor Jahren
Die Mutter stets empfing, dort sah
Ich fremde Menschen fremd gebaren;
Wie weh, wie weh mir da geschah!

Mir war, als rief es aus den Wogen:
Flieh, flieh, und ohne Wiederkehr!
Die du geliebt, sind fortgezogen.
Und kehren nimmer, nimmermehr.

HERMANN LINGG

422 *Immer leiser wird mein Schlummer*

IMMER leiser wird mein Schlummer,
Nur wie Schleier liegt mein Kummer
Zitternd über mir.
Oft im Traume hör' ich dich
Rufen drauß vor meiner Tür,
Niemand wacht und öffnet dir;
Ich erwach' und weine bitterlich.

Ja, ich werde sterben müssen,
Eine andre wirst du küssen,
Wenn ich bleich und kalt;
Eh' die Maienlüfte wehen,
Eh' die Drossel singt im Wald:
Willst du mich noch einmal sehen,
Komm, o komme bald!

HERMANN ALLMERS

1821–1902

423 *Feldeinsamkeit*

ICH ruhe still im hohen, grünen Gras
Und sende lange meinen Blick nach oben,
Von Grillen rings umschwirrt ohn' Unterlaß,
Von Himmelsbläue wundersam umwoben.

Und schöne weiße Wolken ziehn dahin
Durchs tiefe Blau, wie schöne stille Träume; —
Mir ist, als ob ich längst gestorben bin
Und ziehe selig mit durch ew'ge Räume.

MORITZ GRAF STRACHWITZ

1822-47

424   *Das Herz von Douglas*

»GRAF Douglas, presse den Helm ins Haar,
Gürt um dein lichtblau Schwert,
Schnall an dein schärfstes Sporenpaar
Und sattle dein schnellstes Pferd!

Der Totenwurm pickt in Scones Saal,
Ganz Schottland hört ihn hämmern,
König Robert liegt in Todesqual,
Sieht nimmer den Morgen dämmern!« —

Sie ritten vierzig Meilen fast
Und sprachen Worte nicht vier,
Und als sie kamen vor Königs Palast,
Da blutete Sporn und Tier.

König Robert lag im Norderturn,
Sein Auge begann zu zittern:
»Ich höre das Schwert von Bannockburn
Auf der Treppe rasseln und schüttern!

Ha! Gottwillkomm, mein tapfrer Lord!
Es geht mit mir zu End',
Und du sollst hören mein letztes Wort
Und schreiben mein Testament:

Es war am Tag von Bannockburn,
Da aufging Schottlands Stern,
Es war am Tag von Bannockburn,
Da schwur ich's Gott dem Herrn:

Ich schwur, wenn der Sieg mir sei verliehn
Und fest mein Diadem,
Mit tausend Lanzen wollt' ich ziehn
Hin gen Jerusalem.

Der Schwur wird falsch, mein Herz steht still,
Es brach in Müh' und Streit;
Es hat, wer Schottland bändigen will,
Zum Pilgern wenig Zeit.

Du aber, wenn mein Wort verhallt
Und aus ist Stolz und Schmerz,
Sollst schneiden aus meiner Brust alsbald
Mein schlachtenmüdes Herz.

Du sollst es hüllen in roten Samt
Und schließen in gelbes Gold,
Und es sei, wenn gelesen mein Totenamt,
Im Banner das Kreuz entrollt.

Und nehmen sollst du tausend Pferd'
Und tausend Helden frei
Und geleiten mein Herz in des Heilands Erd'
Damit es ruhig sei!«

*   *   *

»Nun vorwärts, Angus und Lothian,
Laßt flattern den Busch vom Haupt,
Der Douglas hat des Königs Herz,
Wer ist es, der's ihm raubt?

Mit den Schwertern schneidet die Taue ab,
Alle Segel in die Höh'!
Der König fährt in das schwarze Grab,
Und wir in die schwarzblaue See!«

438

MORITZ GRAF STRACHWITZ

Sie fuhren Tage neunzig und neun,
Gen Ost war der Wind gewandt,
Und bei dem hundertsten Morgenschein
Da stießen sie an das Land.

Sie ritten über die Wüste gelb,
Wie im Tale blitzt der Fluß,
Die Sonne stach durchs Helmgewölb
Als wie ein Bogenschuß.

Und die Wüste war still und kein Lufthauch blies,
Und schlaff hing Schärpe und Fahn',
Da flog in Wolken der stäubende Kies,
Draus flimmernde Spitzen sahn.

Und die Wüste ward voll, und die Luft erscholl,
Und es hob sich Wolk' an Wolk',
Aus jeder berstenden Wolke quoll
Speerwerfendes Reitervolk.

Zehntausend Lanzen funkelten rechts,
Zehntausend schimmerten links;
» Allah il Allah «! scholl es rechts,
» Il Allah «! scholl es links.

Der Douglas zog die Zügel an,
Und still stand Herr und Knecht:
» Beim heiligen Kreuz und Sankt Alban,
Das gibt ein grimmig Gefecht! «

Eine Kette von Gold um den Hals ihm ging,
Dreimal umging sie rund,
Eine Kapsel an der Kette hing,
Die zog er an den Mund:

439

»Du bist mir immer gegangen voran,
O Herz, bei Tag und Nacht;
Drum sollst du auch heut, wie du stets getan,
Vorangehn in die Schlacht.

Und verlasse der Herr mich drüben nicht,
Wie ich hier dir treu verblieb,
Und gönne mir noch auf das Heidengezücht
Einen christlichen Schwerteshieb.«

Er warf den Schild auf die linke Seit'
Und band den Helm herauf,
Und als zum Würgen er saß bereit,
In den Bügeln stand er auf:

»Wer dies Geschmeid' mir wieder schafft,
Des Tages Ruhm sei sein!«
Da warf er das Herz mit aller Kraft
In die Feinde mitten hinein.

Sie schlugen das Kreuz mit dem linken Daum,
Die Rechte den Schaft legt' ein,
Die Schilde zurück und los den Zaum!
Und sie ritten drauf und drein. ——

Und es war ein Stoß, und es war eine Flucht
Und rasender Tod rundum,
Und die Sonne versank in die Meeresbucht,
Und die Wüste war wieder stumm.

Und der Stolz des Ostens, er lag gefällt
Im meilenweiten Kreis,
Und der Sand ward rot auf dem Leichenfeld,
Der nie mehr wurde weiß.

Von den Heiden allen durch Gottes Huld
Entrann nicht Mann noch Pferd,
Kurz ist die schottische Geduld
Und lang ein schottisch Schwert!

Doch wo am dicksten ringsumher
Die Feinde lagen im Sand,
Da hatte ein falscher Heidenspeer
Dem Grafen das Herz durchrannt.

Und er schlief mit klaffendem Kettenhemd,
Längst aus war Stolz und Schmerz!
Doch unter dem Schilde festgeklemmt
Lag König Roberts Herz.

CONRAD FERDINAND MEYER

1825–98

425 *Lenz Triumphator*

FRÜHLING, der die Welt umblaut,
Frühling mit der Vöglein Laut,
Deine blüh'nden Siegespforten
Allerenden, allerorten
Hast du niedrig aufgebaut!

Ungebändigt, kreuz und quer,
Über alle Pfade her
Schießen blütenschwere Zweige,
Daß dir jedes Haupt sich neige,
Und die Demut ist nicht schwer.

426 *In Harmesnächten*

DIE Rechte streck' ich schmerzlich oft
   In Harmesnächten
Und fühlt' gedrückt sie unverhofft
   Von einer Rechten —
Was Gott ist, wird in Ewigkeit
   Kein Mensch ergründen,
Doch will er treu sich allezeit
   Mit uns verbünden.

427 *Eingelegte Ruder*

MEINE eingelegten Ruder triefen,
   Tropfen fallen langsam in die Tiefen.

Nichts, das mich verdroß! Nichts, das mich freute!
Niederrinnt ein schmerzenloses Heute!

Unter mir — ach, aus dem Licht verschwunden —
Träumen schon die schönern meiner Stunden.

Aus der blauen Tiefe ruft das Gestern:
Sind im Licht noch manche meiner Schwestern?

428   *Auf Goldgrund*

INS Museum bin zu später
Stunde heut ich noch gegangen,
Wo die Heil'gen, wo die Beter
Auf den goldnen Gründen prangen.

Dann durchs Feld bin ich geschritten
Heißer Abendglut entgegen,
Sah, die heut das Korn geschnitten,
Garben auf die Wagen legen.

Um die Lasten in den Armen,
Um den Schnitter und die Garbe
Floß der Abendglut, der warmen,
Wunderbare Goldesfarbe.

Auch des Tages letzte Bürde,
Auch der Fleiß der Feierstunde
War umflammt von heil'ger Würde,
Stand auf schimmernd goldnem Grunde.

429   *Abendwolke*

SO stille ruht im Hafen
Das tiefe Wasser dort,
Die Ruder sind entschlafen,
Die Schifflein sind im Port.

Nur oben in dem Äther
Der lauen Maiennacht,
Dort segelt noch ein später
Friedfert'ger Ferge sacht.

Die Barke still und dunkel
Fährt hin in Dämmerschein
Und leisem Sterngefunkel
Am Himmel und hinein.

430 *Säerspruch*

BEMESST den Schritt! Bemeßt den Schwung!
Die Erde bleibt noch lange jung!
Dort fällt ein Korn, das stirbt und ruht.
Die Ruh ist süß.   Es hat es gut.
Hier eins, das durch die Scholle bricht.
Es hat es gut.   Süß ist das Licht.
Und keines fällt aus dieser Welt,
Und jedes fällt, wie's Gott gefällt.

431 *Ewig jung ist nur die Sonne*

HEUTE fanden meine Schritte mein vergeßnes
Jugendtal,
Seine Sohle lag verödet, seine Berge standen kahl.
Meine Bäume, meine Träume, meine buchendunkeln
Höh'n —
Ewig jung ist nur die Sonne, sie allein ist ewig schön.

Drüben dort in schilf'gem Grunde, wo die müde Lache
liegt,
Hat zu meiner Jugendstunde sich lebend'ge Flut gewiegt,
Durch die Heiden, durch die Weiden ging ein wandernd
Herdgetön —
Ewig jung ist nur die Sonne, sie allein ist ewig schön.

432 *Himmelsnähe*

IN meiner Firne feierlichem Kreis
Lagr' ich am schmalen Felsengrate hier,
Aus einem grünerstarrten Meer von Eis
Erhebt die Silberzacke sich vor mir.

Der Schnee, der am Geklüfte hing zerstreut,
In hundert Rinnen rieselt er davon,
Und aus der schwarzen Feuchte schimmert heut
Der Soldanelle zarte Glocke schon.

Bald nahe tost, bald fern der Wasserfall,
Er stäubt und stürzt, nun rechts, nun links verweht,
Ein tiefes Schweigen und ein steter Schall,
Ein Wind, ein Strom, ein Atem, ein Gebet!

Nur neben mir des Murmeltieres Pfiff,
Nur über mir des Geiers heisrer Schrei;
Ich bin allein auf meinem Felsenriff,
Und ich empfinde, daß Gott bei mir sei.

433 *Ja*

ALS der Herr mit mächt'ger Schwinge
Durch die neue Schöpfung fuhr,
Folgten in gedrängtem Ringe
Geister seiner Flammenspur.

Seine schönsten Engel wallten
Ihm zu Häupten selig leis,
Riesenhafte Nachtgestalten
Schlossen unterhalb den Kreis.

» Eh' ich euern Reigen löse, «
Sprach der Allgewalt'ge nun,
» Schwöret, Gute, schwöret, Böse,
Meinen Willen nur zu tun! «

Freudig jubelten die Lichten:
» Dir zu dienen, sind wir da ! «
Die zerstören, die vernichten,
Die Dämonen, knirschten : » Ja «.

434   *Der römische Brunnen*

AUFSTEIGT der Strahl, und fallend gießt
Er voll der Marmorschale Rund,
Die, sich verschleiernd, überfließt
In einer zweiten Schale Grund;
Die zweite gibt — sie wird zu reich —
Der dritten wallend ihre Flut,
Und jede nimmt und gibt zugleich
Und strömt und ruht.

435   *Die gegeißelte Psyche*

WO von alter Schönheit Trümmern
Marmorhell die Säle schimmern,
Windet blaß und lieblich eine
Psyche sich im Marmelsteine.

Unsichtbarem Geißelhiebe
Beugt sie sich in Qual und Liebe,
Auf den zarten Knieen liegend,
Enge sich zusammenschmiegend.

Flehend halb, und halb geduldig,
Trägt sie Schmach und weiß sich schuldig,
Ihre Schmerzensblicke fragen :
Liebst du mich ? und kannst mich schlagen ?

Soll dich der Olymp begrüßen,
Arme Psyche, mußt du büßen !
Eros, der dich sucht und peinigt,
Will dich selig und gereinigt.

446

436 *Der Gesang des Meeres*

WOLKEN, meine Kinder, wandern gehen
Wollt ihr? Fahret wohl! auf Wiedersehen!
Eure wandellustigen Gestalten
Kann ich nicht in Mutterbanden halten.

Ihr langweilet euch auf meinen Wogen,
Dort die Erde hat euch angezogen:
Küsten, Klippen und des Leuchtturms Feuer!
Ziehet, Kinder! Geht auf Abenteuer!

Segelt, kühne Schiffer, in den Lüften!
Sucht die Gipfel! Ruhet über Klüften!
Brauet Stürme! Blitzet! Liefert Schlachten!
Traget glüh'nden Kampfes Purpurtrachten!

Rauscht im Regen! Murmelt in den Quellen!
Füllt die Brunnen! Rieselt in die Wellen!
Braust in Strömen durch die Lande nieder —
Kommet, meine Kinder, kommet wieder!

437 *Möwenflug*

MÖWEN sah um einen Felsen kreisen
Ich in unermüdlich gleichen Gleisen,
Auf gespannter Schwinge schweben bleibend,
Eine schimmernd weiße Bahn beschreibend,
Und zugleich in grünem Meeresspiegel
Sah ich um dieselben Felsenspitzen
Eine helle Jagd gestreckter Flügel
Unermüdlich durch die Tiefe blitzen.
Und der Spiegel hatte solche Klarheit,
Daß sich anders nicht die Flügel noben
Tief im Meer als hoch in Lüften oben,
Daß sich völlig glichen Trug und Wahrheit.

447

Allgemach beschlich es mich wie Grauen,
Schein und Wesen so verwandt zu schauen,
Und ich fragte mich, am Strand verharrend,
Ins gespenstische Geflatter starrend:
Und du selber? Bist du echt beflügelt?
Oder nur gemalt und abgespiegelt?
Gaukelst du im Kreis mit Fabeldingen?
Oder hast du Blut in deinen Schwingen?

438 *Unruhige Nacht*

HEUT ward mir bis zum jungen Tag
Der Schlummer abgebrochen,
Im Herzen ging es Schlag auf Schlag
Mit Hämmern und mit Pochen,

Als trieb sich eine Bubenschar
Wild um in beiden Kammern,
Gewährt hat, bis es Morgen war,
Das Klopfen und das Hammern.

Nun weist es sich bei Tagesschein,
Was drin geschafft die Rangen:
Sie haben mir im Herzensschrein
Dein Bildnis aufgehangen!

439 *Lethe*

JÜNGST im Traume sah ich auf den Fluten
Einen Nachen ohne Ruder ziehn,
Strom und Himmel stand in matten Gluten
Wie bei Tages Nahen oder Fliehn.

Saßen Knaben drin mit Lotoskränzen,
Mädchen beugten über Bord sich schlank,
Kreisend durch die Reihe sah ich glänzen
Eine Schale, draus ein jedes trank.

Jetzt erscholl ein Lied voll süßer Wehmut,
Das die Schar der Kranzgenossen sang —
Ich erkannte deines Nackens Demut,
Deine Stimme, die den Chor durchdrang.

In die Welle taucht' ich. Bis zum Marke
Schaudert' ich, wie seltsam kühl sie war.
Ich erreicht' die leise zieh'nde Barke,
Drängte mich in die geweihte Schar.

Und die Reihe war an dir zu trinken,
Und die volle Schale hobest du,
Sprachst zu mir mit trautem Augenwinken:
» Herz, ich trinke dir Vergessen zu ! «

Dir entriß in trotz'gem Liebesdrange
Ich die Schale, warf sie in die Flut,
Sie versank, und siehe, deine Wange
Färbte sich mit einem Schein von Blut.

Flehend küßt' ich dich in wildem Harme,
Die den bleichen Mund mir willig bot,
Da zerrannst du lächelnd mir im Arme,
Und ich wußt' es wieder — du bist tot.

440 *Alle*

ES sprach der Geist : » Sieh auf ! « Es war im Traume.
Ich hob den Blick.   In lichtem Wolkenraume
Sah ich den Herrn das Brot den Zwölfen brechen
Und ahnungsvolle Liebesworte sprechen.
Weit über ihre Häupter lud die Erde
Er ein mit allumarmender Gebärde.

Es sprach der Geist : » Sieh auf ! « Ein Linnen schweben
Sah ich und vielen schon das Mahl gegeben ;
Da breiteten sich unter tausend Händen
Die Tische, doch verdämmerten die Enden
In grauen Nebel, drin auf bleichen Stufen
Kummergestalten saßen ungerufen.

Es sprach der Geist : » Sieh auf ! «   Die Luft umblaute
Ein unermeßlich Mahl, soweit ich schaute ;
Da sprangen reich die Brunnen auf des Lebens,
Da streckte keine Schale sich vergebens,
Da lag das ganze Volk auf vollen Garben,
Kein Platz war leer und keiner durfte darben.

441 *Chor der Toten*

WIR Toten, wir Toten sind größere Heere
    Als ihr auf der Erde, als ihr auf dem Meere!
Wir pflügten das Feld mit geduldigen Taten,
Ihr schwinget die Sicheln und schneidet die Saaten,
Und was wir vollendet und was wir begonnen,
Das füllt noch dort oben die rauschenden Bronnen,
Und all unser Lieben und Hassen und Hadern,
Das klopft noch dort oben in sterblichen Adern,
Und was wir an gültigen Sätzen gefunden,
Dran bleibt aller irdische Wandel gebunden,
Und unsere Töne, Gebilde, Gedichte
Erkämpfen den Lorbeer im strahlenden Lichte,
Wir suchen noch immer die menschlichen Ziele —
Drum ehret und opfert! Denn unser sind viele!

442 *Der Ritt in den Tod*

»GREIF aus, du mein junges, mein feuriges Tier!
    Noch einmal verwachs' ich centaurisch mit dir!

Umschmettert mich, Tuben! Erhebet den Ton!
Den Latiner besiegte des Manlius Sohn!

Voran die Trophä'n! Der latinische Speer!
Der eroberte Helm! Die erbeutete Wehr!

Duell ist bei Strafe des Beiles verpönt . . .
Doch er liegt, der die römische Wölfin gehöhnt!

Lictoren, erfüllet des Vaters Gebot!
Ich besitze den Kranz und verdiene den Tod —

Bevor es sich rollend im Sande bestaubt,
Erheb' ich im ewigen Jubel das Haupt!«

443 *Mit zwei Worten*

AM Gestade Palästinas, auf und nieder, Tag um Tag,
»London?« frug die Sarazenin, wo ein Schiff vor
Anker lag.
»London!« bat sie lang vergebens, nimmer müde, nimmer
zag,
Bis zuletzt an Bord sie brachte eines Bootes Ruderschlag.

Sie betrat das Deck des Seglers, und ihr wurde nicht
gewehrt.
Meer und Himmel. »London?« frug sie, von der
Heimat abgekehrt,
Suchte, blickte, durch des Schiffers ausgestreckte Hand
belehrt,
Nach den Küsten, wo die Sonne sich in Abendglut
verzehrt . . .

»Gilbert?« fragt die Sarazenin im Gedräng' der großen
Stadt,
Und die Menge lacht und spottet, bis sie dann Erbarmen
hat.
»Tausend Gilbert gibt's in London!« Doch sie sucht und
wird nicht matt.
»Labe dich mit Trank und Speise!« Doch sie wird von
Tränen satt.

»Gilbert!« »Nichts als Gilbert? Weißt du keine andern
Worte? Nein?«
»Gilbert!«—»Hört, das wird der weiland Pilger Gilbert
Becket sein,
Den gebräunt in Sklavenketten glüher Wüste Sonnenschein,
Dem die Bande löste heimlich eines Emirs Töchterlein!«

452

»Pilgrim Gilbert Becket!« dröhnt es, braust es längs der
Themse Strand.
Sieh, da kommt er ihr entgegen, von des Volkes Mund
genannt,
Über seine Schwelle führt er, die das Ziel der Reise
fand. —
Liebe wandert mit zwei Worten gläubig über Meer und
Land.

444   *Gloriola*

WIR malten eine Sonnenuhr zum Spaß,
Als ich in Fuldas Klosterschule saß.

Ringsum ein Spruch, gedankentief und fein
Und schlagend, mußte nun ersonnen sein.

Herr Abbas sprach : »Zwei Worte sind gegönnt,
Ihr Schüler, sucht und eifert, ob ihr's könnt!«

Hell träumend ging ich um, mich mied der Schlaf,
Bis mich wie Blitzesstrahl das Rechte traf:

»Ultima latet.« Stund' um Stunde zeigt
Die Uhr, die doch die letzte dir verschweigt.

Herr Abbas sprach : »Das hast du klug gemacht.
Es ist antik und christlich ist's gedacht.«—

Manch Kränzlein hab' ich später noch erjagt,
Wie dieses erste hat mir keins behagt;

Denn Süßres gibt es auf der Erde nicht
Als ersten Ruhmes zartes Morgenlicht.

445   *In der Sistina*

IN der Sistine dämmerhohem Raum,
Das Bibelbuch in seiner nerv'gen Hand,
Sitzt Michelangelo in wachem Traum,
Umhellt von einer kleinen Ampel Brand.

Laut spricht hinein er in die Mitternacht,
Als lauscht' ein Gast ihm gegenüber hier,
Bald wie mit einer allgewalt'gen Macht,
Bald wieder wie mit seinesgleichen schier:

» Umfaßt, umgrenzt hab' ich dich, ewig Sein,
Mit meinen großen Linien fünfmal dort!
Ich hüllte dich in lichte Mäntel ein
Und gab dir Leib wie dieses Bibelwort.

Mit weh'nden Haaren stürmst du feurigwild
Von Sonnen immer neuen Sonnen zu,
Für deinen Menschen bist in meinem Bild
Entgegenschwebend und barmherzig du!

So schuf ich dich mit meiner nicht'gen Kraft:
Damit ich nicht der größre Künstler sei,
Schaff mich — ich bin ein Knecht der Leidenschaft —
Nach deinem Bilde schaff mich rein und frei!

Den ersten Menschen formtest du aus Ton,
Ich werde schon von härterm Stoffe sein;
Da, Meister, brauchst du deinen Hammer schon,
Bildhauer Gott, schlag zu! Ich bin der Stein!«

CONRAD FERDINAND MEYER

446 *Die Füße im Feuer*

WILD zuckt der Blitz. In fahlem Lichte steht ein
    Turm.
Der Donner rollt. Ein Reiter kämpft mit seinem Roß,
Springt ab und pocht ans Tor und lärmt. Sein Mantel
    saust
Im Wind. Er hält den scheuen Fuchs am Zügel fest.
Ein schmales Gitterfenster schimmert goldenhell,
Und knarrend öffnet jetzt das Tor ein Edelmann . . .

» Ich bin ein Knecht des Königs, als Kurier geschickt
Nach Nîmes. Herbergt mich! Ihr kennt des Königs
    Rock!«
— » Es stürmt. Mein Gast bist du. Dein Kleid, was
    kümmert's mich?
Tritt ein und wärme dich! Ich sorge für dein Tier!«
Der Reiter tritt in einen dunklen Ahnensaal,
Von eines weiten Herdes Feuer schwach erhellt,
Und je nach seines Flackerns launenhaftem Licht
Droht hier ein Hugenott im Harnisch, dort ein Weib,
Ein stolzes Edelweib aus braunem Ahnenbild . . .
Der Reiter wirft sich in den Sessel vor dem Herd
Und starrt in den lebend'gen Brand. Er brütet, gafft . . .
Leis sträubt sich ihm das Haar. Er kennt den Herd,
    den Saal . . .
Die Flamme zischt. Zwei Füße zucken in der Glut.

Den Abendtisch bestellt die greise Schaffnerin
Mit Linnen blendend weiß. Das Edelmägdlein hilft,
Ein Knabe trug den Krug mit Wein. Der Kinder Blick
Hangt schreckensstarr am Gast und hangt am Herd
    entsetzt . . .
Die Flamme zischt. Zwei Füße zucken in der Glut.

» Verdammt! Dasselbe Wappen! Dieser selbe Saal!
Drei Jahre sind's . . . Auf einer Hugenottenjagd . . .
Ein fein, halsstarrig Weib . . . 'Wo steckt der Junker?
    Sprich!'
Sie schweigt. 'Bekenn!' Sie schweigt. 'Gib ihn
    heraus!' Sie schweigt.
Ich werde wild. Der Stolz! Ich zerre das Geschöpf . . .
Die nackten Füße pack' ich ihr und strecke sie
Tief mitten in die Glut . . . 'Gib ihn heraus!' . . . Sie
    schweigt . . .
Sie windet sich . . . Sahst du das Wappen nicht am Tor
Wer hieß dich hier zu Gaste gehen, dummer Narr?
Hat er nur einen Tropfen Bluts, erwürgt er dich.« —
Eintritt der Edelmann: » Du träumst! Zu Tische,
    Gast . . .«

Da sitzen sie. Die drei in ihrer schwarzen Tracht
Und er. Doch keins der Kinder spricht das Tischgebet.
Ihn starren sie mit aufgerißnen Augen an —
Den Becher füllt und übergießt er, stürzt den Trunk,
Springt auf: » Herr, gebet jetzt mir meine Lagerstatt!
Müd' bin ich wie ein Hund!« Ein Diener leuchtet ihm,
Doch auf der Schwelle wirft er einen Blick zurück
Und sieht den Knaben flüstern in des Vaters Ohr . . .
Dem Diener folgt er taumelnd in das Turmgemach.

Fest riegelt er die Tür. Er prüft Pistol und Schwert.
Gell pfeift der Sturm. Die Diele bebt. Die Decke stöhnt.
Die Treppe kracht . . . Dröhnt hier ein Tritt? . . .
    Schleicht dort ein Schritt? . . .

Ihn täuscht das Ohr. Vorüberwandelt Mitternacht.
Auf seinen Lidern lastet Blei, und schlummernd sinkt
Er auf das Lager. Draußen plätschert Regenflut.

Er träumt. 'Gesteh!' Sie schweigt. 'Gib ihn heraus!'
    Sie schweigt.
Er zerrt das Weib. Zwei Füße zucken in der Glut.
Aufsprüht und zischt ein Feuermeer, das ihn ver-
    schlingt . .
— »Erwach! Du solltest längst von hinnen sein! Es
    tagt!«
Durch die Tapetentür in das Gemach gelangt,
Vor seinem Lager steht des Schlosses Herr — ergraut,
Dem gestern dunkelbraun sich noch gekraust das Haar.

Sie reiten durch den Wald. Kein Lüftchen regt sich heut.
Zersplittert liegen Ästetrümmer quer im Pfad.
Die frühsten Vöglein zwitschern, halb im Traume noch.
Friedsel'ge Wolken schwimmen durch die klare Luft,
Als kehrten Engel heim von einer nächt'gen Wacht.
Die dunkeln Schollen atmen kräft'gen Erdgeruch.
Die Ebne öffnet sich. Im Felde geht ein Pflug.
Der Reiter lauert aus den Augenwinkeln: »Herr,
Ihr seid ein kluger Mann und voll Besonnenheit
Und wißt, daß ich dem größten König eigen bin.
Lebt wohl! Auf Nimmerwiedersehn!« Der andre
    spricht:
»Du sagst's! Dem größten König eigen! Heute ward
Sein Dienst mir schwer . . . Gemordet hast du teuflisch
    mir
Mein Weib! Und lebst! . . . Mein ist die Rache, redet
    Gott. «

1826–86

447   *Alt Heidelberg, du feine*

ALT Heidelberg, du feine,
  Du Stadt an Ehren reich,
Am Neckar und am Rheine
Kein' andre kommt dir gleich.

Stadt fröhlicher Gesellen,
An Weisheit schwer und Wein,
Klar ziehn des Stromes Wellen,
Blauäuglein blitzen drein.

Und kommt aus lindem Süden
Der Frühling übers Land,
So webt er dir aus Blüten
Ein schimmernd Brautgewand.

Auch mir stehst du geschrieben
Ins Herz gleich einer Braut,
Es klingt wie junges Lieben
Dein Name mir so traut.

Und stechen mich die Dornen,
Und wird mir's drauß zu kahl,
Geb' ich dem Roß die Spornen
Und reit' ins Neckartal.

1827-79

448   *An das Meer*

GRUSS dir, frührotschimmerndes Meer! Gewaltig
  Haucht dein herber Odem mich an, und wieder
Tragen aufwärts mich die des Flugs entwöhnten
      Schwingen der Seele.

Eigner Mißmut zog und der Haß der Menschen
Längst ein dreifach Erz um die Brust mir; aber
Was sind Tränen einzelner gegen deine
      Mächtige Salzflut?

Vieles Elend sahst du in langem Zeitlauf,
Seit die Bernsteinlasten des Tyrerseglers
Deine Flut gefurcht und der windumbrauste
      Kiel des Odysseus.

Manchen Segen brachtest du zwar; du trugest
Sänger einst olympischem Sieg entgegen,
Trugest ruhmgekrönte Triumphatoren
      Sicher zur Heimat.

Ja, an deinen mächtigen Wellenbrüsten
Zogst du Völker groß und verliehst als Spielzeug
Ruhm und Weltmacht ihnen und ferner Zonen
      Seltene Schätze.

Doch die eignen Söhne verschlangst du, fraßest
Perserflotten, punische Kriegstriremen,
Warfst Trafalgars Raub zu des zweiten Philipps
      Stolzer Armada.

459

Keine Spur zwar grub dir die Zeit ins Antlitz;
Doch mit unbestechlichem Griffel schrieben
Auf den Grund Jahrtausende dir den ganzen
    Jammer der Menschheit.

Dir im Schoß ruhn Tempel vergeßner Götter,
Ruhn versunkne Städte; es ruhn neben
Völkerketten untergegangener Reiche
    Kronen im Schoß dir.

Tyrus' alten Glanz und den Stolz Karthagos,
Romas Weltherrschaft und Venedigs Größe
Deckst du zu mit deiner Gewässer dunkel
    Rollendem Bahrtuch.

Tiefgeheimnisvoll wie des Weltenschicksals
Stimme tönt dein Donnergebrüll ins Ohr mir
Ehern, rauh, hohnlachend, so vieler Völker
    Wiegen- und Grablied.

Endlos groß hinwogendes Meer, wer bist du?
Aus Versehn entfesselte rohe Urkraft?
Oder gab ein Gott, ein Gesetz dir dieses
    Amt der Vertilgung?

Oft wie Atemzüge des großen Weltgeists
Weht's aus deinen Tiefen; mir ist, als hört' ich
Heil'ge Laute, welche der Schöpfungssagen
    Rätsel mir lösen.

Doch umsonst mit sterblichem Mund' beschwör' ich
Jene Geister über den Wassern schwebend;
Frag' umsonst ... Du speist an den Strand als Antwort
    Trümmer und Leichen.

1828-1902

449   *Sehnsucht*

SEHNSUCHT, auf den Knieen
Schauest du himmelwärts.
Einzelne Wolken ziehen,
Kommen und entfliehen,
Ewig hofft das Herz.

Liebe, himmlisch Wallen
Goldener Jugendzeit!
Einzelne Strahlen fallen
Wie durch Pfeilerhallen
In das Leben weit.

Einsam in alten Tagen
Lächelt Erinnerung;
Einzelne Wellen schlagen,
Rauschen herauf wie Sagen:
Herz, auch du warst jung!

PAUL HEYSE

1830-1914

450   *Über ein Stündlein*

DULDE, gedulde dich fein!
Über ein Stündlein
Ist deine Kammer voll Sonne.

Über den First, wo die Glocken hangen,
Ist schon lange der Schein gegangen,
Ging in Türmers Fenster ein.
Wer am nächsten dem Sturm der Glocken,
Einsam wohnt er, oft erschrocken,
Doch am frühsten tröstet ihn Sonnenschein.

Wer in tiefen Gassen gebaut,
Hütt' an Hüttlein lehnt sich traut,
Glocken haben ihn nie erschüttert,
Wetterstrahl ihn nie umzittert,
Aber spät sein Morgen graut.

Höh' und Tiefe hat Lust und Leid.
Sag ihm ab, dem törigen Neid:
Andrer Gram birgt andre Wonne.

Dulde, gedulde dich fein!
Über ein Stündlein
Ist deine Kammer voll Sonne.

451 *Treueste Liebe*

EIN Bruder und eine Schwester,
Nichts Treueres kennt die Welt,
Kein Goldkettlein hält fester,
Als eins am andern hält.

Zwei Liebsten so oft sich scheiden,
Denn Minne verglüht geschwind.
Geschwister in Lust und Leiden
Die bleiben sich hold gesinnt,

So treulich als wie zusammen
Der Mond und die Erde gehn,
Der ewigen Sterne Flammen
Alle Nacht beieinander stehn.

Die Engel im himmlischen Reigen
Frohlocken dem holden Bund,
Wenn Bruder und Schwester sich neigen
Und küssen sich auf den Mund.

452   *Morgenwind*

WENN noch kaum die Hähne krähen,
    Macht sich auf der Morgenwind,
Feget aus mit starkem Wehen
Stadt und Flur und Wald geschwind.

Allen Bäumen in der Runde
Schüttelt er die Locken aus,
Weckt die Blümlein in dem Grunde,
Lockt die Lerch' ins Tal hinaus.

Nebel, die an Bergen hangen,
Jagt er ohne Gnade fort;
Kommt Frau Sonne dann gegangen,
Find't sie sauber jeden Ort.

Will sie bei dem treuen Winde
Sich bedanken in Person,
Ist er, daß ihn keiner finde,
Über alle Berge schon.

453   *Mädchenlied*

SOLL ich ihn lieben,
    Soll ich ihn lassen,
Dem sich mein Herz schon heimlich ergab?
    Soll ich mich üben,
    Recht ihn zu hassen?
Rate mir gut, doch rate nicht ab!

Wild ist er freilich,
Heftig von Sitten,
Keiner begreift es, wie lieb ich ihn hab'.
Aber so heilig
Kann er auch bitten —
Rate mir gut, doch rate nicht ab!

Reichere könnt' ich,
Weisere haben;
Gut ist im Leben ein sicherer Stab.
Keiner doch gönnt' ich
Den wilden Knaben —
Rate mir gut, doch rate nicht ab!

Lass' ich von schlimmer
Wahl mich betören,
Besser, ich legte mich gleich ins Grab.
Klug ist es immer,
Auf Rat zu hören —
Rate mir gut, doch rate nicht ab!

454   *Tiefer Brunnen*

VERSCHLIESS dich nur, du schöner Mund,
Verbirg dich, tiefes Herz, mit Fleiß:
Der Rechte kommt zur rechten Stund',
Der Mund und Herz zu lösen weiß.

Gedenk' ich dein, kommt mir zu Sinn
Die Sage von der alten Stadt.
Ein tiefer Brunnen lag darin,
Draus keiner noch getrunken hatt'.

Er war so tief, so wundertief,
Ließ man ein Becherlein hinab,
Der Faden viele Stunden lief
Und reichte doch den Grund nicht ab.

Da kam des Wegs ein Musikant,
Der sah den Brunn und trat herzu
Und nahm sein Geigenspiel zur Hand
Und spielt' ein Stück und sang dazu.

Und sieh, da rauscht' es tief und voll
Und wogt' herauf und sprudelt' klar,
Und lieblich kühl Gewässer schwoll
Empor zum Rande wunderbar.

Der Spielmann trank nach Herzgelüst,
Da war gelöst der dunkle Bann.
Wer dich so zu ersingen wüßt',
Ach, wäre wohl ein sel'ger Mann!

455   *Lied von Sorrent*

WIE die Tage so golden verfliegen,
    Wie die Nacht sich so selig verträumt,
Wo am Felsen mit Wogen und Wiegen
Die gelandete Welle verschäumt,
Wo sich Blumen und Früchte gesellen,
Daß das Herz dir in Staunen entbrennt —
O du schimmernde Blüte der Wellen,
Sei gegrüßt, du mein schönes Sorrent!

Und die Nacht, wenn so süß Luisella
Ihre lachenden Lieder uns singt,
Und der Taumel der Lust, Tarantella,
Wie ein Flämmchen im Sturme sie schwingt.
An der Bucht sich die Gärten erhellen
Unterm leuchtenden Nachtfirmament —
O du schimmernde Blüte der Wellen,
Sei gegrüßt, du mein schönes Sorrent!

Hier entrinnst du der Sorgen Getriebe
Und es trägt dich auf Händen die Lust,
Und sogar das Gedächtnis der Liebe,
Hier beschleicht es gelinder die Brust.
Und du tauchst in die heilenden Quellen,
In des heiligen Meers Element —
O du schimmernde Blüte der Wellen,
Sei gegrüßt, du mein schönes Sorrent!

Auch der tobenden Stürme Getümmel,
Hier belebt es nur Blüten zu Hauf,
Und es lösen die Wetter am Himmel
In ein fruchtbar Geriesel sich auf.
Wenn die Früchte, die herbstlichen, schwellen,
Dann wie weit, ach, wie bin ich getrennt!
Dann ade, o du Blüte der Wellen,
Dann ade, du mein schönes Sorrent!

456 *In der Bucht*

DAS Ufer ist so morgenstill,
Noch kaum ein Fischlein springen will.
Am Bänkchen schon in Rohr und Ried
Ein Wäschermägdlein emsig kniet.

O Jugendblut, kaum fünfzehn Jahr,
Verschlafen noch ihr Augenpaar,
Das Röckchen dürftig, hochgeschürzt,
Mit Singen sie die Zeit sich kürzt.

»Am jüngsten Tag ich aufersteh'
Und gleich nach meinem Liebsten seh',
Und wenn ich ihn nicht finden kann,
Leg' wieder mich zum Schlafen dann.

O Herzeleid, du Ewigkeit!
Selbander nur ist Seligkeit!
Und kommt mein Liebster nicht hinein,
Mag nicht im Paradiese sein!«

457 *Vorfrühling*

STÜRME brausten über Nacht,
Und die kahlen Wipfel troffen.
Frühe war mein Herz erwacht,
Schüchtern zwischen Furcht und Hoffen.

Horch, ein trautgeschwätz'ger Ton
Dringt zu mir vom Wald hernieder.
Nisten in den Zweigen schon
Die geliebten Amseln wieder?

Dort am Weg der weiße Streif —
Zweifelnd frag' ich mein Gemüte:
Ist's ein später Winterreif
Oder erste Schlehenblüte?

458 *Heimkehr*

BLÜHENDES Heidekraut,
Dein Duft ist wie der Hauch von Kinderlippen;
Dich trag' ich heim im Busen, frischbetaut.

Rauschende Buchenkronen,
Ihr kühltet über Tag mein heißes Haupt;
Mög' euch dafür der Wetterstrahl verschonen!

O trauter Lichtschein in der stillen Klause!
Ich höre Stimmchen hinterm Fenster lachen,
Gar wohlbekannt; gottlob, ich bin zu Hause!

459 *Auf den Tod eines Kindes*

MIR war's, ich hört' es an der Türe pochen,
Und fuhr empor, als wärst du wieder da
Und sprächest wieder, wie du oft gesprochen,
Mit Schmeichelton: »Darf ich hinein, Papa?«

Und da ich abends ging am steilen Strand,
Fühlt' ich dein Händchen warm in meiner Hand.

Und wo die Flut Gestein herangewälzt,
Sagt' ich ganz laut: »Gib acht, daß du nicht fällst!«

460   *Sprüche*

i

Fester Grund.

WER sich an andre hält,
    Dem wankt die Welt.
Wer auf sich selber ruht,
Steht gut.

ii

Das ist des Menschen bester Gewinn:
Ernste Seele und heitrer Sinn.
Nur wo die beiden sich treu vermählen,
Kann's nie an Frieden und Freude fehlen.

iii

Erdachtes mag zu denken geben,
Doch nur Erlebtes wird beleben.

iv

Die Worte werden dir manches sagen,
Verstehst du nur sie auszufragen.

MARIE VON EBNER-ESCHENBACH

1830–1916

461   *Ein kleines Lied*

EIN kleines Lied! Wie geht's nur an,
    Daß man so lieb es haben kann,
        Was liegt darin? Erzähle! —

Es liegt darin ein wenig Klang,
Ein wenig Wohllaut und Gesang,
        Und eine ganze Seele.

1833-1906

462   *Drahtklänge*

IHR dunklen Drähte, hingezogen
Soweit mein Aug' zur Ferne schweift,
Wie tönt ihr, wenn der Lüfte Wogen
In euch so wie in Saiten greift!

O welch ein seltsam leises Klingen,
Durchzuckt von schrillem Klagelaut,
Als hallte nach, was euren Schwingen
Zu raschem Flug ward anvertraut.

Als zitterten in euch die Schmerzen,
Als zitterte in euch die Lust,
Die ihr aus Millionen Herzen,
Verkündend, tragt von Brust zu Brust.

Und so, ihr wundersamen Saiten,
Wenn euch des Windes Hauch befällt,
Erklingt ihr in die stillen Weiten
Als Äolsharfe dieser Welt!

463   *Nun ist das Korn geschnitten*

NUN ist das Korn geschnitten,
Die Felder leuchten fahl,
Ringsum ein tiefes Schweigen
Im heißen Sonnenstrahl.

Verblüht ist und verklungen,
Was duftete und sang,
Nur sanft tönt von den Triften
Der Herdeglockenklang.

Das ist, o Menschenseele,
Des Sommers heil'ger Ernst,
Daß du, noch eh' er scheidet,
Dich still besinnen lernst.

464 *Herbst*

DER du die Wälder färbst,
Sonniger, milder Herbst,
Schöner als Rosenblühn
Dünkt mir dein sanftes Glühn.

Nimmermehr Sturm und Drang,
Nimmermehr Sehnsuchtsklang;
Leise nur atmest du
Tiefer Erfüllung Ruh.

Aber vernehmbar auch
Klaget ein scheuer Hauch,
Der durch die Blätter weht,
Daß es zu Ende geht.

465 *Alter*

DAS aber ist des Alters Schöne,
Daß es die Saiten reiner stimmt,
Daß es der Lust die grellen Töne,
Dem Schmerz den herbsten Stachel nimmt.

Ermessen läßt sich und verstehen
Die eigne mit der fremden Schuld,
Und wie auch rings die Dinge gehen,
Du lernst dich fassen in Geduld.

471

Die Ruhe kommt erfüllten Strebens,
Es schwindet des verfehlten Pein —
Und also wird der Rest des Lebens
Ein sanftes Rückerinnern sein.

FELIX DAHN

1834–1912

466　　　　　　*Gotentreue*

ERSCHLAGEN lag mit seinem Heer
Der König der Goten, Theodemer.

Die Hunnen jauchzten auf blut'ger Wal;
Die Geier stießen herab zutal.

Der Mond schien hell; der Wind pfiff kalt;
Die Wölfe heulten im Föhrenwald.

Drei Männer ritten durchs Heidegefild,
Den Helm zerschroten, zerhackt den Schild.

Der erste über dem Sattel quer
Trug seines Königs zerbrochenen Speer.

Der zweite des Königs Kronhelm trug,
Den mittendurch ein Schlachtbeil schlug.

Der dritte barg mit treuem Arm
Ein verhüllt Geheimnis im Mantel warm.

So kamen sie an die Donau tief,
Und der erste hielt mit dem Roß und rief:

»Ein zerhauener Helm, ein zerspellter Speer —
Vom Reiche der Goten blieb nicht mehr!«

Und der zweite sprach! »In die Wellen dort
Versenkt den traurigen Gotenhort!

Dann springen wir nach dem Uferrand —
Was säumest du, Vater Hildebrand?«

» Und tragt ihr des Königs Kron' und Speer,
Ihr treuen Gesellen, ich habe mehr!«

Auf schlug er seinen Mantel weich:
» Hier trag' ich der Goten Hort und Reich.

Und habt ihr gerettet Speer und Kron',
Ich habe gerettet des Königs Sohn.

Erwache, mein Knabe, ich grüße dich,
Du König der Goten, Jungdieterich!«

ALBERT MÖSER

1835-1900

467 *Wallenstein vor Stralsund*

MIT Hörnergetön in blitzender Wehr
Vor Stralsunds Wälle zog Friedlands Heer.
Ringsum längst zwang er die Länder ins Joch,
Nur Stralsund trotzte, das mächtige, noch.
Doch eh' noch Kartaunen erdröhnten im Feld,
Entbot er zu sich die Ratsherrn ins Zelt;
Die traten gefaßt vor sein Angesicht
Und zitterten nicht.

Der Friedland sprach: » Ihr Herren vom Rat,
Dem Trotz nun entsagt, bevor es zu spat!
Nach Recht und Gesetz ist mein dieses Land,
So will es der Kaiser, Herr Ferdinand;
Drum fügt euch und tut, was der Mächt'ge gebeut,
Von Gegenwehr laßt und ergebt euch noch heut!«
Drauf sprachen die Ratsherrn, getreu der Pflicht:
» Das tun wir nicht!«

Das Wort, es weckte gar herben Verdruß
Dem böhmischen Generalissimus,
Doch zwang er sich noch und sprach : » Wohlan !
Geehrt stets hab' ich den tapferen Mann ;
Drum sei euch gelassen der Freiheit Glück,
Zahlt ihr mir Geldes ein tüchtiges Stück.«
Die Ratsherrn entgegneten ernst mit Gewicht :
    » Das haben wir nicht ! «

Da hob sich aufs höchste des Friedland Groll,
An seinen Schläfen die Ader schwoll,
Er ballte die Faust, und mit grimmigem Mut
Warf er zur Erde den Feldherrnhut.
Er nannte die Bürger verruchte Geselln,
Schurken, Verräter und schnöde Rebelln.
Drauf sprachen die Ratsherrn gelassen und schlicht :
    » Das sind wir nicht.«

Sie schieden hinweg, aufnahm sie das Tor.
Der Friedland indessen, der rasende, schwor :
» Und hing' es mit Ketten am Himmelszelt,
Stralsund, das hohe, das trotzige, fällt ! «
Viel Kugeln verschoß er in grimmigem Haß,
Bestürmte die Stadt ohne Unterlaß,
Er wollte sie strafen mit blut'gem Gericht —
    Und nahm sie nicht.

WILHELM HERTZ

1835-1902

468   *Unter blühenden Bäumen*

UNTER blühenden Bäumen
Lieg' ich in Einsamkeit,
Von alter Zeit,
Von alter Liebe zu träumen.

Sehnsüchtige Stille ringsherum,
Nur Bienengesumm
Und fern im Tal ein Glockenklang:
Ob Hochzeitläuten,
Ob Grabgesang,
Ich will's nicht deuten.

Lenzwolken ziehn mit sanftem Flug.
O Jugendleben,
Das lang verblich,
O Frühlingsweben,
Was lockst du mich?
Goldsonnige Fernen lachen.

Neues Hoffen, neuer Trug!
Lenz, des Zaubers ist genug!
Nein, wieg mich ein
Zur süßen Ruh
Und decke du
Mein träumend Haupt mit Blüten zu!
Rosige Dämmrung hüllt mich ein:
O seliges Verschollensein,
Schlafen und nimmer erwachen!

1837-1911

469   *Die Nacht*

NÄCHTIGE Stille
   Hoch über der Welt;
Ein mächtiger Wille
Lenkt und hält
Das Sterngewühle,
Das kein Denken ermißt.
Steh schweigend und fühle,
Wie nichtig du bist!

470   *Seltsame Genossen*

IST das ein seltsamliches Gewander:
   Ihr schrittet noch eben vergnügt miteinander
Durch Wälder und Wiesen und Sonnenschein;
Du siehst dich um — da gehst du allein.

Er blieb zurück am Weggelände,
Das Wort auf den Lippen, er sprach's nicht zu Ende;
Ein wunderbarlich Gebaren, und doch
Scheint deins verwunderlicher noch.

Ganz ruhig gehst des Weges du weiter,
Hast schnell einen andern vergnügten Begleiter,
Und fröhlich wieder zieht ihr drein
Durch Wälder und Wiesen und Sonnenschein.

So geht's eine Weile, das seltsame Wandern:
Dann kommt es an dich, dann hörst du die andern
Noch weiter lachen ins sonnige Land,
Und du bleibst einsam am Wegesrand.

476

471   *Letztes Licht*

NUN sinkt der Tag, und ferne Glocken hallen;
Ach, wie so weit die Abendschatten fallen!

Der Wind summt auf, und Wolken wallen dichter;
Ach, wie so weit des Frühtags goldene Lichter!

Mit letztem Schlag verklingen matt die Glocken,
Wie eines Herzens letzte Schläge stocken.

Der du aus Nacht dereinst ins Licht gegangen,
Es kommt die Nacht, dich wieder zu verlangen.

MARTIN GREIF
(HERMANN FREY)

1839–1910

472   *Vor der Ernte*

NUN störet die Ähren im Felde
Ein leiser Hauch;
Wenn eine sich beugt, so bebet
Die andre auch.

Es ist, als ahnten sie alle
Der Sichel Schnitt —
Die Blumen und fremden Halme
Erzittern mit.

473 *Hochsommernacht*

STILLE ruht die weite Welt,
Schlummer füllt des Mondes Horn,
Das der Herr in Händen hält.

Nur am Berge rauscht der Born —
Zu der Ernte Hut bestellt
Wallen Engel durch das Korn.

474 *Die einsame Wolke*

SONNE warf den letzten Schein
Müd' im Niedersinken,
Eine Wolke noch allein
Schien ihr nachzuwinken.

Lange sie wie sehnend hing
Ferne den Genossen,
Als die Sonne unterging,
War auch sie zerflossen.

475 *Fremd in der Heimat*

IN der Heimat war ich wieder,
Alles hab' ich mir besehn,
Als ein Fremder auf und nieder
Mußt' ich in den Straßen gehn.

Nur im Friedhof fern alleine
Hab' ich manchen Freund erkannt,
Und bei einem Leichensteine
Fühlt' ich eine leise Hand.

ARTHUR FITGER

1840-1909

476   *Zwei Paten*

DER König wollte taufen
Den neugebornen Sohn;
Rings horchte der Gäste Haufen
Des Bischofs Festsermon.

Da kam wohl über die Stiege
Mit leichtem Schritt herbei
Und trat an des Kindleins Wiege
Eine wunderschöne Fey.

»Dich will ich wohl bedenken,
Mein Kind, mit mächtigem Wort,
Ein Königreich dir schenken
Im tannendunklen Nord.

Verlaß im Stahlgeschmeide
Dein hohes Vaterhaus
Und ziehe weit über die Heide,
Dein Reich zu suchen, aus!«

Da in der Gäste Mitte
Zur Wiege trat herbei
Mit leicht geflügeltem Schritte
Eine andre schöne Fey.

»Dich will ich wohl bedenken,
Mein Kind, mit reicher Hand,
Ein Königreich dir schenken
Am südlichen Palmenstrand.

Du sollst deinen Rappen zäumen,
Umgürten dir das Schwert,
Und suchen in fernen Räumen
Das Reich, das ich beschert!«

In stolzer Augenweide
Lächelten von dem Thron
Die freud'gen Eltern beide
Herab auf ihren Sohn. —

Und fragt ihr nach dem Knaben,
Was Hohes er gewann?
Da drunten liegt begraben
Ein greiser Bettelmann.

Sein Leben war zersplittert
Für dies, für das Idol,
So wie die Nadel zittert
Vom Pol zum Gegenpol.

Kein Reich hat er erworben,
Verloren die Heimat dazu;
Er ist gestorben, verdorben —
Gott gebe der Seele Ruh!

477 *Freundlicher Tod*

FREUNDLICHER Tod, du heilsam geschäftiger
Gärtner, beschneidend ums üppige Beet
Wandelst du ewig und tilgst, was in heftiger
Wucherung aufschoß, daß voller und kräftiger
Blühe das eine, wenn andres vergeht.
Nimmer gefleht
Hab' ich um Schonung für mich, und mit Wonne
Steig' ich hinunter in Aides Nacht,
Wenn meinen Brüdern mein Scheiden die Sonne
Lieblicher macht.

480

DETLEV VON LILIENCRON

478 *Tod in Ähren*

IM Weizenfeld, in Korn und Mohn,
Liegt ein Soldat, unaufgefunden,
Zwei Tage schon, zwei Nächte schon,
Mit schweren Wunden, unverbunden,

Durstüberquält und fieberwild,
Im Todeskampf den Kopf erhoben.
Ein letzter Traum, ein letztes Bild,
Sein brechend Auge schlägt nach oben.

Die Sense sirrt im Ährenfeld,
Er sieht sein Dorf im Arbeitsfrieden.
Ade, ade du Heimatwelt —
Und beugt das Haupt und ist verschieden.

479 *In Erinnerung*

WILDE Rosen überschlugen
Tiefer Wunden rotes Blut.
Windverwehte Klänge trugen
Siegesmarsch und Siegesflut.

Nacht.   Entsetzen überspülte
Dorf und Dach in Lärm und Glut.
»Wasser«! Und die Hand zerwühlte
Gras und Staub in Dursteswut.

Morgen.   Gräbergraber.   Grüfte.
Manch ein letzter Atemzug.
Weither, witternd, durch die Lüfte
Braust und graust ein Geierflug.

480 *Wer weiß wo*

(Schlacht bei Kolin, 18. Juni 1757.)

AUF Blut und Leichen, Schutt und Qualm,
Auf roßzerstampften Sommerhalm
Die Sonne schien.
Es sank die Nacht. Die Schlacht ist aus,
Und mancher kehrte nicht nach Haus
Einst von Kolin.

Ein Junker auch, ein Knabe noch,
Der heut das erste Pulver roch,
Er mußte dahin.
Wie hoch er auch die Fahne schwang,
Der Tod in seinen Arm ihn zwang,
Er mußte dahin.

Ihm nahe lag ein frommes Buch,
Das stets der Junker bei sich trug,
Am Degenknauf.
Ein Grenadier von Bevern fand
Den kleinen erdbeschmutzten Band
Und hob ihn auf.

Und brachte heim mit schnellem Fuß
Dem Vater diesen letzten Gruß,
Der klang nicht froh.
Dann schrieb hinein die Zitterhand:
»Kolin. Mein Sohn verscharrt im Sand.
Wer weiß wo.«

Und der gesungen dieses Lied,
Und der es liest, im Leben zieht
Noch frisch und froh.
Doch einst bin ich und bist auch du
Verscharrt im Sand, zur ewigen Ruh.
Wer weiß wo.

481 *Inschrift*

NACH raschem Ritt im Regen waren wir
Auf einem Gottesacker angekommen
Und abgesessen. Ungesehen, konnten
Nach allen Seiten frei wir uns bewegen,
Um vorpreschend die Feldwachen zu trösten.
Nur wenig Kreuze. Rasch band das Piquet
Die Halfter an die winzigen Todeszeichen.
Ich selber lehnte bald den müden Kopf
Auf eines Grabes Hügel und schlief ein . . .

Hell wieherte durch Nebeldunst mein Wallach
Und sprengte jäh die weichen Sklavenketten,
In denen tief und traumlos ich geruht.
Noch schlafend lagen um mich die Dragoner,
Bedeckt mit Reif die Mäntel und die Bärte,
Die Pferde standen mit gesenkten Mähnen.
Nur ab und an ein Schnaufen und ein Scharren,
Ein Knistern an den Sätteln, und ein Klirren
Der Kettchen, wenn sie aneinander klangen.
Den Karabiner in den Fäusten haltend,
Schritt schweren Tritts der Posten auf und nieder.
Tief eine Stille war es; leises Knistern
Zog morgenschauernd durch die Trauerkränze.

Ich hob den Kopf und drehte mich, um Namen
Und Inschrift an dem kleinen Kreuz zu lesen,
Das mir zu Häupten stand, und las im Zwielicht,
Das Auge hart an die vergoldeten,
Vom Wetter schwarzgefärbten Lettern drängend:
»Gestritten viel — gelitten mehr — gestorben.«
Frührote Lichter schwammen um die Worte,
Die sich bleischwer in meine Seele senkten.
Zum Denken doch ward mir nicht Zeit gelassen,
Denn: »An die Pferde«, hieß es: »Aufgesessen!«
Wir trabten, sonnbegrüßt, ins Tal hinunter,
Um, Freund und Feind, aus dunkelroten Rosen
Auf grünem Rasen einen Strauß zu flechten.

482 *Siegesfest*

FLATTERNDE Fahnen
Und frohes Gedränge.
Fliegende Kränze
Und Siegesgesänge.

Schweigende Gräber,
Verödung und Grauen.
Welkende Kränze,
Verlassene Frauen.

Heißes Umarmen
Nach schmerzlichem Sehnen.
Brechende Herzen,
Erstorbene Tränen.

483 *Krieg und Friede*

ICH stand an eines Gartens Rand
Und schaute in ein herrlich Land,
Das, weit geländet, vor mir blüht,
Drin heiß die Erntesonne glüht.

Und Arm in Arm, es war kein Traum,
Mein Wirt und ich am Apfelbaum;
Wir lauschten einer Nachtigall,
Und Friede, Friede überall.

Ein Zug auf fernem Schienendamm
Kam angebraust. Wie zaubersam!
Er brachte frohe Menschen her
Und Güterspenden, segenschwer.

Einst sah ich den metallnen Strang
Zerstört, zerrissen meilenlang.
Und wo ich nun in Blumen stund,
War damals wildzerwühlter Grund.

Der Sommermorgen glänzte schön
Wie heute; glitzernd von den Höhn,
'Den ganzen Tag mit Sack und Pack,'
Brach nieder aus Verhau, Verhack
Zum kühnsten Sturm, ein weißes Meer,
Des Feindes wundervolles Heer.

Ich stützte, wie aus Erz gezeugt,
Mich auf den Säbel, vorgebeugt,
Mit weiten Augen, offnem Mund,
Als starrt' ich in den Höllenschlund.
Nun sind sie da! » Schnellfeuer «! » Steht «!
Wie hoch im Rauch die Fahne weht!
Und Mann an Mann, hinauf, hinab,
Und mancher sinkt in Graus und Grab.
Zu Boden stürz' ich, einer sticht
Und zerrt mich, ich erraff' mich nicht,

Und um mich, vor mir, unter mir
Ein furchtbar Ringen, Gall und Gier.
Und über unserm wüsten Knaul
Bäumt sich ein scheu gewordner Gaul.
Ich seh' der Vorderhufe Blitz,
Blutfestgetrockneten Sporenritz,
Den Gurt, den angespritzten Kot,
Der aufgeblähten Nüstern Rot.
Und zwischen uns mit Klang und Kling
Platzt der Granate Eisenring:
Ein Drache brüllt, die Erde birst,
Einfällt der Weltenhimmelfirst.
Es ächzt, es stöhnt, und Schutt und Staub
Umhüllen Tod und Lorbeerlaub.

Ich stand an eines Gartens Rand
Und schaute in ein herrlich Land,
Das ausgebreitet vor mir liegt,
Vom Friedensfächer eingewiegt.
Und Arm in Arm, es ist kein Traum,
Mein Wirt und ich am Apfelbaum;
Wir lauschen einer Nachtigall,
Und Rosen, Rosen überall.

484 *Meiner Mutter*

WIE oft sah ich die blassen Hände nähen,
  Ein Stück für mich — wie liebevoll du sorgtest!
Ich sah zum Himmel deine Augen flehen,
Ein Wunsch für mich — wie liebevoll du sorgtest!
Und an mein Bett kamst du mit leisen Zehen,
Ein Schutz für mich — wie sorgenvoll du horchtest!
Längst schon dein Grab die Winde überwehen,
Ein Gruß für mich — wie liebevoll du sorgtest!

485   *Auf dem Kirchhof*

DER Tag ging regenschwer und sturmbewegt,
Ich war an manch vergessenem Grab gewesen.
Verwittert Stein und Kreuz, die Kränze alt,
Die Namen überwachsen, kaum zu lesen.

Der Tag ging sturmbewegt und regenschwer,
Auf allen Gräbern fror das Wort: Gewesen.
Wie sturmestot die Särge schlummerten,
Auf allen Gräbern taute still: Genesen

486   *Una ex hisce morieris*

ES flammt der Horizont des heißen Tages.
Der Schmetterlinge Flügelschlag ist hörbar
So still ruht Baum und Blatt im Sonnenschein.
Auf fernem Steig klingt schwach des Gärtners Harke.
»In einer dieser Stunden wirst du sterben«
Steht auf der Sonnenuhr im großen Garten,
Auf dessen Weiser sich ein alter Spatz
Den unscheinbaren Kragen emsig putzt
Und schnell das schiefgebogne Köpfchen kraut.
Dann fliegt er weg, im Kirschenbaum zu landen.
Doch unterwegs schlägt ihn der böse Falk.

»In einer dieser Stunden wirst du sterben!«
Bewegung. Menschen. Nackte braune Arme
Schleifen zum Teich ein breites Fischernetz.
Dann warten sie gehorsam auf Befehl
Zum Anfang.

         Goldne Gittertore springen,

Und trotz der Schwüle naht in schwerem Samt
Die junge, wunderschöne Königin.
Auf blonder Pagen Armen schläft die Schleppe.
Rechts trägt das Dach, den riesigen Sonnenschirm,
Ein Mohrenkind in gelb und roter Seide.
Links hält ein schlanker Fant im Puffenwams,
Mit dem sie huldvoll spricht, den gleichen Schritt;
Im schaukelnden Gehenke blitzt sein Dolch.
Der Kammerherr vom Tag und ihre Damen
Folgen in ehrerbietiger Entfernung.
Inzwischen ist die Fürstin angelangt
Und hat im Marmorsessel Platz genommen,
Den Fuß auf rasch gelegten Teppich setzend.

Der Zug beginnt, ganz wie zu Petri Tagen:
Im Netze zappeln Karpfen und Karauschen
Mit dummen Augen, schnappend, schwer geängstigt.
Die Hoheit lacht, die Kavaliere lächeln,
Es grinst das Mohrenkind, die Pagen kichern.
Und in der allgemeinen Lustigkeit,
Das braune Auge plötzlich aufschlagend
Zum schlanken Fant im blauen Puffenwams,
Flüstert harmlos die junge Königin:
Bei Mondesaufgang an der Sonnenuhr.

Da stürzt ein Pfeil aus dunklem Tannenbusch,
Geschnitzt aus eines plumpen Störes Gräte,
Mit Lust ins liebesehnsuchtvolle Herz
Der jungen, wunderschönen Königin.

» In einer dieser Stunden wirst du sterben. «

487 *Vergiß die Mühle nicht*

DER Blick aus userm Fenster
War eine Wüste nur.
Kein grünes Saatfeld zeigte
Des Lebens frohe Spur.

Kein Haus, kein Baum war sichtbar,
Kein Berg im blauen Duft,
Und keine Blumen mischten
Sich mit der Himmelsluft.

Am End' der öden Strecke,
Weit über Schutt und Sand,
Steht eine kleine Mühle,
Fern, fern am Erdenrand.

Der Flügel kreist geduldig,
Er kreist wohl immerzu,
Des Windes schneller Atem
Läßt selten ihn in Ruh.

Mein Weib und ich, wir haben
Am Fenster oft gelehnt,
Wenn Hand in Hand wir saßen
Und wenn wir uns ersehnt.

Im Frühlicht, vor der Arbeit,
Lag noch der Tag im Tau,
Wir hielten nach der Mühle
Vereint die erste Schau.

Am Abend, eh' der Schlummer
Von neuem uns erquickt,
Wir haben nach der Mühle
Die letzte Sicht geschickt.

Und immer so die Mühle,
Es gab nicht liebern Ort,
Es kam wie Trost und Grüße,
Wie Gruß und Trost von dort.

In einer Winterwoche
War schwer mein Weib erkrankt,
Die schwarze Gräberblume
Hat sich emporgerankt.

Doch eh' der Tod die Decken
Um ihre Sinne schlug,
Hat sie mein Arm umschlossen,
Der sie ans Fenster trug.

Die treuen Augen suchten
Mühsam im Dämmerlicht,
Und ihre Lippen hauchten:
» Vergiß die Mühle nicht.«

488 *Aus der Kinderzeit*

IN alten Briefen saß ich heut vergraben,
Als einer plötzlich in die Hand mir fiel,
Auf dem die Jahresziffer mich erschreckte,
So lange war es her, so lange schon.
Die Schrift stand groß und klein und glatt und kraus
Und reichlich untermischt mit Tintenklecksen:
» Mein lieber Fritz, die Bäume sind nun kahl,
Wir spielen nicht mehr Räuber und Soldat,
Türk hat das rechte Vorderbein gebrochen,
Und Tante Hannchen hat noch immer Zahnweh,
Papa ist auf die Hühnerjagd gegangen.
Ich weiß nichts mehr. Mir geht es gut.

Schreib bald und bleibe recht gesund.
Dein Freund und Vetter Siegesmund.« —

» Die Bäume sind nun kahl«, das herbe Wort
Ließ mich die Briefe still zusammenlegen,
Gab Hut und Handschuh mir und Rock und Stock
Und drängte mich hinaus in meine Heide.

VICTOR BLÜTHGEN

1844-1920

489   *Ach, wer doch das könnte!*

GEMÄHT sind die Felder, der Stoppelwind weht,
Hoch droben in Lüften mein Drache nun steht,
Die Rippen von Holze, der Leib von Papier;
Zwei Ohren, ein Schwänzlein sind all seine Zier.
Und ich denk': so drauf liegen im sonnigen Strahl —
Ach, wer doch das könnte nur ein einziges Mal!

Da guckt' ich dem Storch in das Sommernest dort:
Guten Morgen, Frau Storchen, geht die Reise bald fort?
Ich blickt' in die Häuser zum Schornstein hinein:
Papachen, Mamachen, wie seid ihr so klein!
Tief unter mir säh' ich Fluß, Hügel und Tal —
Ach, wer doch das könnte nur ein einziges Mal!

Und droben, gehoben auf schwindelnder Bahn,
Da faßt' ich die Wolken, die segelnden, an;
Ich ließ' mich besuchen von Schwalben und Krähn
Und könnte die Lerchen, die singenden, sehn;
Die Englein belausch' ich im himmlischen Saal —
Ach, wer doch das könnte nur ein einziges Mal!

491

FRIEDRICH NIETZSCHE

1844-1900

490 *Dem unbekannten Gott*

NOCH einmal, eh' ich weiter ziehe
Und meine Blicke vorwärts sende,
Heb' ich vereinsamt meine Hände
Zu Dir empor, zu Dem ich fliehe,
Dem ich in tiefster Herzenstiefe
Altäre feierlich geweiht,
Daß allezeit
Mich Deine Stimme wieder riefe.

Darauf erglüht tief eingeschrieben
Das Wort: dem unbekannten Gotte.
Sein bin ich, ob ich in der Frevler Rotte
Auch bis zur Stunde bin geblieben:
Sein bin ich — und ich fühl' die Schlingen,
Die mich im Kampf darniederziehn
Und, mag ich fliehn,
Mich doch zu Seinem Dienste zwingen.

Ich will Dich kennen, Unbekannter,
Du tief in meine Seele Greifender,
Mein Leben wie ein Sturm Durchschweifender,
Du Unfaßbarer, mir Verwandter!
Ich will Dich kennen, selbst Dir dienen.

1845-1924

491 *Die Glockenjungfern*

DIE Glockenjungfern schwingen
Sich hoch vom Turm und singen
Ein Morgenjubellied im Chor.
Kein Engelmund tönt reiner,
Je ferner, desto feiner,
Und niemals fehlt ihr kluges Ohr.

Verknüpft die Schwesternhände
Zur Kette ohne Ende,
Blüht durch das Blau der farbige Kranz.
Auf Schlüsselblumenmatten
Segelt ihr Wolkenschatten
Rainauf, rainab im flüchtigen Tanz.

Frühling und Lerchenlieder —
Sie jauchzen alles nieder,
Siegreich behauptend ihren Ton.
Die Sonne horcht von oben,
Das Echo möcht's erproben,
Versucht's und wiederholt es schon.

Der Wanderer im Staube
Erhebt das heiße Auge,
Lächelt und hemmt den müden Schritt.
Doch längs dem Weg die Wellen,
Die durch das Bächlein schnellen,
Laufen in flinken Sprüngen mit.

Da mahnt vom Turm ein Zeichen
Ein plötzliches Erbleichen,
Und alles heimwärts stürzt und drängt.
O weh! der Jungfern kleinste,
Die Lieblichste, die Feinste
Ist von dem Reigen abgesprengt.

Sie huscht auf leisen Sohlen
Die Schwestern einzuholen,
Den Finger ängstlich an dem Mund.
Jetzt langt sie an mit Zagen —
Ein Taubenflügelschlagen —
Schlüpft ein — und stille wird's im Rund.

Horch! Welch Posaunenschweigen!
Die Lüfte kreisen, steigen
Und lauschen nach dem Turm vereint,
Ob irgendwo ein Röckchen,
Ein Zipfel oder Söckchen
Der Glockenjungfern noch erscheint.

KARL WEITBRECHT

1847–1904

492 *Wenn ich Abschied nehme*

WENN ich Abschied nehme, will ich leise gehn,
Keine Hand mehr drücken, nimmer rückwärts sehn.

In dem lauten Saale denkt mir keiner nach,
Dankt mir keine Seele, was die meine sprach.

Morgendämmrung weht mir draußen um das Haupt,
Und sie kommt, die Sonne, der ich doch geglaubt.

Lärmt bei euren Lampen und vergeßt mich schnell!
Lösche, meine Lampe! — Bald ist alles hell!

HANS HOFFMANN

1848-1909

493 *Auf leisen Sohlen*

AUF leisen Sohlen kam es gegangen,
Hat leis wie ein Hauch mir am Busen gehangen;
Es zitterte weiter, entschwand im Fernen.
Ich schaute ihm nach wie bleichenden Sternen;
Noch einmal neckisch blinkt' es zurück;
Und jetzt erkannt' ich's: es war das Glück.

GUSTAV FALKE

1853-1916

494 *Tagesanbruch*

WIE leise sich der Morgen regt,
Gleich einem Lächeln, das sich traumhaft hinbewegt
Um halbgeschloßner Lider Rund
Und einen schlummertrunknen Mund,
Der eine ungeduldige Welt
Nur hinter leichtem Riegel hält.

Bald wird die rote Pforte klingen,
Und was sich innen stößt und zwängt,
Sehnsüchtig nach dem goldenen Tage drängt,
Mit einem Freudenschrei ins Weite springen.

495 *Märchen*

IN deiner lieben Nähe
Bin ich so glücklich. Ich mein',
Ich müßte wieder der wilde,
Selige Knabe sein.

Das macht deiner süßen Jugend
Sonniger Frühlingshauch.
Ich hab' dich so lieb.   Und draußen
Blühen die Rosen ja auch.

O Traum der goldenen Tage !
Herz, es war einmal.
Abendwolken wandern
Über mein Jugendtal.

496 *Die Sorglichen*

IM Frühling, als der Märzwind ging,
Als jeder Zweig voll Knospen hing,
Da fragten sie mit Zagen :
»Was wird der Sommer sagen ?«

Und als das Korn in Fülle stand,
In lauter Sonne briet das Land,
Da seufzten sie und schwiegen:
»Bald wird der Herbstwind fliegen. «

Der Herbstwind blies die Bäume an
Und ließ auch nicht ein Blatt daran.
Sie sah'n sich an : »Dahinter
Kommt nun der böse Winter. «

Das war nicht eben falsch gedacht,
Der Winter kam auch über Nacht.
Die armen, armen Leute,
Was sorgen sie nur heute ?

Sie sitzen hinterm Ofen still
Und warten, ob's nicht tauen will,
Und bangen sich und sorgen
Um morgen.

PETER HILLE

1854-1904

497 *Waldesstimme*

WIE deine grüngoldnen Augen funkeln,
Wald, du moosiger Träumer!
Wie deine Gedanken dunkeln,
Einsiedel, schwer von Leben,
Saftseufzender Tagesversäumer!

Über der Wipfel Hin- und Wiederschweben
Wie's Atem holt und voller wogt und braust
Und weiter zieht — und stille wird — und saust.

Über der Wipfel Hin- und Wiederschweben
Hoch droben steht ein ernster Ton,
Dem lauschten tausend Jahre schon
Und werden tausend Jahre lauschen . . .
Und immer dieses starke, donnerdunkle Rauschen.

FERDINAND AVENARIUS

1856-1923

498 *Rolands Horn*

DER König Karl beim Jubelmahl,
Hoch schwang in der Hand er den goldnen Pokal:

» Lang lebe der Sieger, der heut noch fern,
Roland, mein Roland, der Streiter des Herrn! «

Da — bei der Becher Zusammenstoß,
Wie Schatten sich's über die Wände goß.

FERDINAND AVENARIUS

Und als das jauchzende Hoch verscholl,
Ein Dämmern über die Erde schwoll;

Und weit, weit her es traurig hallt'
Hinklagend über See und Wald.

Und als sie drängten zur Tür mit Macht,
Da wuchs das Dunkel zur finstern Nacht,

Und angstvoll durch die Luft herbei
Rang sich's wie wilder Todesschrei.

Und als sie sich wandten entsetzt zum Thron,
Da stöhnte zum drittenmal her ein Ton,

Da zittert' es über Wald und See
Wie aus verröchelnder Brust ein Weh.

Doch als der König sich bleich erhob,
Blaß wieder ein Dämmern die Halle durchwob;

Und als er rief: »Verrat! Zu Roß!«
Weiß wieder der Tag die Halle durchfloß.

Wohl jagten sie windschnell querfeldein,
Rastlos bei Sonnen- und Sternenschein,

Hin bis zum Morgen nach Ronceval —
Da kreischten die Krähen schon über dem Tal;

Da lagen die Helden, die Wunden vorn,
Und stumm er, Roland, zerborsten sein Horn.

geb. 1862

499 *Wie eine Windesharfe*

WIE eine Windesharfe sei deine Seele, Dichter!
  Der leiseste Hauch bewege sie;
Und ewig müssen die Saiten schwingen im Atem des
  Weltwehs,
Denn das Weltweh ist die Wurzel der Himmels-Sehnsucht.
Also steht deiner Lieder Wurzel begründet im Weh' der
  Erde,
Doch ihre Scheitel krönet Himmelslicht.

500 *'S ist ein so stiller heil'ger Tag*

'S IST ein so stiller heil'ger Tag,
  Man hört der Zeiten Flügelschlag.
Der erste Schnee mit leiser Hand
Deckt Anger zu und Heideland.
Er hüllt mit lichtem Totenschrein
Des Herbstes düstre Trümmer ein.
Wär' für der Seele Trümmerfeld
Doch auch ein solcher Schrein bestellt!

501 *Die Tauben*

O IHR weißen, maurischen Städte! Ihr südlichen
  Hänge!
Schwarze Cypressen und goldene Kuppeln im Garten-
  gedränge!
Weht ihr und winkt mit langen Tüchern von weißer Seide,
Braune Frauen im bunten, golddurchwirkten Kleide? —

Wem doch winkt ihr? —Seht, es beginnt zu dunkeln —
Über den alten, hohen Cypressen im tiefen Blauen silbern
    zu funkeln;
Und das reine Symbol des hohen Propheten
Hebt sich: der Halbmond! — Horch, der Muezzin!
    Beugt eure Kniee zu beten.

Und das Gebet ist beendet. Langsam durch weiße Hallen
Wandeln die Frauen. Klingende Wasser rauschen im
    Steigen und Fallen.
Sieh, der Halbmond spiegelt mit hellen Wolken sich unten
    im Becken!
Zitternde Ringe rollen und können das heil'ge Juwel nicht
    decken;
Und da seufzen die Frauen. Eine beginnt zu klagen:
»Morgen, ja morgen, da wird eine blutige Schlacht ge-
    schlagen!
Hassan, Kalut, Kasur, so Gatte als Brüder,
Führen die scharfen Klingen wider die Christen-Barbaren.
    Wann kehren sie wieder?«
Spricht die zweite: »Allah ist mit uns! Unsere Scharen
Werden wie Engel Gottes unter die Völker der Feinde
    fahren.
Weiße Tauben aus unseren Söllern nahmen die Krieger,
Sprachen: »Fliegende Boten sollt ihr uns sein! Ja,
    Boten der Sieger!« —
Da — mit flatterndem Sausen, licht und gespenstig, ent-
    schweben
Tauben, ein Schwarm, den besternten Räumen, wippen und
    kleben
Um den leuchtenden Rand der marmornen Schale. Ein
    Rucken und Girren,
Flügelschlagen, durstiges Durcheinanderhüpfen, Drängen
    und Schwirren.

»Tauben?   Die Tauben!   Cittulhassan, komm, meine
    Taube!«
Und schon kommt sie herbei mit zierlich nickender Feder-
    haube.
Um den braunen Finger der Herrin klammern sich rosige
    Krallen;
Nun — ein Schütteln: — Dunkle Tropfen sprühen und
    fallen.
»Freundin, komm und sieh, in meiner Wimper hängt eine
    Feuchte!«
Jene, erwartungsbebend, nahet mit Tuch und Leuchte,
Und die Herzen der beiden Frauen ineinander pochen und
    klopfen.—
»Siehe an meinem weißen Tüchlein haftet ein blutiger
    Tropfen . . .
Blut!!«—Es ist ein Schrei. —In Büschen und Hallen
Jäh verstummen die wohllautquellenden Nachtigallen.
»Blut!« — In fernen Bergen blonde Barbaren, wild
    lachende Sieger,
Werfen Tauben, in Blut getaucht, hinaus in die Nacht:
                      Normannenkrieger!

Im Nachtzug

502

ES poltert der Zug durch die Mondscheinnacht.
  Die Räder dröhnen und rasen.
Still sitz' ich im Polster und halte die Wacht
Unter sieben schnarchenden Nasen.
Die Lampe flackert und zittert und zuckt,
Und der Wagen rasselt und rüttelt und ruckt,
Und weit, wie ins Reich der Gespenster,
Weit blick' ich hinaus in das dämmrige Licht,
Und schemenhaft schau' ich mein blasses Gesicht
Im lampenbeschienenen Fenster.

Da rast es nun hin mit dem brausenden Zug,
An Wiesen und Wäldern vorüber,
Über Mauern, Stakete und Zäune im Flug,
Und trüber blickt es und trüber.
Und jetzo, wahrhaftig, ich täusche mich nicht,
Jetzt rollen über mein Schattengesicht
Zwei schwere und leuchtende Tränen.
Und tief in der Brust mir, da klingt es und singt's,
Und fiebernd das Herz und die Pulse durchdringt's —
Ein wildes, ein brennendes Sehnen.

Ein Sehnen hinaus in das Mondscheinreich,
Das fliegend die Drähte durchschneiden.
Sie tauchen hernieder und steigen zugleich,
Vom Zauber der Nacht mich zu scheiden.
Doch ich blicke hinaus, und das Herz wird mir weit,
Und ich lulle mich ein in die selige Zeit,
Wo nächtlich tanzte am Weiher
Auf Mondlichtstrahlen die Elfenmaid,
Dazu ihr von minniger Wonne und Leid
Der Elfe spielte die Leier.

Der Elfe, er spielte die Leier so schön,
Die Gräslein, sie mußten ihm lauschen.
Der Mühlbach, im Sturze, hielt an und blieb stehn,
Vergessend sein eigenes Rauschen.
Maiblumen und Rotklee weineten Tau,
Und wonnige Schauer durchbebten die Au,
Und Sänger lauschten im Haine;
Sie lauschten und lernten vom Elfen gar viel
Und stimmten ihr duftendes Saitenspiel
So zaubrisch, so rein wie das seine.

Vorüber, vorüber im sausenden Takt.
Kein Zauber nimmt dich gefangen,
Der du schwindelhoch über den Katarakt
Und tief durch die Berge gegangen.
Du rasender Pulsschlag der fiebernden Welt;
Du Dämon, der in den Armen mich hält
Und trägt zu entlegener Ferne!
Ich bliebe so gerne im Mondenschein
Und lauschte so gern vergessen allein
Der Zwiesprach seliger Sterne!

Rauchmassen umwölken das traumhafte Bild
Und schlingen weißwogende Reigen.
Doch unter mir stampft es und schmettert es wild,
Und unter mir will es nicht schweigen.
Es klingt wie ein Ächzen, es rieselt wie Schweiß,
Als schleppten Kyklopen hin über das Gleis
Den Zug mit ehernen Armen.
Und wie ich noch lausche, beklommen und bang,
Da wird aus dem Tönegewirr ein Gesang
Zum Grauen zugleich und Erbarmen.

»Wir tragen euch hin durch die duftende Nacht,
Mit triefenden Wangen und Brüsten,
Wir haben euch güldene Häuser gemacht,
Indessen wie Geier wir nisten.
Wir schaffen euch Kleider.   Wir backen euch Brot.
Ihr schafft uns den grinsenden, winselnden Tod.
Wir wollen die Ketten zerbrechen.
Uns dürstet, uns dürstet nach euerm Gut!
Uns dürstet, uns dürstet nach euerm Blut!
Wir wollen uns retten — ! uns rächen!

Wohl sind wir ein rauhes, blutdürstend Geschlecht
Mit schwieligen Händen und Herzen.
Doch gebt uns zum Leben, zum Sterben ein Recht
Und nehmt uns die Last unsrer Schmerzen!
Ja, könnten wir atmen, im keuchenden Lauf
Nur einmal erquickend, tief innerlich auf,
So, weil du den Elfen bewundert,
So sängen wir dir, mit Donnergetön,
Das Lied, so finster und doch so schön,
Das Lied von unserm Jahrhundert!

Willst lernen, Poetlein, das heilige Lied,
So lausche dem Platzen der Minen,
So meide das schläfrige, tändelnde Ried
Und folge dem Gang der Maschinen;
Beachte den Funken im singenden Draht,
Des Schiffes schwindelnden Wolkenpfad,
Und weiter, o beuge dich nieder
Zum Herzen der Armen, mitleidig und mild,
Und was es dir zitternd und weinend enthüllt,
Ersteh' es in Tönen dir wieder! «

Es poltert der Zug durch die Mondscheinnacht.
Die Räder dröhnen und rasen.
Still sitz' ich im Polster und halte die Wacht
Unter sieben schnarchenden Nasen.
Die Lampe flackert und zittert und zuckt,
Und der Wagen rasselt und rüttelt und ruckt,
Und tief aus dem Chaos der Töne,
Da quillt es, da drängt es, da perlt es empor
Wie Hymnengesänge bezaubernd mein Ohr
In erdenverklärender Schöne.

Und leise auf schwillt es und ebbend verhallt's
Im schmetternden Eisengeklirre.
Und wieder erwacht es, und himmelauf wallt's
Hervor aus dem Tönegewirre.
Und immer von neuem versinkt es und steigt's.
Und endlich verweht's im Tumulte und schweigt's
Und läßt mir ein heißes Begehren,
Das sinneberückende Zaubergetön
Von himmlischen Lenzen auf irdischen Höhn
Zu Ende, zu Ende zu hören.

503 *Die Lüfte grollen schwere Düsternisse*

DIE Lüfte grollen schwere Düsternisse.
Voll rauscht die Milch der Berge durch die Schlünde.
Erhab'nes murren dunkle Wolkenmünde,
Und bleich und tropfend duftet die Narzisse.

Ich harre, was ein Leuchten mir verkünde:
Ob tot im Licht, von eines Cherubs Schwinge? —
Verstummen, oder daß ich neu erklinge
Im Jubelchor erfrischter Wiesengründe? —

Da, aus Erstickungs-Nächten frei gerungen,
Beginnt ein Tanz! glanzfiebernd drängt der Himmel
Sich in der Erde kranke Dämmerungen.

Das Ohr erbebt vom Götter-Kampf-Getümmel,
Doch dann, von goldnen Fäusten aufgerissen,
Klafft weit ein Spalt: mich blendet Lichtgewimmel,

Und Freude bricht aus allen Finsternissen.

ARNO HOLZ

geb. 1863

504 *So einer war auch er!*

LIEGT ein Dörflein mitten im Walde,
Überdeckt vom Sonnenschein,
Und vor dem letzten Haus an der Halde
Sitzt ein steinalt Mütterlein.
    Sie läßt den Faden gleiten
    Und Spinnrad Spinnrad sein
    Und denkt an die alten Zeiten
    Und nickt und schlummert ein.

Heimlich schleicht sich die Mittagstille
Durch das flimmernde grüne Revier.
Alles schläft; selbst Drossel und Grille
Und vorm Pflug der müde Stier.
    Da plötzlich kommt es gezogen
    Blitzend den Wald entlang
    Und vor ihm hergeflogen
    Trommel- und Pfeifenklang.

Und in das Lied vom alten Blücher
Jauchzen die Dörfler : » Sie sind da ! «
Und die Mädels schwenken die Tücher
Und die Jungens rufen : » Hurra ! «
    Gott schütze die goldenen Saaten,
    Dazu die weite Welt ;
    Des Kaisers junge Soldaten
    Ziehn wieder ins grüne Feld !

Sieh, schon schwenken sie um die Halde,
Wo das letzte der Häuschen lacht.
Schon verschwinden die ersten im Walde,
Und das Mütterchen ist erwacht.

 Versunken in tiefes Sinnen,
 Wird ihr das Herz so schwer,
 Und ihre Tränen rinnen :
 » So einer war auch er ! «

RICHARD DEHMEL

1863-1920

505 *Anno Domini 1812*

ÜBER Rußlands Leichenwüstenei
Faltet hoch die Nacht die blassen Hände ;
Funkeläugig durch die weiße, weite,
Kalte Stille starrt die Nacht und lauscht.
Schrill kommt ein Geläute.

Dumpf ein Stampfen von Hufen, fahl flatternder Reif ;
Ein Schlitten knirscht, die Kufe pflügt
Stiebende Furchen, die Peitsche pfeift,
Es dampfen die Pferde, Atem fliegt,
Flimmernd zittern die Birken.

» Du, was hörtest du von — Bonaparte ? «
Und der Bauer horcht und will's nicht glauben,
Daß da hinter ihm der steinern starre
Fremdling mit den harten Lippen
Worte so voll Trauer sprach.

Antwort sucht der Alte, sucht und stockt,
Stockt und staunt mit frommer Furchtgeberde:
Aus dem Wolkensaum der Erde,
Brandrot aus dem schwarzen Saum,
Taucht das Horn des Mondes hoch.

Düster wie von Blutschnee glimmt die lange Straße,
Wie von Blutfrost perlt es in den Birken,
Wie von Blut umtropft sitzt Der im Schlitten.
»Mensch, was sagt man von dem großen Kaiser?!«
Düster schrillt das Geläute.

Die Glocken rasseln; es klingt, es klagt;
Der Bauer horcht, hohl rauscht's im Schnee.
Und schwer nun, feiervoll und sacht,
Wie uralt Lied so stark und weh
Tönt sein Wort ins Öde:

»Groß am Himmel stand die schwarze Wolke,
Fressen wollte sie den heiligen Mond;
Doch der heilige Mond steht noch am Himmel,
Und zerstoben ist die schwarze Wolke.
Volk, was weinst du?

Trieb ein stolzer kalter Sturm die Wolke,
Fressen sollte sie die stillen Sterne.
Aber ewig blühn die stillen Sterne;
Nur die Wolke hat der Sturm zerrissen,
Und den Sturm verschlingt die Ferne.

Und es war ein großes schwarzes Heer,
Und es war ein stolzer kalter Kaiser.
Aber unser Mütterchen, das heilige Rußland,
Hat viel tausend tausend stille warme Herzen;
Ewig, ewig blüht das Volk.«

Hohl verschluckt der Mund der Nacht die Laute,
Dumpfhin rauschen die Hufe, die Glocken wimmern;
Auf den kahlen Birken flimmert
Rot der Reif, der mondbetaute.
Den Kaiser schauert.

Durch die leere Ebne irrt sein Blick:
Über Rußlands Leichenwüstenei
Faltet hoch die Nacht die blassen Hände,
Glänzt der dunkelrot gekrümmte Mond,
Eine blutige Sichel Gottes.

506   *Drohende Aussicht*

DER Himmel kreist, dir schwankt das Land,
Vom Schnellzug hin und her geschüttelt
Saust Ackerrand um Ackerrand,
Ein Frösteln hat dich wachgerüttelt;
Die Morgensonne kommt.

Mühsam entstiebt dem Nebelzelt
Ein Krähnvolk, herbstlich abgemagert,
Indes sich dick aufs Düngerfeld
Der Frührauch der Fabriken lagert;
Die Morgensonne kommt.

Schwarz schiebt sich durch den grauen Flor
Ein langer Zug von Schlackenbergen,
Schornstein an Schornstein schnellt empor,
Schreckhafte Hüter neben Särgen;
Die Morgensonne kommt.

Vom Horizont her nahn mit Hast
Und einen sich zwei Straßendämme,
Von Apfelbäumen eingefaßt,
Schon blaß beglänzt die knorrigen Stämme;
Die Morgensonne kommt.

Jach folgt zum andern Himmelssaum
Dein Blick den fruchtberaubten Zweigen,
Und plötzlich siehst du Baum an Baum
Sein brandrot glühendes Laub dir zeigen:
Der Tag ist da!

507   *Die stille Stadt*

LIEGT eine Stadt im Tale,
Ein blasser Tag vergeht;
Es wird nicht lange dauern mehr,
Bis weder Mond noch Sterne,
Nur Nacht am Himmel steht.

Von allen Bergen drücken
Nebel auf die Stadt;
Es dringt kein Dach, nicht Hof noch Haus,
Kein Laut aus ihrem Rauch heraus,
Kaum Türme noch und Brücken.

Doch als dem Wandrer graute,
Da ging ein Lichtlein auf im Grund;
Und durch den Rauch und Nebel
Begann ein leiser Lobgesang,
Aus Kindermund.

508   *Das große Karussell*

(*Kinderlied*)

IM Himmel ist ein Karussell,
Das dreht sich Tag und Nacht.
Es dreht sich wie im Traum so schnell,
Wir sehn es nicht, es ist zu hell
Aus lauter Licht gemacht;
Still, mein Wildfang, gib Acht!

Gib Acht, es dreht die Sterne, du,
Im ganzen Himmelsraum.
Es dreht die Sterne ohne Ruh
Und macht Musik, Musik dazu,
So fein, wir hören's kaum;
Wir hören's nur im Traum.

Im Traum, da hören wir's von fern,
Von fern im Himmel hell.
Drum träumt mein Wildfang gar so gern.
Wir drehn uns mit auf einem Stern;
Es geht uns nicht zu schnell,
Das große Karussell.

509   *Vergißmeinnicht*

VERGISSMEINNICHT in einer Waffenschmiede —
Was haben die hier zu tun?
Sollte heimlich der Friede
Hinterm Hause am Bache ruhn?

Laut hallen die Hämmer in hartem Takt:
Angepackt, angepackt,
Die Arbeit muß zu Ende!
Und das Eisen glüht, und das Wasser zischt;
Und wenn der Schwalch die Flamme auffrischt,
Glänzen die schwarzen Hände.

Aber manchmal blickt ein rußig Gesicht
Still nach dem himmelblau blühenden Strauß.
Dann scheint's, eine Stimme singt hinterm Haus:
Vergiß mein nicht! —

510   *Morgenandacht*

SEHNSUCHT hat mich früh geweckt;
Wo die alten Eichen rauschen,
Hier am Waldrand hingestreckt
Will ich dich, Natur, belauschen.

Jeder Halm ist wie erwacht;
Grüner scheint das Feld zu leben,
Wenn im kühlen Tau der Nacht
Warm die ersten Strahlen beben.

Wie die Fülle mich beengt!
So viel Großes! so viel Kleines!
Wie es sich zusammendrängt
In ein übermächtig Eines!

Wie der Wind im Hafer surrt,
Tief im Gras die Grillen klingen,
Hoch im Holz die Taube gurrt,
Wie die Blätter alle schwingen.

Wie die Bienen taumelnd sammeln
Und die Käfer lautlos schlüpfen —
O Natur! was soll mein Stammeln,
Seh' ich all das Dich verknüpfen:

Wie es mir ins Innre dringt,
All das Große, all das Kleine,
Wie's mit mir zusammenklingt
In das übermächtig Eine!

511 *Manche Nacht*

WENN die Felder sich verdunkeln,
Fühl' ich, wird mein Auge heller;
Schon versucht ein Stern zu funkeln,
Und die Grillen wispern schneller.

Jeder Laut wird bilderreicher,
Das Gewohnte sonderbarer,
Hinterm Wald der Himmel bleicher,
Jeder Wipfel hebt sich klarer.

Und du merkst es nicht im Schreiten,
Wie das Licht verhundertfältigt
Sich entringt den Dunkelheiten.
Plötzlich stehst du überwältigt.

512 *Der Stieglitz*

DIE Sonne sticht; ein Distelfeld
Blitzt durch die stille Mittagswelt.
Im starrgezackten Blättermeer
Glühn purpurlockig kreuz und quer
Die Blütenköpfe.

Und durch den eisengrauen Busch :
Ein bunter Vogel, hupp, hup husch,
Hüpft durch das wilde Staudenheer,
Als ob es ohne Stacheln wär' :
Ein junger Stieglitz.

Wie wirr! wie wunderlich geschweift!
Ein leichtes Lüftchen kommt und greift
Von Blütenspeer zu Blütenspeer
Und wirft die Schatten hin und her;
Weg ist der Stieglitz.

Nun will ich stille weitergehn
Und mir die sonnige Welt besehn.
Und durch das Leben kreuz und quer,
Als ob es ohne Stacheln wär' :
Das liebe Leben.

513 *Wellentanzlied*

ICH warf eine Rose ins Meer,
Eine blühende Rose ins grüne Meer.
Und weil die Sonne schien, Sonne schien,
Sprang das Licht hinterher,
Mit hundert zitternden Zehen hinterher.
Als die erste Welle kam,
Wollte die Rose, meine Rose, ertrinken.
Als die zweite sie sanft auf ihre Schultern nahm,
Mußte das Licht, das Licht ihr zu Füßen sinken.
Da faßte die dritte sie am Saum,

514

Und das Licht sprang hoch, zitternd hoch, wie zur Wehr;
Aber hundert tanzende Blütenblätter
Wiegten sich rot, rot, rot um mich her,
Und es tanzte mein Boot,
Und mein Schatten auf dem Schaum,
Und das grüne Meer, das Meer! —

514 *Befreit*

DU wirst nicht weinen.   Leise, leise
Wirst du lächeln; und wie zur Reise
Geb' ich dir Blick und Kuß zurück.
Unsre lieben vier Wände!   Du hast sie bereitet,
Ich habe sie dir zur Welt geweitet —
O Glück!

Dann wirst du heiß meine Hände fassen
Und wirst mir deine Seele lassen,
Läßt unsern Kindern mich zurück.
Du schenktest mir dein ganzes Leben,
Ich will es ihnen wiedergeben —
O Glück!

Es wird sehr bald sein, wir wissen's beide.
Wir haben einander befreit vom Leide;
So geb' ich dich der Welt zurück.
Dann wirst du mir nur noch im Traum erscheinen
Und mich segnen und mit mir weinen —
O Glück!

Die Harfe

UNRUHIG steht der hohe Kiefernforst;
Die Wolken wälzen sich von Ost nach Westen.
Lautlos und hastig ziehn die Krähn zu Horst;
Dumpf tönt die Waldung aus den braunen Ästen,
Und dumpfer tönt mein Schritt.

Hier über diese Hügel ging ich schon,
Als ich noch nicht den Sturm der Sehnsucht kannte,
Noch nicht bei euerm urweltlichen Ton
Die Arme hob und ins Erhabne spannte,
Ihr Riesenstämme rings.

In großen Zwischenräumen, kaum bewegt,
Erheben sich die graugewordnen Schäfte;
Durch ihre grüngebliebnen Kronen fegt
Die Wucht der lauten und verhaltnen Kräfte
Wie damals.

Und Eine steht, wie eines Erdgotts Hand
In fünf gewaltige Finger hochgespalten;
Die glänzt noch goldbraun bis zum Wurzelstand
Und langt noch höher als die starren alten
Einsamen Stämme.

Durch die fünf Finger geht ein zäher Kampf,
Als wollten sie sich aneinanderzwängen;
Durch ihre Kuppen wühlt und spielt ein Krampf,
Als rissen sie mit Inbrunst an den Strängen
Einer verwunschnen Harfe.

Und von der Harfe kommt ein Himmelston
Und pflanzt sich mächtig fort von Ost nach Westen.
Den kenn' ich tief seit meiner Jugend schon:
Dumpf tönt die Waldung aus den braunen Ästen:
Komm, Sturm, erhöre mich!

Wie hab' ich mich nach einer Hand gesehnt,
Die mächtig ganz in meine würde passen!
Wie hab' ich mir die Finger wund gedehnt!
Die ganze Hand, die konnte niemand fassen!
Da ballt' ich sie zur Faust.

Ich habe mit Inbrünsten jeder Art
Mich zwischen Gott und Tier herumgeschlagen.
Ich steh' und prüfe die bestandne Fahrt:
Nur Eine Inbrunst läßt sich treu ertragen:
Zur ganzen Welt.

Komm, Sturm der Allmacht, schüttel den starren Forst!
Schüttelst auch mich, du urweltliches Treiben.
In scheuen Haufen ziehn die Krähn zu Horst.
Gib mir die Kraft, einsam zu bleiben,
Welt! —

516 *Nach einem Regen*

SIEH, der Himmel wird blau;
Die Schwalben jagen sich
Wie Fische über den nassen Birken.
Und du willst weinen?

In deiner Seele werden bald
Die blanken Bäume und blauer Vögel
Ein goldnes Bild sein.
Und du weinst?

Mit meinen Augen
Seh' ich in deinen
Zwei kleine Sonnen.
Und du lächelst.

geb. 1864

517   *Vergangenheit*

WOHIN wandert' ich, des Wegs vergessen?
    Staunend seh' ich ragende Cypressen,
Sanft bewegt nach süßer Melodie.
Hier, von keinem Atemzug gehoben,
Schläft ein dunkler Teich, und florumwoben
Dran ein Weib, den Arm gestützt aufs Knie.

Fremde Frau, wie muß ich dich begrüßen?
Wen betrauerst du mit deiner süßen,
Wunderbaren Augen feuchtem Schein?
»Ewig, ewig, seit das Sein voll Wunden
Sich dem grauenvollen Nichts entwunden,
Sitz' ich hier, dem Leben fern, allein.

Unsichtbare Schatten mich umgeben,
Längst erstorbne Töne mich umschweben,
Wandrer; denn ich bin Vergangenheit.
Jenem Gast, den ich zuerst empfangen,
Da der Tag des Lebens aufgegangen,
Folgt ein unabsehbares Geleit.

Horch dem Rauschen dieser Trauerbäume!
Töne sind's verschollner Lebensträume,
Mir verfallen ohne Wiederkehr.
Diese unbewegten Wellen bergen
Ausgelöschtes Licht in schwarzen Särgen,
Und kein Sterblicher erblickt es mehr.

Alles, was sich einst der Sonne freute,
Fällt mir zu, das Morgen wie das Heute,
Und kein Gott beschwört es je zurück.
Sinken muß es in mein ew'ges Schweigen,
Ihm vorüber tanzt der Stunden Reigen
Und verteilt an andre Weh und Glück.«

518 *Ankunft im Hades*

IN des Hades Grüfte trat ein neuer Gast.
»Sei, Genosse, uns willkommen!
Sprich, was du vernommen
Auf der schönen Erde hast.

Sprich uns von der vielgeliebten Sonne Glanz
Und von rosenroten Wangen;
Sag, ob fröhlich schwangen
Kleine Mücken den geschwinden Tanz.

Sahst du Liebchen Hand in Hand beim Abendmond?
Über unsern Leichensteinen
Sahst du uns beweinen
Jene Schar, die froh im Lichte wohnt?

Ihnen strömt der Tränen holder Tau,
Der befreit und löst die Schmerzen,
Wie das Eis im Märzen
Frühlingswinde wonnevoll und lau.«—

»Lenz war droben, da von dannen ich gemußt.
Mit hinab in eure Grüfte
Nahm ich Veilchendüfte:
Diesen vollen Strauß an meiner Brust.«—

Seht, da ruhn die Danaiden; von der Qual
Muß auch Tantalus sich wenden;
Jäh aus müß'gen Händen
Stürzt der Stein des Sisyphus zu Tal.

519   *Tod Sämann*

DURCH ein wallend Korngefilde schreitend
Sah ich, wie ein Mann die Ähren mähte;
Aus der freien Linken aber gleitend
Sah ich Körner, die er wieder säte.
Seltsam war ein Schnitter mir erschienen,
Der zugleich das Feld mit Samen segnet;
Da erkannt' ich seine ernsten Mienen:
Sieh, es war der Tod, dem ich begegnet.

520   *Erinnerung*

EINMAL vor manchem Jahre
War ich ein Baum am Bergesrand,
Und meine Birkenhaare
Kämmte der Mond mit weißer Hand.

Hoch überm Abgrund hing ich
Windbewegt auf schroffem Stein,
Tanzende Wolken fing ich
Mir als vergänglich Spielzeug ein.

Fühlte nichts im Gemüte
Weder von Wonne noch von Leid,
Rauschte, verwelkte, blühte,
In meinem Schatten schlief die Zeit.

521   *Musik bewegt mich*

MUSIK bewegt mich, daß ich dein gedenke.
So will auch Meer und Wolke, Berg und Stern,
Wie anderer Art als du, dir noch so fern,
Daß ich zu dir das Herz voll Andacht lenke.
Kein edles Bild, das nicht mein Auge zwinge
Von dir zu träumen, kein beseelter Reim,
Der nicht zu dir Erinnern führe heim —
Geschwister sind sich alle schönen Dinge.

CÄSAR FLAISCHLEN   1864-1920

522   *Hab Sonne im Herzen!*

HAB Sonne im Herzen,
Ob's stürmt oder schneit,
Ob der Himmel voll Wolken,
Die Erde voll Streit . . .
Hab Sonne im Herzen,
Dann komme was mag:
Das leuchtet voll Licht dir
Den dunkelsten Tag!

Hab ein Lied auf den Lippen
Mit fröhlichem Klang,
Und macht auch des Alltags
Gedränge dich bang . . .
Hab ein Lied auf den Lippen,
Dann komme was mag:
Das hilft dir verwinden
Den einsamsten Tag!

Hab ein Wort auch für andre
In Sorg' und in Pein
Und sag, was dich selber
So frohgemut läßt sein:
Hab ein Lied auf den Lippen,
Verlier nie den Mut,
Hab Sonne im Herzen,
Und alles wird gut!

523   *Im Kahn*

SCHAUKELT weiter mich, ihr Wellen! . . . schaukelt
weiter mich, ihr Winde . . . durch die wunderbare Ruhe dieser lichten Einsamkeit . . . leise, leise
wiegt mich weiter
        in die Ferne
        zu den stillen, weißen Wolken, die den Horizont
            umklimmen . . .
    Tragt mich fort, wohin ihr wollt!

    Immer mehr versinkt die Küste mit dem
Strand und mit den Bergen . . . alles wird zu
blauem Glanz . . .
    Selig lieg' ich auf dem Rücken, horche auf die
Ammenlieder, die mir Wind und Wellen singen . . .
falte langsam meine Hände . . . schließe lächelnd
meine Augen und verträume in den Himmel
    wie ein Kind in stiller Wiege . . .
        Meine Mutter ist die Sonne . . .
        .   .   .   .
        Meine Mutter ist die Sonne,
        und ich weiß, sie hat mich lieb!

524 *So regnet es sich langsam ein*

SO regnet es sich langsam ein
und immer kürzer wird der Tag und
immer seltener der Sonnenschein . . .

Ich sah am Waldrand gestern ein paar
Rosen stehn . . .
Gib mir die Hand und komm . . . wir wollen
sie uns pflücken gehn . . .

Es werden wohl die letzten sein!

ANNA RITTER

1865-1921

525 *Das Ringlein sprang entzwei*

ES geht ein Liedchen im Volke,
Die Mädchen singen's zur Nacht,
Wenn unter den flüsternden Halmen
Im Felde die Sehnsucht erwacht.

Das Lied vom zerbrochenen Ringlein
Und von der Mühle im Grund,
Die Wasser wogten und rauschten,
Dem Burschen war gar so wund.

Ich sang's so oft mit den andern,
Nun schleich' ich mich leise vorbei
Und berge das Haupt in den Händen:
» Das Ringlein sprang entzwei. «

526 *Abendlied*

DIE Nacht ist nieder gangen,
Die schwarzen Schleier hangen
Nun über Busch und Haus.
Leis rauscht es in den Buchen,
Die letzten Winde suchen
Die vollsten Wipfel sich zum Neste aus.

Noch einmal leis ein Wehen,
Dann bleibt der Atem stehen
Der müden, müden Welt.
Nur noch ein zages Beben
Fühl' durch die Nacht ich schweben,
Auf die der Friede seine Hände hält.

527 *Oft in der stillen Nacht*

OFT in der stillen Nacht,
Wenn zag der Atem geht
Und sichelblank der Mond
Am schwarzen Himmel steht,

Wenn alles ruhig ist
Und kein Begehren schreit,
Führt meine Seele mich
In Kindeslande weit.

Dann seh' ich, wie ich schritt
Unfest mit Füßen klein,
Und seh' mein Kindesaug'
Und seh' die Hände mein,

Und höre meinen Mund,
Wie lauter klar er sprach,
Und senke meinen Kopf
Und denk' mein Leben nach.

* Bist du, bist du allweg
Gegangen also rein,
Wie du gegangen bist
Auf Kindes Füßen klein?

Hast du, hast du allweg
Gesprochen also klar
Wie einsten deines Munds
Lautleise Stimme war?

Sahst du, sahst du allweg
So klar ins Angesicht
Der Sonne, wie dereinst
Der Kindesaugen Licht?

Ich blicke, Sichel, auf
Zu deiner weißen Pracht;
Tief, tief bin ich betrübt
Oft in der stillen Nacht.

HUGO SALUS

geb. 1866

528   *Kammermusik*

DER Apotheker, der Kaufmann, der Arzt und der Richter,
Es sind immer wieder dieselben Gesichter;
So eine Kleinstadt, es ist ein Graus,
Gott gebe, ich wäre schon wieder heraus.

Aber am Sonntag lädt der Herr Richter
» Auf einen Löffel Suppe « den Großstadtdichter.
Der Apotheker, der Kaufmann, der Arzt, die drei
Sind natürlich auch dabei.

Das Essen ist gut, da ist nichts zu sagen,
Ihr Minister des Innern ist eben der Magen.
Und der Wein nicht übel; nun ja, man spürt,
Man hat eben in der Hauptstadt studiert.

Dann spricht man und raucht; es geschieht auch zuweilen,
Daß Minuten ohne Gespräch enteilen.
Dann spricht man wieder, und dann, auf Ehr,
Bringt die Hausfrau Notenständer her.

Und dann, da ich seufze: » Es ist nicht zu ändern! «
Sitzen die Alten schon vor ihren Ständern,
Ein jeder den Fiedelbogen nimmt,
Zwei Geigen, Viola und Cello. » Es stimmt. «

Und sie spielen. Beethoven. Erst etwas befangen;
Dann steigen Flämmlein in ihre Wangen,
Und herrlich durch das Zimmer ziehn
Die unendlichen, mächtigen Melodien.

Ich sitze und lausche, aufs tiefste erschüttert;
Mein Herz wird mild, und die Seele erzittert.
Der Flügelschlag der Kunst durchrauscht
Die Luft, der fromm die Seele lauscht.

Mir wird, versunken im Anblick der Alten,
Als müßt' zum Gebet ich die Hände falten:
O Himmel, im Alter bewahre auch mir
Die Freude am Schönen wie diesen hier!

ERNST ZAHN

geb. 1867

529 *Schaffensfreude*

UND wiederum der goldne Morgenschein!
Wie Feuer flammt's in mein Gemach herein.
Die Firne glühn, das stille Tal erwacht.
Nun naht der junge Tag und lockt und lacht,
Da fühl' ich's neu durch schlaffe Adern fluten,
Und Flammen sprühn aus müder Seele Gluten.

Die beiden Arme sind mir jäh gestrafft,
Weit dehnt die Brust sich und in Jugendkraft,
Die Stirn ist frei. Mein Gott, ich danke dir!
Ein Siegerglaube lebt und drängt in mir.
Strahle, du Morgenschein, in tausend Blitzen,
Leuchte, du junger Tag, ich will dich nützen!

MAX DAUTHENDEY

1867–1918

530 *Drinnen im Strauß*

DER Abendhimmel leuchtet wie ein Blumenstrauß,
Wie rosige Wicken und rosa Klee sehen die Wolken aus.
Den Strauß umschließen die grünen Bäume und Wiesen,
Und leicht schwebt über der goldenen Helle
Des Mondes Sichel wie eine silberne Libelle.
Die Menschen aber gehen versunken tief drinnen im Strauß,
Wie die Käfer trunken und finden nicht mehr heraus.

531 Der Tag legt endlich die Krone ab

DER Tag legt endlich die Krone ab,
Groß und mächtig wächst jeder Baum,
Sehnsucht tritt an der Wipfel Saum,
Und Seufzer fallen von Wolken herab.
Die Blätter hängen wie Stein bei Stein,
Nachtwinde schläfern die Erde ein.
Wem ein Seufzer fiel in den Schoß,
Den lassen die Tränen nicht mehr allein,
Den läßt die Dunkelheit nicht mehr los.
Dem wandern die Füße rastlos fort,
Sein Mund spricht manches begrabene Wort,
Die Nacht hängt als Schleppe an seinem Kleid,
Bis ihn ein Herz von dem Seufzer befreit

532 Meine Liebste ist mit Lächeln

MEINE Liebste ist mit Lächeln
Durch die Dornen hingegangen,
Und an allen wilden Dornen
Hat ein Blühen angefangen.
Sie hat Rosen angezündet,
Eine blieb am Rock mir hangen
Und blieb dicht an meinem Herzen
Bangrot wie der Liebsten Wangen.

533 *In den Spiegeln da beschauen*

IN den Spiegeln da beschauen
Sich zwei Äuglein, die sich freuen.
Mitten in den treuen Augen
Möcht' ich's Bild dort scharf und klein,
Tief in den Pupillen sein.

534 *Komm heim!*

KOMM heim, komm heim, ich kann's nicht erwarten,
Schon schließt der Abend die Blumen im Garten,
Schon wird der Boden zu Füßen mir rot;
Die letzte Flamme der Sonne verloht.
Die Bäume erschrecken, der Wind geht nach Haus,
Meine Gedanken strecken sich nach dir aus.

535 *Des Abends die Schwalben*

DES Abends die Schwalben am Himmel hinschießen,
Sie müssen zur Nachtzeit den Mond aufschließen,
Sie eilen hinauf ans kalkweiße Tor
Und heben den pfeifenden Riegel empor.
Da kommen Verliebten die Träume heraus,
Die Schwalben tragen sie ihnen ins Haus.
Das Mondtor steht offen die ganze Nacht,
Bis jeder Traum sein Glück gemacht.

RUDOLF BINDING

geb. 1867

536 *Frühlingsritt*

MIT einem Zweig von Blüten schwer
Und schwer von Morgentau
Schlag' ich an deine Fensterwehr,
Du allerschönste Frau.

Und hoch im Bügel heb' ich mich
Und schwinge meinen Zweig.
Da regnen Blüten über dich
Und über mich zugleich.

Hinaus, hinaus! Zu Pferd, zu Pferde!
Da halt' ein andrer Ruh!
Im Blühen steht die ganze Erde;
Gehörest auch dazu.

Schon scharrt und wiehert hell dein Hengst —
Der Zügel hält ihn kaum.
Das Heute winkt. Dahinter längst
Liegt Gestern, Nacht und Traum.

Du trittst heraus und nickst zum Gruß;
Ein Lachen blitzt hervor.
Auf meiner Hand dein leichter Fuß,
So schwingst du dich empor.

Das Land fliegt hinter uns zurück
Und vor uns tut sich's auf.
Wir reiten!—Überall ist Glück,
Wohin trägt Rosseslauf.

537 *Ritt über das Schlachtfeld*

WIE von erstorbenem Sterne
Haucht es mich traurig an.
Langsam entweichende Ferne
Zieht mir schwerfüßig voran.

Nicht Tier, nicht Mensch. Kein Geschöpflein.
Drahtgewölk hängt überm Sand,
Rost und Brache. Kein Tröpflein
Freude rinnt durch das Land.

Stumm reite ich und erschaure
Und weiß nicht, wie's mag geschehn,
Daß über alle die Trauer
Die Jahreszeiten gehn.

538 *Orpheus*

PANTHER schmeicheln sich zu seinen Füßen,
Winde nahen in unendlich süßen
Wehen seiner Stirn.

Adler fächeln liebend seine Wangen.
Berge zittern leis. Ihn zu empfangen
Glühet jeder Firn.

Menschen stehen wie erlöste Büßer,
Und der Weltenmelodien süßer
Einklang rauscht im Baum.

Die sich lieben sehn sich an in Tränen,
Und in einem ungeheuren Sehnen
Endlos schwingt der Raum.

539 *Abend*

DER hügel wo wir wandeln liegt im schatten ·
Indeß der drüben noch im lichte webt
Der mond auf seinen zarten grünen matten
Nur erst als kleine weiße wolke schwebt.

Die straßen weithin-deutend werden blasser ·
Den wandrern bietet ein gelispel halt ·
Ist es vom berg ein unsichtbares wasser
Ist es ein vogel der sein schlaflied lallt?

Der dunkelfalter zwei die sich verfrühten
Verfolgen sich von halm zu halm im scherz . .
Der rain bereitet aus gesträuch und blüten
Den duft des abends für gedämpften schmerz.

540 *Komm in den totgesagten Park*

KOMM in den totgesagten park und schau:
Der schimmer ferner lächelnder gestade ·
Der reinen wolken unverhofftes blau
Erhellt die weiher und die bunten pfade.

Dort nimm das tiefe gelb · das weiche grau
Von birken und von buchs · der wind ist lau ·
Die späten rosen welkten noch nicht ganz ·
Erlese küsse sie und flicht den kranz ·

Vergiß auch diese lezten astern nicht ·
Den purpur um die ranken wilder reben
Und auch was übrig blieb von grünem leben
Verwinde leicht im herbstlichen gesicht.

541 *Wir schreiten auf und ab*

WIR schreiten auf und ab im reichen flitter
  Des buchenganges beinah bis zum tore
Und sehen außen in dem feld vom gitter
Den mandelbaum zum zweitenmal im flore.

Wir suchen nach den schattenfreien bänken
Dort wo uns niemals fremde stimmen scheuchten ·
In träumen unsre arme sich verschränken ·
Wir laben uns am langen milden leuchten.

Wir fühlen dankbar wie zu leisem brausen
Von wipfeln strahlenspuren auf uns tropfen
Und blicken nur und horchen wenn in pausen
Die reifen früchte an den boden klopfen.

542 *Es lacht in dem steigenden Jahr*

ES lacht in dem steigenden jahr dir
  Der duft aus dem garten noch leis.
Flicht in dem flatternden haar dir
Eppich und ehrenpreis.

Die wehende saat ist wie gold noch ·
Vielleicht nicht so hoch mehr und reich ·
Rosen begrüßen dich hold noch ·
Ward auch ihr glanz etwas bleich.

Verschweigen wir was uns verwehrt ist ·
Geloben wir glücklich zu sein
Wenn auch nicht mehr uns beschert ist
Als noch ein rundgang zu zwein.

543   *Der Freund der Fluren*

KURZ vor dem frührot sieht man in den fähren
Ihn schreiten · in der hand die blanke hippe
Und wägend greifen in die vollen ähren
Die gelben körner prüfend mit der lippe.

Dann sieht man zwischen reben ihn mit basten
Die losen binden an die starken schäfte
Die harten grünen herlinge betasten
Und brechen einer ranke überkräfte.

Er schüttelt dann ob er dem wetter trutze
Den jungen baum und mißt der wolken schieben
Er gibt dem liebling einen pfahl zum schutze
Und lächelt ihm dem erste früchte trieben.

Er schöpft und gießt mit einem kürbisnapfe
Er beugt sich oft die quecken auszuharken
Und üppig blühen unter seinem stapfe
Und reifend schwellen um ihn die gemarken.

544   *Jahrestag*

O SCHWESTER nimm den krug aus grauem thon
Begleite mich! denn du vergaßest nicht
Was wir in frommer wiederholung pflegten.
Heut sind es sieben sommer daß wirs hörten
Als wir am brunnen schöpfend uns besprachen:
Uns starb am selben tag der bräutigam.
Wir wollen an der quelle wo zwei pappeln
Mit einer fichte in den wiesen stehn
Im krug aus grauem thone wasser holen.

545 *Der Einsiedel*

INS offne fenster nickten die hollunder
Die ersten reben standen in der bluht ·
Da kam mein sohn zurück vom land der wunder ·
Da hat mein sohn an meiner brust geruht.

Ich ließ mir allen seinen kummer beichten ·
Gekränkten stolz auf seinem erden-ziehn —
Ich hätte ihm so gerne meinen leichten
Und sichern frieden hier bei mir verliehn.

Doch anders fügten es der himmel sorgen —
Sie nahmen nicht mein reiches lösegeld . .
Er ging an einem jungen ruhmes-morgen ·
Ich sah nur fern noch seinen schild im feld.

546 *Dir ein Schloß · dir ein Schrein*

DIR ein schloß · dir ein schrein —
Fülle aller schätze und ihr glanz sei dein!

Dir ein schwert, dir ein speer —
Zarter gunst der schönen sei dein weg nie leer.

Dir kein ruhm · dir kein sold —
Dir allein im liede liebe und gold.

STEFAN GEORGE

547   *Der Jünger*

IHR sprecht von wonnen die ich nicht begehre
In mir die liebe schlägt für meinen Herrn
Ihr kennt allein die süße · ich die hehre ·
Ich lebe meinem hehren Herrn.

Mehr als zu jedem werke eurer gilde
Bin ich geschickt zum werke meines Herrn
Da werd ich gelten · denn mein Herr ist milde
Ich diene meinem milden Herrn.

Ich weiß in dunkle lande führt die reise
Wo viele starben · doch mit meinem Herrn
Trotz ich gefahren · denn mein Herr ist weise
Ich traue meinem weisen Herrn.

Und wenn er allen lohnes mich entblößte:
Mein lohn ist in den blicken meines Herrn.
Sind andre reicher: ist mein Herr der größte
Ich folge meinem größten Herrn.

1872–1918

548 *Schöne Nacht*

SCHÖNE Nacht, Gestirne wandeln
Heilig über dir,
Und des Tags bewegtes Handeln
Stillt zum Traum sich hier.

Was ich sehne, was ich fühle,
Ist nun doppelt mein,
Ach, in deiner keuschen Kühle
Wird es gut und rein!

Und so bringst du diese Erde,
Bringst mein Herz zur Ruh,
Daß es still und stiller werde,
Schöne Nacht, wie du!

549 *Lieber Name*

LIEBER Name, den ich niemals nenne,
Den ich lautlos nur mir selbst bekenne,

Manchmal tönt auf Gassen, Plätzen, Wegen
Mir dein Klang aus fremdem Mund entgegen.

Manchmal auch aus eines Buches Zeilen
Springst du auf und lädst mich zu verweilen.

Aber immer schreck' ich scheu betroffen,
Und mich dünkt, mein Herz läg' jedem offen . . .

550 *In der Reife*

NUN beugt sich das gereifte Korn
Tief in gefüllter Garben Segen,
Und mählich schwillt des Mondes Horn
Schon seinem vollsten Ziel entgegen.

Das ist des Sommers Reifedrang,
Wo Blätter sich und Früchte färben,
Dann naht ein leiser Niedergang,
Ein müder Glanz, ein stilles Sterben.

Denn alles, was sich mehr und mehr
Von Blütezeit und Blust entfernte,
Was überfüllt und früchteschwer,
Es ward auch reif für Tod und Ernte.

Und wenn einst blank die Sicheln nahn,
Wie freudig wollt' auch ich mich schicken,
Könnt' ich am Ende meiner Bahn
Auf Segen rings und Früchte blicken.

551 *Von Erde zu Erde*

VON Erde zu Erde — was soll ich klagen?
Hat doch jedweder dasselbe zu tragen,
Hat doch dazwischen so überviel Segen,
Sonne, Leben und Liebe gelegen.

ALFRED MOMBERT
geb. 1872

552   *Spaziergang*

SIE wandeln durch des Waldes Grün.
Vögel singen und Blumen blühn.

Ein blasser Mann und ein stilles Kind.
Sie schlürfen durstig den Frühlingswind.

Und der Knabe bleibt verwundert stehn:
» Ich glaub', ich kann die Mutter sehn. «

Sie starren in das junge Grün . . .
Vögel singen und Blumen blühn.

LULU VON STRAUSS UND TORNEY
geb. 1873

553   *Hinter den Dünen*

DER Wind, von sprühenden Tropfen naß,
Fuhr pfeifend über das Dünengras,
Die Wolken jagten sich, regenschwer,
Und hinter den Dünen dröhnte das Meer.

Er liegt seitab, wo's zum Leuchtturm geht,
Der Inselfriedhof, im Sand verweht.
Vergeßne Kreuze, zerfallen fast,
Auf morschen Tafeln die Schrift verblaßt.
Grausilbern wuchert die Distel nur
Um eingesunkener Hügel Spur,
Grausilbern flattert mit schrillem Schrei
Die Möwe taumelnd im Sturm vorbei,
Sonst tote Öde nur, weiß und leer,
Und hinter den Dünen dröhnt das Meer.

Stand eine Tafel am Zaune dicht,
Vom Sand verschüttet und schmucklos schlicht.
Zur Seite bog ich das Dünengras
Und las den Namen: Jan Remmen Raß —
Das Sterbejahr und den Tag dabei,
Verwaschner Zeilen noch zwei und drei —
Kaum daß mein Aug' noch die Worte riet:
Das alte gläubige Schifferlied,
Den Schrei versinkender Todesnot
Aus Wogenbranden und schwankendem Boot:
» Christ Kyrie,
Komm zu uns auf die See!«...

Im Fischerdorfe das kleinste Haus
Das sucht' ich müde zum Rasten aus.
Vom Wind zerrissen und mannshoch kaum
Kroch bis ans Dach der Hollunderbaum.
Ein Stübchen drinnen mit Tisch und Bett,
Die alte Bibel im Fensterbrett,
Daneben Nelken und Immergrün,
Am Herd strich schnurrend die Katze hin.
Ein Weib am Feuer, das Netze strickt,
Eisgrau das Haar und die Stirn gebückt. —
Sie hob das Auge, sah scharf mich an
Und schob den Stuhl mir zum Herd heran.
Die Wanduhr tickte. Kein Wort ward laut.
Da sah ich auf:—» Was der Regen braut!
Für Boot und Schiffer ist böse Zeit!
Ihr sorgt wohl auch um den Mann euch heut?«

» Mein Mann?« Sie strich sich das graue Haar.
» Mein Mann ist tot. An die dreißig Jahr!
Die Slup war draußen zum Heringsfang,
Er und zwei andre, vier Tage lang —

Ich weiß das alles wie heute noch.
Die Slup war alt, und die See ging hoch.
Ein Wrack lag früh unterm Westerdeich,
Ich lief zum Strande und kannt' es gleich.
Auf Morgen ging's in der nächsten Nacht,
Da ist er tot mir ins Haus gebracht!«

Sie schlug die Blätter der Bibel um.
Ein Bild dazwischen. Sie gab mir's stumm.
Gefurchte Züge in breitem Bart,
Und scharf das Auge nach Seemannsart.
In steifen Lettern, vergilbt und blaß,
Am Rand der Name: Jan Remmen Raß . . .
»Der hält nun längst auf dem Kirchhof Ruh.«
Die Alte nickte dem Bilde zu,
Ging dann und holte von kahler Wand
Ein anderes Bildchen mit leiser Hand.
»Und hier« — sie sprach es in müdem Ton —
»Dies ist der Junge. Der Jan, mein Sohn!«

Ich sah das Bildchen. Ein junges Blut,
Die Augen lachend von Übermut,
In Knabenlocken das helle Haar.
»Ein hübscher Junge, der Jan, nicht wahr?
Der letzte Brief kam von Rio her.
Nun schläft er draußen im Stillen Meer,
Ihn nahm das Fieber, dem Hafen nah.
Ich weiß, sie warten, die beiden da,
Der eine hier — und der Junge weit.
Für mich ist auch wohl bald Schlafenszeit!«

Sie zog das Netz sich zum Fensterlicht:
»Die alten Augen, die wollen nicht!
Das macht das Weinen. So ist die See,
Sie tut uns wohl, und sie tut uns weh.

Vor dem da droben nur schweigt sie still.
Wir nehmen's hin, wie's der Herrgott will.«
In langem Schweigen erstarb ihr Wort.
Die Wanduhr tickte am Herde fort;
Sacht maß den Takt zu dem Liede sie,
Das um die Fenster der Weststurm schrie.
Der Regen schlug an die Scheiben schwer,
Und hinter den Dünen dröhnte das Meer ...

MARTIN BOELITZ

1874–1918

554 *Schafft und lebt!*

WISSEN, daß die Wälder blühen müssen,
Was die Stürme auch zu Boden rissen,
Ach, und stark und voller Freude sein!
Meine Saat vertrau' ich stolz der Erde,
Und ich glaube, daß sie wachsen werde
Und sich hebe in den Sonnenschein.

Ob ich selbst die reichen Garben binde,
Ob ein andrer ihre Fülle finde,
Soll ich darum stumm und mutlos stehn?
Nehm' sein Werkzeug jeder in die Hände,
Schafft und lebt! und winkt der Tod: zu Ende!
Laßt uns lächelnd ihm entgegengehn!

555 *Heute noch*

HEUTE noch im frohen Frühlingsreihn,
Morgen werd' auch ich gestorben sein,
Irgendwo in braunes Ackerland
Legt mich eines Freundes treue Hand.

542

Zärtlich decken Wurzeln bald mich zu,
Bienen summen durch die goldne Ruh,
Trinkt ein Halm von meiner morschen Kraft,
Wandr' ich mit dem warmen Lebenssaft.

Werde wieder Blatt und Blüte sein,
Leuchte in die Tage still hinein,
Bis sich Korn um Korn in Reife drängt
Und die Erde wieder mich empfängt.

HUGO VON HOFMANNSTHAL

ged. 1874

556 *Vorfrühling*

ES läuft der Frühlingswind
Durch kahle Alleen,
Seltsame Dinge sind
In seinem Wehn.

Er hat sich gewiegt,
Wo Weinen war,
Und hat sich geschmiegt
In zerrüttetes Haar.

Er schüttelte nieder
Akazienblüten
Und kühlte die Glieder,
Die atmend glühten.

Lippen im Lachen
Hat er berührt,
Die weichen und wachen
Fluren durchspürt.

Er glitt durch die Flöte
Als schluchzender Schrei,
An dämmernder Röte
Flog er vorbei.

Er flog mit Schweigen
Durch flüsternde Zimmer
Und löschte im Neigen
Der Ampel Schimmer.

Es läuft der Frühlingswind
Durch kahle Alleen,
Seltsame Dinge sind
In seinem Wehn.

Durch die glatten
Kahlen Alleen
Treibt sein Wehn
Blasse Schatten

Und den Duft,
Den er gebracht,
Von wo er gekommen
Seit gestern Nacht.

557   *Die Beiden*

SIE trug den Becher in der Hand
— Ihr Kinn und Mund gleich seinem Rand —
So leicht und sicher war ihr Gang,
Kein Tropfen aus dem Becher sprang.

So leicht und fest war seine Hand:
Er saß auf einem jungen Pferde,
Und mit nachlässiger Gebärde
Erzwang er, daß es zitternd stand.

Jedoch, wenn er aus ihrer Hand
Den leichten Becher nehmen sollte,
So war es beiden allzu schwer:
Denn beide bebten sie so sehr,
Daß keine Hand die andre fand
Und dunkler Wein am Boden rollte.

558 *Manche freilich . . .*

MANCHE freilich müssen drunten sterben,
Wo die schweren Ruder der Schiffe streifen,
Andre wohnen bei dem Steuer droben,
Kennen Vogelflug und die Länder der Sterne.

Manche liegen immer mit schweren Gliedern
Bei den Wurzeln des verworrenen Lebens,
Andern sind die Stühle gerichtet
Bei den Sibyllen, den Königinnen,
Und da sitzen sie wie zu Hause,
Leichten Hauptes und leichter Hände.

Doch ein Schatten fällt von jenen Leben
In die anderen Leben hinüber,
Und die leichten sind an die schweren
Wie an Luft und Erde gebunden:

Ganz vergessener Völker Müdigkeiten
Kann ich nicht abtun von meinen Lidern,
Noch weghalten von der erschrockenen Seele
Stummes Niederfallen ferner Sterne.

Viele Geschicke weben neben dem meinen,
Durcheinander spielt sie alle das Dasein,
Und mein Teil ist mehr als dieses Lebens
Schlanke Flamme oder schmale Leier.

BÖRRIES VON MÜNCHHAUSEN

geb. 1874

559   *Die Trommel des Ziska*

WEIT in Böhmen herum, herum,
      Klopfen die Trommeln: terum, terum,
Klopfen an Tür, klopfen an Tor,
Klopfen aus Bauern Hussiten hervor,
Klopfen aus Herzen ängstlich und stumm
Mit Groll und Gebrumm
Den Schrei: » Fürs Evangelium! «

Die Trommeln donnern seit sieben Jahren. —
Alle Hände, die in der Ernte waren,
Alle Hände in Böhmen und weit herum,
Herum,
Tragen längst das Schwert zum Trommelgesumm,
Wissen längst: Was hilft's, ob du Hafer baust,
Heut gilt die geschiente Reiterfaust,
Und die Saat der Zeit ist die Kugelsaat,
Und das Schwert ist die Sichel zur Stunde der Mahd,
Und als Ernteglocken gellt Sturmgeläut,
Denn: » Die eiserne Mannszucht, die gilt heut! «
Sagt Ziska.

Ein großer Held, ein grausamer Held,
Der Schatten Gottes auf dieser Welt,
Der doch in guten und bösen Tagen
Mehr Beelzebubs Namen im Munde getragen
Als Kinder im Tag: » Mutter, Mutter! « sagen.
Wohl kämpft' er für Gott und das reine Wort,
Doch der Bruder der Siege war immer der Mord,
Er trug zu Markt die Haut der Soldaten,
Drum konnt' er der eignen auch wohl entraten!

546

Denn als gebleicht sein rostrot Haar,
Und als sein Stündlein kommen war,
Und als sein Herz so flatternd schlug
Wie das Linnen, das droben der Zeltpfahl trug,
Da ließ er rufen die Musika
Und sprach: » Meine Trommler, was dünkt euch da:
Aus meiner Haut, wenn die Seel' entflohn,
Sollt ihr noch hören einen starken Ton,
Sollt gerben daraus ein derbes Fell
Und sollt es spannen aufs Trommelgestell,
Und die eschenen Schlegel tanzen darauf
Und rufen ins Land: 'Zuhauf! Zuhauf!'«

Aus der Ziskatrommel rauscht es und braust:
» Heut gilt die geschiente Reiterfaust!«
Weit summt in die Täler ihr dumpfes Geläut:
» Die eiserne Mannszucht, die gilt heut!«
Ziskas Stimme, wie einst, mit Macht
Wettert durch Böhmen: » Erwacht! Erwacht!
Gott will die Schlacht!«

*　　*　　*

Die über die Dorumer Heiden gehn,
Die friesischen Winde wehen und wehn
Tage und Nächte, früh und spät,
Und über den Ginsterhügeln geht
Fern, fern das Meer.

Sie haben ein Feuer angebrannt,
Sie lagern müde im fremden Land,
Tief drin in der Heide von Dorperup,
Versprengter Hussiten ein kleiner Trupp.
Verloren im Kampfe Fahn und Blut,
Verloren der Sieg und verloren der Mut,

Verloren im Sande Weg und Schritt —
Aber die Trommel, die führen sie mit!

Der Sand singt leis gegen Helm und Schien,
Die Flämmlein verzucken am feuchten Kien,
Der Abend dämmert, der Regen rauscht,
Einer erzählt, und jeder lauscht:
» Die Trommel, ihr alle wißt warum,
Ist kein gewöhnlich 'Pummerlein Pum'!
Sie sagen, er hätte sie machen lassen,
Um auch im Tod nicht die Schlacht zu verpassen,
Um noch als Toter zu kommandieren
Und seine Knechte zum Sturm zu führen —
Glaubt mir: Ich kannte ihn sechzehn Jahr,
Aber das ist nicht wahr!
Die Unruhe war es, die ihn trieb!
Er hatte kein Haus, kein feines Lieb,
Ihm wurde es schwül in Palast und Kemnaten,
Er konnte nur wandern mit uns, den Soldaten!
Drum kann er nicht ruhen im Grab eine Nacht,
Er dächte: 'Droben geht jetzt die Schlacht,
Und ich nicht dabei!'
Er wollt' mit uns liegen ums Feuer im Feld,
Wollt' hören im Schlafe den Regen ans Zelt
Und der nächtigen Wachen Feldgeschrei
Und fern über Brücken die Reiterei! « —

Sie schlagen die Mäntel fest um sich herum
Und sind so stumm
Und schlafen. Still wird die Heide ringsum.
Sand und Gräser weht der Wind
An die Trommel gelind.
— _ — _ — _ — _ — _ —
Träume, durch die das Leben rinnt.

560   *Lebensweg*

ICH bin durchs Leben auf dich zugegangen,
So fest und klar, wie übers grüne Land
Die Taube flog, die lange eingefangen
Und doch den Weg zur süßen Heimat fand.

Und denke ich an Sturm und Streit und Streben,
An meiner Jugend Wandern dort und hier,
So ist mir oft: Es war mein ganzes Leben
Ein stiller, unbeirrter Weg zu dir.

561   *Weißer Flieder*

NASS war der Tag — die schwarzen Schnecken
krochen —
Doch als die Nacht schlich durch die Gärten her,
Da war der weiße Flieder aufgebrochen,
Und über alle Mauern hing er schwer.

Und über alle Mauern tropften leise
Von bleichen Trauben Perlen groß und klar,
Und war ein Duften rings, durch das die Weise
Der Nachtigall wie Gold geflochten war.

RICHARD VON SCHAUKAL

geb. 1874

562 *Der alte Gärtner*

IN seinem Rosengarten
Der alte Gärtner geht.
Er hat nichts zu erwarten,
Er fühlt, es ist schon spät.

Mit seinen harten Händen
Hilft er dem jungen Trieb.
Er weiß, es wird bald enden,
Doch annoch hat er's lieb.

563 *Meinen Kindern*

AN die Schwelle möcht' ich euch geleiten,
Gern auch noch das neue Land beschreiten,
Eine Strecke still daneben gehn.

Nimmer kann es meine Liebe fassen,
Daß ich eines Tages euch verlassen,
Scheiden soll, euch nimmermehr zu sehn.

Sorgend lausch' ich euren Atemzügen,
Hütend helf' ich euch der Pflicht genügen,
Freude stift' ich, wo ein Wunsch sich regt:

Wieviel Schönheit ist euch noch zu zeigen,
Wieviel Höhen sind noch zu ersteigen,
Hand in Hand und Herz an Herz gelegt!

Und es kann auf jenem Stege sein:
Fröhlich schaut ihr um und seid allein!

564 *Nachthimmel*

STERNE flimmern durch die Himmel weit,
Dunkelblau verbreitet sich Unendlichkeit.

Aus der nachtverhüllten Erde ragen
Schwarze Bäume, die die Stille tragen.

Und du selbst, du fühlst dich dir entgleiten,
Eine Welle nur der Ewigkeiten.

565 *An den Herrn*

DU, in den wir münden,
Du, aus dem wir erwacht:
Wer, wer darf Dich verkünden,
Der Du Dich selbst erdacht!

Der Du über den Zeiten
Thronst in Unendlichkeit:
Über die Meere gleiten
Schatten von Deinem Kleid.

Tage und Nächte schleichen
Unten an seinem Saum.
Erblühen und Verbleichen
Gabst Du uns als Traum.

566   *Vigilie*

DIE falben Felder schlafen schon,
Mein Herz nur wacht allein;
Der Abend refft im Hafen schon
Sein rotes Segel ein.

Traumselige Vigilie!
Jetzt wallt die Nacht durchs Land;
Der Mond, die weiße Lilie,
Blüht auf in ihrer Hand.

567   *Ritter*

REITET der Ritter im schwarzen Stahl
Hinaus in die rauschende Welt.
Und draußen ist alles: der Tag und das Tal
Und der Freund und der Feind und das Mahl im Saal
Und der Mai und die Maid und der Wald und der Gral,
Und Gott ist selber vieltausendmal
An alle Straßen gestellt.

Doch in dem Panzer des Ritters drinnen,
Hinter den finstersten Ringen,
Hockt der Tod und muß sinnen und sinnen:
Wann wird die Klinge springen
Über die Eisenhecke,
Die fremde befreiende Klinge,
Die mich aus meinem Verstecke
Holt, drin ich so viele
Gebückte Tage verbringe, —
Daß ich mich endlich strecke
Und spiele
Und singe.

568   *Mein Geburtshaus*

DER Erinnrung ist das traute
Heim der Kindheit nicht entflohn,
Wo ich Bilderbogen schaute
Im blauseidenen Salon.

Wo ein Puppenkleid, mit Strähnen
Dicken Silbers reich besetzt,
Glück mir war; wo heiße Tränen
Mir das 'Rechnen' ausgepreßt.

Wo ich, einem dunklen Rufe
Folgend, nach Gedichten griff,
Und auf einer Fensterstufe
Tramway spielte oder Schiff.

Wo ein Mädchen stets mir winkte
Drüben in dem Grafenhaus . . .
Der Palast, der damals blinkte,
Sieht heut' so verschlafen aus.

Und das blonde Kind, das lachte,
Wenn der Knab' ihm Küsse warf,
Ist nun fort; fern ruht es sachte,
Wo es nie mehr lächeln darf.

569   *Wie mag die Liebe dir kommen sein?*

UND wie mag die Liebe dir kommen sein?
Kam sie wie ein Sonnen, ein Blütenschein,
Kam sie wie ein Beten? — Erzähle:

Ein Glück löste leuchtend aus Himmeln sich los
Und hing mit gefalteten Schwingen groß
An meiner blühenden Seele . . .

570 *Es leuchteten im Garten die Syringen*

ES leuchteten im Garten die Syringen,
Von einem Ave war der Abend voll —
Da war es, daß wir voneinander gingen
In Gram und Groll.

Die Sonne war in heißen Fieberträumen
Gestorben hinter grauen Hängen weit,
Und jetzt verglomm auch hinter Blütenbäumen
Dein weißes Kleid.

Ich sah den Schimmer nach und nach vergehen
Und bangte bebend wie ein furchtsam Kind,
Das lange in ein helles Licht gesehen;
Bin ich jetzt blind? —

571 *Frühling ist wiedergekommen*

FRÜHLING ist wiedergekommen. Die Erde
Ist wie ein Kind, das Gedichte weiß;
Viele, o viele... Für die Beschwerde
Langen Lernens bekommt sie den Preis.

Streng war ihr Lehrer. Wir mochten das Weiße
An dem Barte des alten Manns.
Nun, wie das Grüne, das Blaue heiße,
Dürfen wir fragen: sie kann's, sie kann's!

Erde, die frei hat, du glückliche, spiele
Nun mit den Kindern. Wir wollen dich fangen,
Fröhliche Erde. Dem Frohsten gelingt's.

O, was der Lehrer sie lehrte, das Viele,
Und was gedruckt steht in Wurzeln und langen
Schwierigen Stämmen: sie singt's, sie singt's!

554

572 *Herbst*

DIE Blätter fallen, fallen wie von weit,
Als welkten in den Himmeln ferne Gärten;
Sie fallen mit verneinender Gebärde.
Und in den Nächten fällt die schwere Erde
Aus allen Sternen in die Einsamkeit.

Wir alle fallen. Diese Hand da fällt.
Und sieh dir andre an: es ist in allen.

Und doch ist Einer, welcher dieses Fallen
Unendlich sanft in seinen Händen hält.

573 *Gott, Du bist groß*

DU bist so groß, daß ich schon nicht mehr bin,
Wenn ich mich nur in Deine Nähe stelle.
Du bist so dunkel; meine kleine Helle
An Deinem Saum hat keinen Sinn.
Dein Wille geht wie eine Welle,
Und jeder Tag ertrinkt darin.

Ich finde Dich in allen diesen Dingen,
Denen ich gut und wie ein Bruder bin;
Als Samen sonnst Du Dich in den geringen,
Und in den großen gibst Du groß Dich hin.

Das ist das wundersame Spiel der Kräfte,
Daß sie so dienend durch die Dinge gehn:
In Wurzeln wachsend, schwindend in die Schäfte,
Und in den Wipfeln wie ein Auferstehn.

HERBERT EULENBERG

geb. 1876

574   *Auf eine alte Partitur*

AUS dumpfem Schranke hol' ich dich hervor
Und leg' dich für die Freunde auf's Klavier,
Ein stummes Heft.   Welk ward schon das Papier,
Darauf sich treibt der Noten schwarzer Chor,

Wie wilde Vögel zwischen hohem Rohr,
Und Chinas Lettern gleich in wirrer Zier,
Wie Schnörkel und ein sonderbar Getier,
Dem Blick des Laien fremd und stumm dem Ohr.

So lagst du jahrelang im Schrank verschlossen
Gleich Samen in den Säcken wie im Schlaf
Und bist einst durch des Künstlers Blut geflossen
Und jetzt so leblos wie ein Epitaph.

Da spielt man dich, und herrlich lebst du wieder,
Wie ihr, wenn man euch liest, ihr meine Lieder!

575 *Dem Andenken eines gefallenen*
Tondichters

WIR hatten musiziert und schwiegen jetzt
Und starrten vor uns hin und lauschten leise
Dem Nachklang der von dir erdachten Weise,
Als hättest du dich still zu uns gesetzt:

Nicht als ein Toter, blutend und zerfetzt,
Nein, wie du warst in unserm Freundeskreise,
Verliebt, verträumt, wie einer auf der Reise,
Den alles wundert und den nichts verletzt.

556

HERBERT EULENBERG

Wir sahen deine braunen Augen wieder,
Die für das Große dieser Welt gefunkelt,
Und dachten, welch ein Schicksal sie verdunkelt:
Wildfremde Hand riß dich zur Grube nieder.

Wenn er dich je gekannt, der dich erschossen,
Er hätte dich wie wir ins Herz geschlossen.

THEODOR DÄUBLER

geb. 1876

576   *Im Frühjahr*

MIT holden Silberknospen wundern sich die großen
        Bäume,
Daß alles wieder lau und blau und Friede wird.
Doch schützen sich mit zartem Harz die Knospensäume,
Wenn sich der Tauhauch allzufrüh verirrt.

Erschwollen sind die Knospen, Tau und Harz erquollen!
Die Veilchen neckt, versteckt der Blätter Schattenblau.
Die Primeln kichern über ihre braunen Schollen.
Zitronenfalter golden durch die gelbe Au.

Die Berge sind so blaß, als ob das Land sie träumte.
Ihr Gipfeln scheint nicht mehr von dieser Welt zu sein.
Der grüne Fluß, der junge Frühlingsrasen säumte,
Wird wildes Gold und überschäumt den Blütenhain.

577   *Und oben blicken Sterne*

JETZT folgt am Himmelsbogen
Das Licht dem Mutterruf,
Und scheidend noch bewundert
Die Sonne, was sie schuf.

Mit ihren Strahlenarmen
Aus reinem Liebesgold
Umschlingt sie hold das Leben,
Bevor sie weiterrollt.

Aus Tälern und aus Fluren,
Bedeckt mit Waldespracht,
Dem Kleide unsrer Erde,
Entrauscht die kühle Nacht.

Die losen Windesboten
Entschlüpfen dem Geäst
Und herzen einen Nebel,
Der stumm sein Bett verläßt.

Ein letzter Kronenschimmer
Der Sonnen-Elfen bricht,
Und überall betrübt sich
Das bleiche Dämmerlicht.

Zeigt nimmer sich den Blicken
Der Sonne tiefste Macht,
So gleicht doch unsre Liebe
Enthüllter Sternenpracht.

Enträtselte Gefühle,
Ihr wallt zum Himmelszelt!
Und oben blicken Sterne
In Liebe auf die Welt.

578　　　　　*Die Buche*

DIE Buche sagt: Mein Walten bleibt das Laub.
Ich bin kein Baum mit sprechenden Gedanken,
Mein Ausdruck wird ein Ästeüberranken,
Ich bin das Laub, die Krone überm Staub.

Dem warmen Aufruf mag ich rasch vertraun,
Ich fang' im Frühling selig an zu reden,
Ich wende mich in schlichter Art an jeden.
Du staunst, denn ich beginne rostigbraun!

Mein Waldgehaben zeigt sich sommerfroh.
Ich will, daß Nebel sich um Äste legen,
Ich mag das Naß; ich selber bin der Regen.
Die Hitze stirbt: ich grüne lichterloh!

Die Winterspflicht erfüll' ich ernst und grau.
Doch schütt' ich erst den Herbst aus meinem Wesen.
Er ist noch niemals ohne mich gewesen.
Da werd' ich Teppich, sammetrote Au.

579 *Der Blinde*

SONNE sticht in den Sommerhain,
Menschen wandeln auf lauem Sand.
Aber draußen, vor den Bäumen,
Auf der hellen, heißen Straße,
Steht der Blinde mit der Orgel,
Singt sein dunkles Lied ins Licht . . .

Der Wind schweigt in den Birkenkronen,
Die lustigen Spechte vergessen zu hämmern, —
Nur die Menschen, nur die Menschen
Wollen nicht weilen, können nicht lauschen,
Haben sich so viel zu sagen,
Nicken sich zu, gehen vorüber,
Und der Blinde singt ins Licht . . .

Aber ein Mädchen mit nackten Füßen,
Blasses Mädchen in grauem Kleide,
Wagt sich hinaus in die heiße Straße,
Wirft einen Büschel wilde Blumen,
Blaue Glocken, dunkle, kühle,
Auf den staubigen Orgelkasten,
Und der Blinde singt ins Licht . . .

AGNES MIEGEL

geb. 1879

580   *Agnes Bernauerin*

SIE sangen am Herd, als die Flamme schied:
» Es ist eine Ros' entsprungen. «
Sie sprachen zu ihr, als verklungen das Lied:
» Was hast du nicht mitgesungen?

Was bist du so blaß, Agnes Bernauerin,
Was starrst du so vor dich nieder? «
Sie sprach wie schlafend vor sich hin
Und schloß ihre schweren Lider:

» Mir träumte in der Andreasnacht,
Ich sei an die Donau gegangen,
Der Himmel glomm in blutiger Pracht,
Und die roten Wellen sangen. —

Sie trugen mir zu in schaukelndem Tanz
Eine Krone, sternbeschienen,
Und wie ich sie hob, war's ein Sterbekranz
Von welkenden Rosmarinen. « —

581   *Griseldis*

SIE hing mit Kuß und mit Liebeswort
An seinem Nacken; er stieß sie fort.
» Du Kind der Arbeit, das bei mir lag,
    Ich wurde dir gram seit manchem Tag.

Meine Liebe verblich, wie ein Band verblaßt,
  Deine Stimme ward meinem Herzen verhaßt.
Deine gelben Haare sind mir vergällt,
  Fahl, wie deines Vaters Roggenfeld.
Von Arbeit spricht deine braune Hand —
  Kehr heim auf den Acker, auf dem ich dich fand.
Vergiß, daß der König die Bauernmagd
  Als Weib gehalten — Gott sei es geklagt!
Bei Rechen und Spaten, Saat und Pflug
  Vergiß, daß dein Schoß einen Herzog trug.«
Der König sprach es, Griseldis stund,
  Ihre Hände zuckten, es zuckte ihr Mund.
Um des Bettes eichene Pfosten schlang
  Ihre Rechte sich zitternd und todesbang.
Ihre Linke liebkoste die Lagerstatt
  Und strich die schimmernden Laken glatt.
Sie sah nach dem König—der wandte sich ab,
  Da schritt sie stumm die Stufen hinab.
Die bunte Ampel schwankte im Zug,
  Ins Schloß die geschnitzte Türe schlug.
Die Nacht war kalt und sternenklar,
  Der Nordwind strich durch Griseldis' Haar.
Des schlafenden Wächters Hund am Tor
  Fuhr leise knurrend an ihr empor
Und duckte sich, als er die Herrin erkannt,
  Und leckte schmeichelnd die kalte Hand.
Der Dogge Augen glommen grün
  Im Lichte, das durch das Fenster schien.

AGNES MIEGEL

Die Nibelungen

IN der dunkelnden Halle saßen sie,
Sie saßen geschart um die Flammen,
Hagen Tronje zur Linken, sein Schwert auf dem Knie,
Die Könige saßen zusammen.

Schön Kriemhild kauerte nah der Glut,
Von ihren schmalen Händen
Zuckte der Schein wie Gold und Blut
Und sprang hinauf an den Wänden.

König Gunther sprach: » Mein Herz geht schwer,
Hör' ich den Ostwind klagen!
Spielmann, lang deine Fiedel her,
Sing uns von frohen Tagen!«

Aufflog ein jubelnder Bogenstrich
Und flatterte an den Balken,
Herr Volker sang: » Einst zähmte ich
Einen edelen Falken . . .«

Die blonde Kriemhild blickte auf
Und sprach mit Tränen und leise:
» Spielmann, hör mit dem Liede auf,
Sing eine andre Weise!«

Die braune Fiedel raunte alsbald
Träumend und ganz versonnen,
Herr Volker sang: » Im Odenwald
Da fließt ein kühler Bronnen . . .«

Die blonde Kriemhild wandte sich
Und sprach mit Tränen und bange:
» Mein Herz schlägt laut und fürchtet sich
Und bebt bei deinem Sange . . .«

AGNES MIEGEL

Anhub die Fiedel zum drittenmal,
Aufweinend in Gram und Leide,
Herrn Volkers Stimme sang im Saal
Wie ein Vogel auf nächt'ger Heide:

» Es glimmt empor aus ew'ger Nacht
Heißer als alle Feuersglut,
Gelb wie das Aug' der Zwergenbrut,
Das gierig seinen Glanz bewacht —
O weh der Lust, die mich gezeugt!

Wie Brunst nach Brunst im Forste schreit,
Wie nach der Lohe lechzt die Glut,
So treibt die Gier nach Menschenblut
Ans Licht den Hort der Dunkelheit —
O weh dem Schoß, der mich gebar!

Es ruft den Neid, es weckt den Mord,
Stört auf die Drachen Trug und List,
Hetzt Rachsucht, die die Rache frißt,
Und immer röter glüht der Hort —
O weh der Brust, die mich gesäugt!

Es treibt und schwimmt im Purpurquell,
Es trinkt den Quell und lechzt nach mehr,
Es braust und schäumt, die Flut steigt schnell,
Breit wie die Donau strömt es her —
O weh der Lieb', die lieb mir war!

Es schäumt und braust, atmet und steigt,
Schon brandet's draußen an die Tür,
Es klopft und pocht, der Riegel weicht,
Nun flutet's heiß und rot herfür —
Weh über mich, weh über euch!«

Jäh bei dem letzten Bogenstrich
Sprangen die Saiten und schrieen,
Hagen von Tronje neigte sich
Und wiegte sein Schwert auf den Knieen.

Die Könige saßen bleich und verstört,
Doch die schöne Kriemhild lachte,
Sie sprach : » Nie hab' ich ein Lied gehört,
Das mich lustiger machte ! «

Sie kniete nieder und schürte die Glut,
Von ihren schmalen Händen
Zuckte der Schein wie Gold und Blut
Und sprang hinauf an den Wänden.

583 *Herbst*

DIE Stirn bekränzt mit roten Berberitzen
Steht nun der Herbst am Stoppelfeld,
In klarer Luft die weißen Fäden blitzen,
In Gold und Purpur glüht die Welt.

Ich seh' hinaus und hör' den Herbstwind sausen,
Vor meinem Fenster nickt der wilde Wein,
Von fernen Ostseewellen kommt ein Brausen
Und singt die letzten Rosen ein.

Ein reifer roter Apfel fällt zur Erde,
Ein später Falter sich darüber wiegt —
Ich fühle, wie ich still und ruhig werde,
Und dieses Jahres Gram verfliegt.

584   *Weit in der Fremde*

WEIT in der Fremde
    Immer bist du mir nah —
Wo sind die Tage hin,
Da ich zuerst dich sah?

Leichtsinnig und jung
War ich und lachte so gern —
Ach wieviel weinte ich,
Warst du mir fern.

Wie war das Leben da
Lockend und unbekannt —
Nach seinem bunten
Narrenseil griff meine Hand.

Was so heiß ich begehrte,
Alles verging, alles verblich —
Nur eins blieb immer:
Ich liebe dich.

JOSEF WINCKLER

geb. 1881

585   *Die neue Zeit*

SCHLIESST die Fabrik — in dunklen Wogen
Kommt schwer und schwarz es dumpf gezogen
Mit tiefem, heiserem Stimmengesumm,
Das die Stadt überschwemmt bis ans äußerste End' —
O wir sind ein gewaltiges Element,
Durch die Straßen sich wälzend dumpfbrausend und schwer,
Breit, wie durch Schleusen ein riesiges Meer.

Wenn das Volk sich bewegt wie zu Klumpen geballt,
Da gibt es kein Weichen, da gibt es kein Halt,
Das ist wie rollender Bergbasalt,
Ist wie ein lebendiger, wandernder Wald!
Da schleudern die Götter vom hohen Sitze
Ewig vergebens die flammenden Blitze,
Das drängt unaufhaltsam voraus, voraus,
Das rottet keine Sündflut mehr aus,
Das brandet nach, ohne Wahl, ohne Zahl —
Wir bewohnen die Höhen, wir bevölkern das Tal,
Wir beschreiten singend den Ozean —
Wir machen die Erde uns untertan! —

586   *Vorm Tor des Schachts*

MORGENS im Dämmer sitzen die Sibyllen
Vorm Tor des Schachts, und hastig runen, raunen
Und murmeln sie die dunklen Schicksalslaunen,
Wabernd, bis zu den Häuptern fahl in Hüllen.
Wie Sphinxe brüten sie, beschwörend, lauernd,
Näher kauernd rechts, links am Portal ... und lassen
Der Arbeiter unzählig dunkeldumpfe Massen
Mit Grubenlichtern hindurch, im Frühwind schauernd.
  Wer weiß, wenn stumm vor Tag die Schicht beginnt,
  Ob er sein Totenhemd am Leibe trägt,
  Ob ihm die Norne schon Verderben spinnt?
  Die Uhr geht überm Eingang wie ein Rad
  Gleichmäßig weiter, zählt, zählt, schlägt;
  Kalt blinkt herab ihr weißes Stundenblatt.

587 *Das Bergwerk brennt!*

AUF einmal schrill aufheulen die Sirenen
Wie wahnsinnig, das Volk tobt, rennt:
Das Bergwerk brennt! Das Bergwerk brennt!
Gendarme sprengen, Autos fahrn, Hydranten dröhnen,
Die Läden schließen. Brand! Brand! Glocken tönen.
Züge halten. Schatten nahn am Firmament.
Das Bergwerk brennt! Das Bergwerk brennt!
Und immer, immer kreischen die Sirenen.

Gedrängt die Menschen erstarrn zu dunklen Balln,
Und Militär rückt an, Kommandos schalln,
Da ... eine Riesenfratze reckt sich über alle
Und streckt langsam bis ans letzte End
Der ganzen Stadt die eisig kalte Kralle ...
Das Bergwerk brennt und brennt und brennt.

ERNST STADLER

1883–1914

588 *Der Spruch*

IN einem alten Buche stieß ich auf ein Wort,
Das traf mich wie ein Schlag und brennt durch meine
    Tage fort:
Und wenn ich mich an trübe Lust vergebe,
Schein, Lug und Spiel zu mir anstatt des Wesens hebe,
Wenn ich gefällig mich mit raschem Sinn belüge,
Als wäre Dunkles klar, als wenn nicht Leben tausend
    wild verschlossne Tore trüge,
Und Worte wiederspreche, deren Weite ich nie ausgefühlt,
Und Dinge fasse, deren Sein mich niemals aufgewühlt,

Wenn mich willkommner Traum mit Sammethänden streicht,
Und Tag und Wirklichkeit von mir entweicht,
Der Welt entfremdet, fremd dem tiefsten Ich —
Dann steht das Wort mir auf: Mensch, werde wesentlich!

GEORG HEYM

1887-1912

589   *Alle Landschaften haben*

ALLE Landschaften haben
Sich mit Blau erfüllt,
Alle Büsche und Bäume des Stromes,
Der weit in den Norden schwillt.

Leichte Geschwader, Wolken,
Weiße Segel dicht,
Die Gestade des Himmels dahinter
Zergehen in Wind und Licht.

Wenn die Abende sinken
Und wir schlafen ein,
Gehen die Träume, die schönen,
Mit leichten Füßen herein.

Cymbeln lassen sie klingen
In den Händen licht.
Manche flüstern und halten
Kerzen vor ihr Gesicht.

HEINRICH LERSCH

geb. 1889

590   *Brüder*

E S lag schon lang ein Toter vor unserm Drahtverhau,
Die Sonne auf ihn glühte, ihn kühlte Wind und Tau.

Ich sah ihm alle Tage in sein Gesicht hinein,
Und immer fühlt' ich's fester : Es muß mein Bruder sein.

Ich sah in allen Stunden, wie er so vor mir lag,
Und hörte seine Stimme aus frohem Friedenstag.

Oft in der Nacht ein Weinen, das aus dem Schlaf mich
        trieb :
Mein Bruder, lieber Bruder — hast du mich nicht mehr
        lieb ?

Bis ich, trotz allen Kugeln, zur Nacht mich ihm genaht
Und ihn geholt. — Begraben : — Ein fremder Kamerad.

Es irrten meine Augen. — Mein Herz, du irrst dich
        nicht :
Es hat ein jeder Toter des Bruders Angesicht.

GERRIT ENGELKE

591   *Ich will hinaus!*

ICH weiß, daß Berge auf mich warten,
Draußen — weit —
Und Wald und Winterfeld und Wiesengarten
Voll Gotteinsamkeit —

Weiß, daß für mich ein Wind durch Wälder dringt,
So lange schon —
Daß Schnee fällt, daß der Mond nachtleise singt
Den Ewig-Ton —

Fühle, daß nachts Wolken schwellen,
Bäume,
Daß Ebenen, Gebirge wellen
In meine Träume —

Die Winterberge, meine Berge tönen —
Wälder sind verschneit —
Ich will hinaus, mit euch mich zu versöhnen!
Ich will heraus aus dieser Zeit,

Hinweg von Märkten, Zimmern, Treppenstufen,
Straßenbraus —
Die Waldberge, die Waldberge rufen,
Locken mich hinaus!

Bald hab' ich diese Straßenwochen,
Bald diesen Stadtbann aufgebrochen
Und ziehe hin, wo Ströme durch die Ewig-Erde pochen,
Ziehe selig in die Welt!

FRANZ WERFEL

geb. 1890

592   *Nachtregen*

DES Regens Gleichmut! Totes Rauschen!
Je mehr du willst, je mehr du horchst,
Je weniger wirst du erlauschen.

Gespannt bist du dir unvergessen.
Sinnlos die Regenöde lallt.
Du wirst von Gott kein Wort erpressen.

Gib's auf zu gieren und zu haschen!
Dem Wartenden wird kein Gesang,
Das Große will dich überraschen.

593   *Als mich dein Wandeln an den*
Tod verzückte

ALS mich dein Dasein tränenwärts entrückte
Und ich durch dich ins Unermeßne schwärmte,
Erlebten diesen Tag nicht Abgehärmte,
Mühselig Millionen Unterdrückte?

Als mich dein Wandeln an den Tod verzückte,
War um uns Arbeit und die Erde lärmte,
Und Leere gab es, gottlos Unerwärmte,
Es lebten und es starben Niebeglückte!

Da ich von dir geschwellt war zum Entschweben,
So viele waren, die im Dumpfen stampften,
An Pulten schrumpften und vor Kesseln dampften.

Ihr Keuchenden auf Straßen und auf Flüssen!!
Gibt es ein Gleichgewicht in Welt und Leben,
Wie werd' ich diese Schuld bezahlen müssen!?

572

ANMERKUNGEN

Die Gedichte Nr. 1–11 sind vom Herausgeber aus
dem Mittel-Hochdeutschen übersetzt. In den Gedichten
des 15. und 16. und der ersten Hälfte des 17. Jahrhunderts sind schwierigere Wortformen und die Schreibung
modernisiert (besonders weitgehend in Nr. 24), in den
späteren Gedichten ist nur die Schreibung modernisiert.
Im übrigen sind die Texte nach den besten Drucken, in
der Regel nach der letzten vom Dichter überwachten
Ausgabe, gegeben.

Abkürzungen und *Zeichen. d. i.* = das ist. *vergl.* =
vergleiche. *v. Chr.* = vor Christi Geburt. † = gestorben.
op. = opus. 🎵 = in Musik gesetzt von.

Die Ziffer vor der Anmerkung bezeichnet das Gedicht;
die römischen Ziffern bezeichnen die Strophen, die ihnen
folgenden arabischen die Zeilen.

1. Aus dem lateinischen Liebesbriefe eines Mädchens.
   Das Original lautet:

> Dû bist mîn, ich bin dîn:
> des solt dû gewis sîn.
> dû bist beslozzen
> in mînem herzen:
> verlorn ist daz slüzzelîn:
> dû muost immer drinne sîn.

🎵 G. Henschel, op. 46, 2 ; Max Fiedler, op. 10.

2–5. Aus den *Carmina Burana*, einer Sammlung
lateinischer und deutscher Gedichte des Klosters Benedict-
beuern in Bayern. Die Anfänge der Originale lauten:

> 2. Floret silva undiquê,
>   nâh mîme gesellen ist mir wê.

> 3 Kume kum, geselle mîn,
>   ih enbîte harte dîn.

4. Springe wir den reigen
   nu, vrowe mîn.

5. In liehter varwe stât der walt,
   der vogele schal nu dœnet.

6. Klage einer Frau über die Untreue des Geliebten. Das Bild des Falken für den Geliebten wird auch im Nibelungenliede gebraucht. Der von Kürenberg gebraucht in den meisten seiner Gedichte, wie auch hier, die Nibelungenstrophe, weshalb man ihn für den Verfasser des Nibelungenliedes gehalten hat. Die erste Strophe des Originals lautet:

Ich zôch mir einen valken   mêre danne ein jâr.
dô ich in gezamete   als ich in wolte hân
und ich im sîn gevidere   mit golde wol bewant,
er huop sich ûf vil hôhe   und floug in anderiu lant.

7. Der Anfang des Originals lautet:
      Ahî nu kumet uns diu zît,
      der kleinen vogelline sanc.

8. Wahrscheinlich wurde das Orakel befragt, indem Daumen und Zeigefinger der rechten und linken Hand abwechselnd übereinander um den Halm gelegt wurden, bis das Ende erreicht war. Der Anfang des Originals lautet:
      Mich hât ein halm gemachet frô:
      er giht ich sül genâde vinden.

9. Die erste Strophe des Originals lautet:
      Under der linden
      an der heide,
      dâ unser zweier bette was,
      Dâ muget ir vinden
      schône beide
      gebrochen bluomen unde gras.
      Vor dem walde in einem tal
      tandaradei!
      schône sanc diu nahtegal.

Edvard Grieg, op. 48, 4.

10. Aus einem der letzten Gedichte Walthers, vielleicht entstanden bei einem Besuche des Dichters in der alten Heimat. Der Anfang des Originals lautet.

Owê war sint verswunden   alliu mîniu jâr?
ist mir mîn leben getroumet   oder ist ez wâr?

11. *Vrîdanc, Freidank* ist der Name (oder das Pseudonym?) des Verfassers einer Spruchsammlung, die bis ins 16. Jahrhundert beliebt war. *Bescheidenheit* bedeutet hier 'Erfahrung, Weisheit'; vergl. 'Bescheid geben, Bescheid wissen'. 'Bescheiden' bedeutete ursprünglich 'belehrt, erfahren, einsichtig'.

iv *feiern*, (*a*) intransitiv: von etwas ablassen, (*b*) transitiv: (ein Fest) begehen.

12. Aus einer Münchener Handschrift, geschrieben 1461–67.

i, 2 *es* ist Gen. Sing., dazu. *nit* = nicht.

13. Ein Weihnachtslied, zuerst gedruckt 1599, gehört aber noch dem 15. Jahrhunderte an   Es beruht auf Jesaja XI, 1. *Ros'* ist aus Reis umgedeutet in Anlehnung an den häufigen Vergleich der Jungfrau Maria mit einer Rose und an das Hohelied Salomos, II, 1.

i, 3 *sungen* = sangen.   5 *bracht* = gebracht.   7 *zu der halben Nacht*, um Mitternacht.   ii, 2 *Esaias* = Jesaja.

🎵 M. Prätorius (1571–1621); Brahms, op. 122, 8.

14. i, 3 *nichts denn*, nichts als.   ii, 4 *fahr'*, gehe, wandre.   *Elend*, in der alten Bedeutung: 'anderes Land, Fremde.'

15. Zuerst gedruckt 1539, stammt aber aus dem 15. Jahrhundert; der Sage nach gedichtet von Kaiser Maximilian, der gern in Innsbruck weilte, und von seinem Kapellmeister Heinrich Isaak componiert.

i, 2 *fahr'*, wandre.   5 die ich nicht zu finden weiß. 6 *Elend*, Fremde.   ii, 6 *dannen*, fern.   iii, 1 *ob allen Weiben*, vor allen Frauen.   3 *der Ehren fromm*, ehrenhaft, rechtschaffen.   4 *müss'*, möge.   5 *sparen*, erhalten.

ANMERKUNGEN

16. i, 3 *nit haben mag*, nicht festhalten kann. ii, 2 ich kann dich wohl entbehren.

17. Zuerst gedruckt 1578, doch bezeugen geistliche Umdichtungen des Liedes aus dem 15. Jahrhundert sein viel höheres Alter.

i, 1 *han*, habe. 5 *nächten*, letzte Nacht. ii, 2 *eins bringen*, zutrinken.

18. Das Lied gehört in den Kreis der Sage von den zwei Königskindern (Nr. 50) und von Hero und Leander.

ii, 4 *Ungefäll*, Unglück. iii, 3 *sich verwenden*, sich verwandeln.

19. ii, 3 *überzwerch*, spöttisch von der Seite. iv, 3 *geacht*=geachtet. Engl. Übersetzung von Longfellow:

> I know a maiden fair to see,
> Take care!

♫ Brahms, op. 66, 5 (Duett); d'Albert, op. 22, 3.

20. In den Kreisen der Schreiber und fahrenden Schüler entstanden.

i, 2 *gemein*, allgemein üblich, bekannt. 4 *männiglich*, einem jeden. 7 *geren*=gern. ii, 5 *ihr*=ihrer. iii, 7 *schlichten*, gerade machen, ordnen, entscheiden. iv, 1 *erschwingen*, in Schwung setzen, emportragen. 3 so wird es auch denen gelingen. 8 *ob*, oben, hoch.

21, 22. Aus einem Nürnberger Liederbuche des 16. Jahrhunderts. Die Terzinenform weist auf einen gebildeten, mit der italienischen Literatur vertrauten Verfasser.

21. ii, 2 *vernichten*, nicht beachten, verschmähen. iii, 1 alle anderen reden viel Gutes von mir, sagen mir viel Schmeichelhaftes.

22. i, 1 *zween* = zwei. 3 *ausgerunnen* = ausgeronnen. ii, 1 *Wunde* = Wunden.

♫ Brahms, op. 48, 3.

23. Nach dem 46. Psalm. Erster Druck 1529.

i, 1 *Ein* und die Adjective werden im 16. Jahrhundert oft unflektiert gebraucht. 4 *itzt* = jetzt. ii, 3 *streit* =

ANMERKUNGEN

streitet.   iii, 7 *nicht* = nichts.   8 *gericht* = gerichtet.
iv, 1 *stahn* = stehen.   3 *Plan*, Kampfplatz.   8 *'s* = es,
Gen. Sing.: sie haben keinen Gewinn davon.

24. Vorrede zu der Schrift des Komponisten H. Johan
Walter 'Lob und Preis der löblichen Kunst Musica',
Wittenberg, 1538.
i, 1 *Für*, vor.   2 *niemand* = niemandem.   ii, 5 *anleit*
= anliegt: alles was uns sonst bedrückt.   iii, 1 *des*
wohl frei, froh überzeugt davon.   3 *baß*, besser.   6
viel böser Mord, eine Menge Verbrechen.   iv, 1 Die
Tat des Königs David bezeugt das.   7 Vergl. 2. Buch der
Könige, III, 15.   v, 3 *der* = derer.   8 *Des*, dafür.

25. 3 Ergänze 'und' am Anfang der Zeile.   4
Wegscheide, Scheideweg, Kreuzweg.   **Seite 16**, 1 Vergl.
Habakuk, I, 3, 4.   27 *gebeut* = gebiete, *willt* = willst.
Seite 17, 3 *des*, darüber.   4 däuchte sich ganz geeignet
für die Herrlichkeit.   **Seite 18**, 8 *Schnauden*, Schnaufen.
23 *töcht'*, taugte.

26. 20 *frumm*, tapfer.   21 *zugesetzt*, verloren, geopfert.
Blute = Blut.

27. i, 5 *mit Gemach*, gemächlich. 10 *Wälden* = Wäldern.
ii, 4 *Steinen* = Steine.   iii, 4 *schimpfen*, spielen.   iv, 1
laßt = läßt.

28. ii, 1 *Vor* = zuvor, vorher.   ii, 3 *Der ganzen*
Welt Revier, der ganzen Welt Bereich, die ganze Welt.
iii, 2 *heraußer* = heraus.   viii, 2 *Scherz*, Laune.

29. Nach der Ode II, 18 von Pierre de Ronsard
(1524–85):
> J'ay l'esprit tout ennuyé
> D'avoir trop estudié
> Les Phénomènes d'Arate.

iii, 6 *Clotho*, eine der Parzen.   iv, 6 *sich kränken*, sich
ärgern, plagen.   8 *letzen*, freuen.   v, 1–2 *bitten auf*, ein-
laden zu.   2 Opitz betont: Músik.   3 *Nichts schickt*
sich baß, nichts paßt besser zusammen.

30. vi, 4 *erlassen*, vergeben; nicht, wie Longfellow übersetzt: 'all sin to leave.'

31. Gedichtet 1637 zur Hochzeit von Dachs Studienfreund Johannes Portatius und Anna, der Tochter des Pfarrers Andreas Neander in Tharau bei Königsberg, Ostpreußen. Das Original ist im ostpreußischen Dialekte geschrieben; Herder übertrug es ins Hochdeutsche in seinen 'Stimmen der Völker' (1778) mit der Bemerkung: » Es hat sehr verloren, da ich's aus seinem treuherzigen, starken, naiven Volksdialekt ins liebe Hochdeutsch habe verpflanzen müssen.« Herder hat einige Dialektwörter beibehalten (Strophe iv, *schlahn* = schlagen, *stahn* = stehen) und in vi, vii, x die Reime geopfert. Ins Englische übersetzt von Longfellow: 'Annie of Tharaw.' Goethes Urteil: » So recht von Grund aus herzlich.«
🎵 Fr. Silcher.

32. ii, 8 *betreten*, befallen.　　iii, 2 *die*, Accus. Sing. des Relativpronomens.　　v, 3 *Die*, Accus. Plur. des Relativpronomens.

33. ii, 1 *blieben* = geblieben.　　v, 3 *kommen* = gekommen. vii, 1 *verdrossen*, müde.

34. viii, 5 *eingestimmt*, harmonisch zusammenklingend.

35. Vor Antritt einer Reise nach Rußland und Persien, Nov. 1633, geschrieben.

iii, 2 *versehen*, bestimmt.　5 was ihm in bezug auf mich beliebt.　　iv, 3 *gebeut* = gebietet.　v, 1 Sei ruhig und gefaßt.　🎵 Bach, Cantata 97 (Soli, Chor, Orchester).

36. i, 1 Mehrere Negationen verstärken einander in der älteren Sprache.　　ii, 4 *Steht allem für* = steht allem vor, regiert.　　iii, 4 *beschleußt* = beschließt.

🎵 Brahms, op. 30 (Chor).

37. Akrostichon; die Anfangsbuchstaben der Strophen bilden den Namen der Geliebten des Dichters: 'Elsgen'.

v, 1 Wahre Freunde bleiben sich treu, gleichviel ob sie beisammen oder getrennt sind.　　vi, 2 *worden sein* = geworden sind.

38. ii, 1 *erkoren*, vom Schicksal bestimmt.   3 *gebeut* = gebietet.   iii, 2 *ihm*, sich.   iv, 2 *sein* = seiner.

41. i, 3 *jetzund* = jetzt.   iv, 3 *einig* = einziger.

42. ii, 7 *sein* = sind.

43. Aus dem Roman 'Simplicissimus', der die Greuel des Dreißigjährigen Krieges schildert.   Der Knabe Simplicissimus ist vor plündernden Soldaten in den Wald geflohen und hat in der Hütte eines Einsiedlers Aufnahme gefunden.   Dort hört er in der Nacht den Einsiedler das Lied singen.

i, 5 *schlafen sein* = schlafend (eingeschlafen) sind. iii, 6 *betören*, vertreiben.   iv, 1 *so*, die.

44. Nach Psalm 103.   🎵 Bach, Cantata 137.
i, 3 *zu Hauf*, in großer Zahl.   v, 5 Lobende Seele.

45. 1 *sahe* = sah.

46. Nach 'Gaudeamus igitur, juvenes dum sumus!'
i, 2 *weil*, so lange.   ii 'Vita nostra brevis est, brevi finietur.'   iii 'Ubi sunt qui ante nos in mundo fuere?'

47. Aus dem Gedichte 'An Gott'.

48. Aus dem Gedichte 'Die christliche Geduld'.

50. Die Sage von den zwei Liebenden, die ein tiefes Wasser trennt, ist uralt und weit verbreitet.   In Deutschland war sie mindestens seit dem 12. Jahrhundert bekannt. Das Lied von den Zwei Königskindern liegt in vielen Fassungen vor, die hier gedruckte gehört vielleicht noch dem 16. Jahrhundert an.   Vergl. Nr. 18.
iii, 2, 3 *tät* = tat.

51. In ein Exemplar des ersten Druckes (1638) hat eine gleichzeitige Hand die Bemerkung eingetragen: »Schnitterlied, gesungen zu Regenspurg da ein hoch adelige junge Blumen ohnversehen abgebrochen im Jenner 1637, gedichtet im jahr 1637.«
ii, 4 Schlüsselblume, Himmelschlüssel.   6 Winde, Con-

ANMERKUNGEN

voivulus.　　　iii, 1 Veronica.　4 Centaurea solstitialis?
iv, 5 *s'* = sie.　　v, 2 *ein* = einen.

🎵 Mendelssohn, op. 8, 4.　Schumann, op. 75 a, 6.
Brahms (Chor).　**52.**　🎵 Brahms, op. 47, 3.

53. Goethes Urteil: »Ewiges und unzerstörliches Lied
des Scheidens und Meidens.«　**54.**　🎵 F. Silcher.

56. Goethe nennt das Lied »einzig schön und wahr«;
Heine urteilt: »Mondschein, Mondschein in Hülle und
Fülle, und die ganze Seele übergießend, strahlt in dem
Liede.«

🎵 Beethoven; F. Hiller, op. 111, 6; A. Jensen, op. 1,
5; Schumann, op. 43, 1; G. Henschel, op. 24, 13.

57. Goethe: »Einzig lustig und gutlaunig.«
ii, 3 *fangt* = fängt.　🎵 G. Henschel, op. 22, 3.

58. Älteste Aufzeichnung 1771.

59. Auf einem fliegenden Blatte von 1786. Eine
sentimentale Umdichtung in 'Des Knaben Wunderhorn'
(1806–8). Darin ist aus dem trotzigen Söldner ein
Schweizer geworden, den beim Klange des Alphorns das
Heimweh packt und zur Fahnenflucht treibt.

61. Von Heine als zweiter Teil seines Gedichtes 'Tragödie' gedruckt, mit der Bemerkung: »Dieses ist ein
wirkliches Volkslied, welches ich am Rheine gehört.«

🎵 Mendelssohn, op. 41, 3; F. Hiller, op. 157, 2;
Schumann, op. 64, 3; A. Rubinstein, op. 57, 6.

62. Auf einem fliegenden Blatte, um 1780. Eine
sentimentale Umdichtung von Helmine Chézy, um 1824.

63. Text und Melodie in einem Notenheft (Kgl. Biblio-
thek, Berlin), das der Gattin von Johann Sebastian Bach
gehörte; deshalb oft ihm zugeschrieben. Die Melodie
rührt wahrscheinlich von dem Geiger Giovannini her, der
1740 in Berlin lebte, 1745 in London Concerte gab und
1782 starb.

iii, 2 *gericht* = gerichtet.

ANMERKUNGEN

64. Nach einem Triolett von Ranchin:

> Le premier jour du mois de Mai
> Fut le plus beau jour de ma vie.

67. Der Stoff schon von Burkard Waldis und Hans Sachs ('Der singende Schuster von Lübeck') behandelt. Hagedorns Vorlage war La Fontaine's 'Le savetier et le financier', aber aus dem *savetier* hat er einen *savonnier* gemacht.

Seite 57, 8 *der, so auf ihn kömmt,* der nächste Tag.

69. 1 Ergänze: hatte. 2 Entrann und kehrte heim.

71. v, 4 *Stock,* Block des Hutmachers.

73. 🎵 Beethoven, op. 48, 4. **75.** ii, 2 *weil,* so lange.

76. Vergl. die Ode des Horaz 'Ad Leuconoen' mit der Mahnung 'carpe diem', und Herrick's:

> Gather ye rosebuds while ye may,
> Old Time is still a-flying.

77. Nach La Fontaine's Fabel, I, 16.

78. Nach La Fontaine's 'La laitière et le pot au lait'. 4 *Stübchen,* altes Flüssigkeitsmaß.

79. Klopstock schickte das Gedicht Weihnachten 1753 an seine Braut Meta Moller.

🎵 Schubert; R. Strauß, op. 36, 1.

80. i, 1 *der Welten alle* = aller Welten. 3 *die ersten Erschaffenen,* die Engel. ii, 1 *Tropfen am Eimer,* die Erde; das Bild aus Jesaja, XL, 15. vii, 3 Vergl. Nahum, I, 3. x, 4 *geschmetterte,* vom Blitz getroffene. xii, 2 Vergl. 1 Könige, XIX, 11, 12. 4 *Bogen des Frie-dens,* Regenbogen, vergl. 1 Moses, IX, 13.

81. In einer Mondnacht an den Gräbern von Jugend-freunden gedenkt der Dichter der Sommernächte und Maimorgen, die er mit ihnen verbracht.

i, 3 *Gedankenfreund,* Freund sinnenden Nachdenkens. ii Nur ein Maimorgen ist noch schöner als die Sommer-nacht. iii. 2 *Male* = Grabmale. 4 *sahe* = sah.

🎵 Gluck; Schubert.

82. 🎵 Schubert.

83. Nathan der Weise, III, 7. Die Erzählung ist Nathans Antwort auf Saladins Frage, welche von den drei Religionen—die jüdische, christliche, mohammedanische —die wahre sei.

84. Wahrscheinlich an den Schwager des Dichters gerichtet, beim Tode von dessen Frau, des Dichters einziger Schwester.

86. 🎵 Schubert, op. 7, 3.

87. Stark beeinflußt von P. Gerhardts Abendlied, Nr. 32, vergl. den Anfang mit 32, iii.

iii, 5 *getrost*, unbedenklich, gedankenlos.   iv, 2 *eitel*, nichts als.

🎵 J. A. Schulz; Schubert; C. Reinecke.

89. Nach einer dänischen Volksballade. *Erlkönig* ist falsche Übersetzung des dänischen *ellerkonge* (*elverkonge*) = Elfenkönig.

xv, 2 *traf*, kam. 🎵 C. Loewe, op. 2, 2; A. Jensen, op. 58, 1; Pfitzner, op. 12; Gade, op. 30.

90. Angeregt durch Teile eines deutschen Volksliedes und die schottische Ballade 'Sweet William's Ghost' in Percy's 'Reliques of Ancient English Poetry'. In alle Sprachen Europas übersetzt, besonders oft ins Englische, von Walter Scott 1796, Dante Gabriel Rossetti 1844.

Bürger legt die Handlung in die Zeit des Siebenjährigen Krieges. Prager Schlacht: 1757. Friede zu Hubertusburg zwischen Friedrich dem Großen und Maria Theresia: 1763.

Seite 84, i, 6 *es*, davon.   iii, 4 Übersieh ihre Sünde. **Seite 87**, i, 5 *Graut Liebchen* = Graut es dem Liebchen. iv, 4 *hart hinter's*, dicht hinter des.   **Seite 88**, iv, 1 *rund*, rund umher, ringsum.

91. Die Erzählung schon im Pfaffen Amis (um 1230), in Pauli's 'Schimpf und Ernst' (1522) und bei Burkard Waldis (1555). Bürgers Vorlage war 'King John and the Abbot of Canterbury' in Percy's 'Reliques'.

ANMERKUNGEN

i, 1 *schnurrig*, komisch. 2. *kurrig*, knurrig, mürrisch.
Seite 91, iii, 3 *Wardein*, Münzwart; Beamter, der Wert
und Gehalt der Münzen prüft. vii, 2 *zerspliß*, zerspaltete.
Seite 92, iii, 1 Anspielung auf Goethes 'Leiden des
jungen Werther'. iv, 3 *einhotzeln*, einschrumpfen. 4
Mein Sixchen, bei meiner Seele! **Seite 93,** iv, 2 So ver-
stehe ich doch manche praktische Kunst. vii, 2 *prachern*,
großtun. 3 *Deut*, kleine Münze. **Seite 94,** iv, 1 *Haber*
= Hafer. **Seite 95,** v, 4 *Panisbrief*, Brotbrief, kaiser-
liches Schreiben, wonach ein Kloster einen Laien lebenslang
zu versorgen hatte.

93. 🎵 Schubert (zweimal); M. Hauptmann, op. 14.

94. Text mit den Veränderungen von J. H. Voß, der
die 1. Ausgabe von Höltys Gedichten besorgte.

🎵 Schubert; Mendelssohn, op. 8, 1; Brahms, op. 71, 5.

95. ii, 4 *geußt* = gießt. v, 1 *düstert* = verdüstert.
vi, 1 *neideten*, würden ihn beneiden.

96. 🎵 Brahms, op. 43, 2.

100. Die dritte Strophe ist von Voß. Vergl. die
Anmerkung zu Nr. 94. 🎵 P. Cornelius, op. 5, 6.

101. Von Goethe einem Volksliede nachgebildet.
🎵 Schubert, op. 3, 3; Schumann, op. 67, 3 (Chor);
Brahms.

102. Entstanden im Frühling 1771, zur Zeit von
Goethes Liebe zu Friederike, der Tochter des Pfarrers
Brion in Sesenheim. 🎵 Schubert, op. 56, 1.

103. Vergl. 'Dichtung und Wahrheit', Buch 11:
»Gemalte Bänder waren damals eben erst Mode geworden;
ich malte ihr (Friederike) gleich ein paar Stücke und sendete
sie mit einem kleinen Gedicht.« 🎵 Beethoven, op. 83, 3.

104. 🎵 Beethoven, op. 52, 4.

105. iii, 3 *Ertrat* = zertrat. 🎵 Mozart (1789).

106. Zugleich mit den ersten Faustscenen um 1773
entstanden und darin verwendet. Faust I, 2403 ff.
Thule, ein in weiter Ferne gelegenes Fabelland, so schon
bei Virgil 'Ultima Thule' (Georgica, 1, 30).

ii, 3 Die Augen wurden ihm feucht.   vi, 3 Seine Augen brachen, erloschen.   *täten* (alter Indikativ) = taten.

🎵 Schubert, op. 5, 5 ; Berlioz, op. 24 ; Liszt ; Schumann, op. 67, 1 (Chor) ; Gounod.

107. Gretchens Lied ; Faust I, 3018 ff.   🎵 Schubert, op. 2 ; Berlioz, op. 24 ; Loewe, op. 9, 3, 2.

108. Bezieht sich auf Lili Schönemann.   🎵 Beethoven, op. 75, 2 ; M. Hauptmann, op. 19, 6.

109. Clärchens Lied ; Egmont, Akt III.

🎵 Beethoven, op. 84, 4 ; Schubert ; Liszt ; Rubinstein, op. 57.

110. In Erinnerung an Lili in der ersten Weimarer Zeit, 1775, gedichtet.   🎵 Schubert, op. 3, 4.

111. Gedichtet 1776.   Erster Druck 1780 mit der Überschrift ' Um Friede '.

🎵 Schubert, op. 4, 3 ; Loewe, op. 9 ; Liszt ; Hiller, op. 25, 2 ; Raff, op. 122, 1 ; Th. Kirchner, op. 69 (Chor).

112. Goethe im Kampfe mit seiner erwachenden Liebe zu Charlotte von Stein, Ilmenau im Mai 1776.   Am 5. Mai 1776 schrieb Goethe aus Ilmenau seinem Herzoge : » Hier ist schon den ganzen Morgen Schnee.« An demselben Tage schrieb er seinen ersten Brief an Ch. v. Stein.

🎵 Schubert, op. 5, 1 ; Schumann, op. 33, 5 ; R. Franz, op. 33, 6 ; Th. Kirchner, op. 69 (Chor).

113.   🎵 Brahms, op. 93 a, 6 ; Hugo Wolf (1888).

114.   🎵 Schubert (zweimal) ; M. Hauptmann, op. 22, 5.

115.   🎵 Schubert, op. 5 ; Loewe, op. 43, 1.

i, 3 *nach dem Angel* = nach der Angel.   ii, 2 *was*, warum.

116. Entstanden 1779 nach einem Besuch des Staubbachs bei Lauterbrunnen im Berner Oberland.

i Vergl. Wordsworth, ' Ode on Immortality ' :

> . . . trailing clouds of glory do we come
> From God, who is our home.

ii, 1 Der reine Strahl strömt. 8 *wallt verschleiernd*, vergl. Tennyson, 'Lotos-Eaters':

A land of streams ! some like a downward smoke,
Slow-dropping veils of thinnest lawn, did go.

🎵 Schubert, op. 167 (8 Männerstimmen mit Streichorchester); Loewe, op. 88 (4 Solostimmen); F. Hiller, op. 36 (Chor).

117. Goethe schrieb das Lied, wahrscheinlich am Abende des 6. Sept. 1780, an die Wand eines kleinen Waldhauses auf dem Gickelhahn, einem Berge bei Ilmenau. Als er im August 1831, um die Zeit seines 82. Geburtstages, die alten Schriftzüge noch einmal sah, soll er wehmütig die Worte wiederholt haben : »Ja, warte nur, balde ruhest du auch ! «

🎵 Schubert, op. 96, 3 ; Schumann, op. 96, 1 ; Rubinstein, op. 48, 5 (Duett).

118. iii, 2 *Lilienstengel*, Symbol der romantisch heiteren Poesie. 4 *Sommervögel*, Schmetterlinge.

🎵 F. Hiller, op. 63 (Chor).

119. Angeregt durch Herders 'Erlkönigs Tochter'. *Erlkönig* = Elfenkönig, vergl. die Anmerkung zu Nr. 89. Übersetzt von Sir Walter Scott, 1799.

ii, 1 *was*, warum.   vii, 4 *Leids* (alter partitiver Genitiv) = Leid.

🎵 Schubert, op. 1 ; Loewe, op. 1, 3.

120. ii, 5, 6 Wohl Reminiscenz aus der 1. Ode des Horaz : 'sublimi feriam sidera vertice.'   v Unser Leben und das Dasein der Götter werden einander als Ring und unendliche Kette gegenüber gestellt.   3–6 Viele menschliche Generationen reihen sich als einzelne Glieder an die unendliche Kette des Götter-Daseins.

🎵 Schubert ; Hiller, op. 63 (Chor) ; Hugo Wolf.

121. ii, 3 *ahnen*, vermuten, dunkel fühlen ; Gegensatz zu *kennen* i, 6.   v, 1 *Glück*, Schicksal, Fortuna. 2 *tappen*, wie ein Blinder umherfühlen.   viii, 2 *lohnen* = belohnen.

122. Die Ballade schildert die Macht und Würde des Dichters, der seine höchste Belohnung in seiner Kunst findet.

ii, iv, v, vi, 2–7 werden vom Sänger gesprochen.   v, 1–2 Ähnlich Tennyson, 'In Memoriam,' xxi :

> I do but sing because I must,
> And pipe but as the linnets sing.

🎵 Schubert, op. 117 ; Loewe, op. 59; Schumann, op. 91, 1 ; Hugo Wolf.

123–5. Aus 'Wilhelm Meisters Lehrjahren'.

123. Mignon, ein kaum dem Kindesalter entwachsenes Mädchen, war von Seiltänzern geraubt und aus Italien nach Deutschland gebracht worden, wo Wilhelm Meister sie aus den Händen der rohen Gesellen befreite. Sie hat sich ihrem Retter in dankbarer Liebe angeschlossen und ihm singt sie ihre sehnsuchtsvollen Lieder. Die erste Strophe beschreibt ihr Heimatland, die zweite das Landhaus, in dem sie als Kind oft geweilt, die dritte den gefahrvollen Weg über die Alpen. Auch Goethes Sehnsucht nach Italien findet in dem Liede Ausdruck. Vergl. Heine, 'Reisebilder,' III. i. xxvi: » Kennst du das Lied ? Ganz Italien ist darin geschildert, aber mit den seufzenden Farben der Sehnsucht.«

i, 4 Statt *hoch* hat die vor Kurzem aufgefundene erste Fassung des Gedichtes das wundervoll belebende *froh*.

🎵 Beethoven, op. 75, 1 ; Schubert ; Schumann, op. 79, 29 und 98, 1 ; Liszt ; Thomas (Oper 'Mignon') ; Wolf.

124. 10 *Eingeweide*, Herz, Innerstes.

🎵 Beethoven ; Schubert, op. 62, 4 ; Schumann, op. 98, 3 ; Tschaikowsky, op. 6, 6 ; H. Wolf.

125. 🎵 Schubert, op. 12, 2 ; Schumann, op. 98, 4; Wolf.

126. Aus 'Iphigenie auf Tauris', IV, 5. *Parze*, Schicksalsgöttin.

Tantalus, lange Zeit ein Gast und Liebling der Götter (ii), wurde dann wegen eines Frevels von diesen in die

ANMERKUNGEN

Unterwelt gestürzt (iii). Dort schmachten auch die von Jupiter besiegten Titanen; der glühende Dampf der Vulkane ist ihr Atem (iv, 6–10). Die Nachkommen des Tantalus, zu denen auch Iphigenie gehört, leiden unter dem Zorn der Götter (v). Der in die Unterwelt verbannte, alte Tantalus horcht auf das Lied und gedenkt schmerzvoll der Kinder und Enkel (vi).

𝄢 Brahms, op. 89 (Chor und Orchester).

127. i, 5 Die zwei Negationen verstärken einander. ii, 3 *Áolus*, der Windgott. Bei Homer (Od. 19 ff.) verschließt er die Winde in einen Schlauch, bei Virgil (Aen. i, 52 ff.) in eine Höhle.

𝄢 Beethoven, op. 112 (Chor und Orchester); Schubert, op. 3, 4 (nur i); Mendelssohn, op. 28 (Ouverture).

128. 𝄢 Beethoven; Schubert, op. 5, 2.

129. Goethe verdankte die 'artige Idee, daß ein Kind einem Schatzgräber eine leuchtende Schale bringt' einem Bilde in einer deutschen Übersetzung von Petrarca's *De remediis utriusque fortunae*. Er machte das Kind zu einem guten Genius und die Schale zum Sinnbilde rechten Lebensgenusses.

iii, 5 Vorbereitung war unmöglich; ich war völlig unvorbereitet auf die plötzliche Erscheinung. v, 1 *Mut des reinen Lebens* = Mut zu reinem Leben.

𝄢 Reichardt; Schubert; Loewe, op. 59, 3.

130. Goethe hat die Legende nach dem Vorbilde des Schwankes 'Sankt Peter mit der Geiß' von Hans Sachs (Nr. 25) erfunden, auch dessen Stil und Sprache nachgeahmt: *auf der Straßen* = auf der Straße, *was* = war.

131. Nach einer Erzählung in Lucian's Φιλοψευδής (Lügenfreund). Die letzten 6 Zeilen spricht der Meister, alles übrige der Lehrling.

𝄢 Loewe, op. 20, 2.

132. Motiv und Stil erinnern an Volkslieder.

iv, 4 *Doch* ist vielleicht ein alter Druckfehler statt 'denn'.
Vergl. Goethe-Jahrbuch, xxiv. 236.

♆ Schubert, op. 3, 1.

133. Goethe sandte das Gedicht am 26. Aug. 1813 aus
Ilmenau an seine Gattin zur Erinnerung an seine erste
Begegnung mit ihr im Parke zu Weimar 25 Jahre vorher.

134. Im Herbst 1815 unter den Kastanien der Heidel-
berger Schloßterrasse gedichtet.

135. Aus Faust II, Akt v. Eins der letzten Gedichte
Goethes. Dankbar bewegt nimmt er darin Abschied von
der Schönheit der Welt. Der Türmer ist ein Abbild des
Dichters, der das Leben von hoher Warte schaut.

3 Durch Eid zum Wächterdienst verpflichtet. 10 Die
ewige Schönheit der Schöpfung.

♆ Loewe, op. 9; Schumann, op. 79.

136. i, ♆ Loewe, op. 22, 5; Schumann, op. 25, 8.
v, Erste Strophe des Gedichtes 'Vermächtnis'. xiii,
Aus dem Gedichte 'Beherzigung'. xx, 3 *Siebensachen*,
geringschätziger Ausdruck für allerlei Sachen, besonders
auch für schwache Gedichte. xxii, Aus dem Sonett
'Natur und Kunst'. xxiii, Faust II, i, 449 ff. xxiv,
Faust II, v, 516 ff.

137 und **138** sind Jugendwerke Schillers, zuerst gedruckt in der 'Anthologie auf das Jahr 1782'.

137. i, 1 *Die* bezieht sich auf *Welt*: 'Durch die
schwebende Welt, die . . . schlug, flieg' ich des Windes
Flug (mit der Geschwindigkeit des Windes).' ii Er ist
bereits in Regionen gekommen, wo neu erstandene Sterne
ihren Lauf beginnen. Noch haben sie keinen Mittelpunkt,
um den sie kreisen; in freiem Spiele bewegen sie sich den
Sonnensystemen (*den lockenden Zielen*) zu. iii Er ist in
sternenleere Räume gekommen und fliegt nun mit der
Schnelle des Lichtes weiter, nebelhafte, im Entstehen be-
griffene Welten hinter sich lassend. iv Der Pilger
durchfliegt den Weltraum in entgegengesetzter Richtung.
4 *Seiner*, des Schöpfers. Ergänze: 'gehen'. 5 *Segle* =

ANMERKUNGEN

Ich segle.   v Die Zeilen 3–6 richtet der Dichter an seine Phantasie, die es wagte in kühnem Fluge die Größe der Welt zu ermessen.

138. i, 1 *dumpfig*, dunkel, schwül und drohend.   11 *das starre Kommando*, der strenge, unbedingten Gehorsam fordernde Befehlsruf.   iii, 1 *fleugt* = fliegt; *Wetterleucht* = Wetterleuchten, Blitz.   4 *Losung*, Kanonendonner.   7 *wogt sich*, wogt hin und her.   iv, 2 *Peloton*, Zug, Abteilung einer Kompanie.   6 *Auf Vormanns Rumpfe* (Dativ statt Accus.), auf die Leiche des Vordermanns. vi, 1 *strampft* = stampft.

139. Gekürzt.   Das 1785 entstandene Lied spricht das überwältigende Glücksgefühl aus, das den Dichter seit seinem Freundschaftsbunde mit Körner und der Befreiung von äußeren Sorgen erfüllte.

i, 3 *feuertrunken*, von warmer Begeisterung überwältigt. ii, 9 *Ring*, Erdenrund (ii, 6), Erdkreis.   iv, 8 *des Sehers Rohr*, Fernrohr des Astronomen.   10 *Plan*, Gefilde, Raum. 🎵 Beethoven (Schlußsatz der IX. Symphonie); Schubert, op. 115, 1.

140. Launige Darstellung der Leiden des Dichters im Zwange hemmender Verhältnisse.

ii, 1 *Hippogryph*, Fabelwesen, halb Pferd, halb Greif; hier Bezeichnung für den *Pegasus*, das beflügelte Dichterroß.   2 *in prächtiger Parade*, in schöner (aufrechter) Stellung.   15 *Täuscher*, Roßhändler.   iii, 11 *Koller*, Pferdekrankheit, hier: Wildheit.   v, 4 *Tollwurm*, Koller, Tollheit.   5 *zwingen* = bezwingen.   vi, 6 *Phöbus*, Apollo als Gott der Dichtkunst.   vii, 7 *Ein lustiger Gesell*: Apollo ist gemeint.

141. Das Gedicht überrascht durch das bei Schiller seltene persönliche Element. Es ist eine wehmütige Klage des Dichters über das Hinschwinden seiner Jugendträume, die sich am Schlusse zu dem tröstenden Gedanken erhebt, daß Freundschaft und Arbeitslust ihm treu geblieben sind. In der Anschauung befangen, der Dichter müsse rein persönliche Empfindungen zu allgemein menschlichen läutern, fand es Schiller später 'zu subjectiv wahr'.

i, 1 *du*, die Jugendzeit ('O meines Lebens goldne Zeit'). iii, 2 *Pygmalion* verliebte sich in eine von ihm geschaffene Statue, die sich in seinen Armen belebte. v, 2 *kreißend*, nach Leben verlangend. x, 4 *zum finstern Haus*, zum Grabe. 𝕃 J. F. Reichardt.

142. Nach einem Gemälde.

i, 1 *strahlender Gott*, Phöbus Apollo, der Sonnengott. ii, 4 *Tethys*, eine Meergöttin, erscheint hier als Geliebte des Phöbus, während sonst ihre Tochter, die Mutter des Phaeton, dafür gilt. iii, 2 *Cupido*, Amor, Eros.

𝕃 Brahms, op. 64, 2 ; R. Strauß, op. 34, 1 (Chor); R. Kahn, op. 44, 2.

143. ii, 4 *birschte*, jagte. iii, 2 *Firnewein*, alter Wein. iv, 2 *aus weiter Fern'*, aus seiner Traumwelt.

144. Ein allegorisches Gedicht. G. Körner nannte es 'ein liebliches Rätsel'. Das Mädchen aus der Fremde ist die Poesie, das Tal ist die Erde, und die armen Hirten sind die Menschen.

𝕃 Grosheim; Schubert; Tomaschek, op. 86, 1.

145. Die Ballade ist eine veredelnde Bearbeitung einer Erzählung, die unter anderen von dem Jesuiten Athanasius Kircher in seinem Werke 'Mundus subterraneus', 1665, berichtet wird. Goethe scheint diese gekannt und Schiller darauf hingewiesen zu haben. Der Held der alten Erzählung ist ein Taucher von Handwerk, Nicolaus Pesce genannt, der für Geld auf Wunsch des Königs Friedrich II. von Sicilien zweimal in die Charybde sprang und das zweite Mal darin umkam.

ii, 4 *Die Charybde* liegt nach Homer, Od. XII, 85 ff. and 234 ff., zwischen Sicilien und Italien. vi Schillers anschauliche Schilderung des Wasserstrudels ist viel bewundert worden. Auf Goethes Lob antwortete er: »Ich habe diese Natur nirgends als etwa bei einer Mühle studieren können, aber weil ich Homers Beschreibung

von der Charybde genau studierte, so hat mich dieses
vielleicht bei der Natur erhalten.«

146. Schiller fand die Geschichte in den 'Essais
historiques sur Paris' von Saintfoix, wo es heißt: »Un
jour que François Ier s'amusoit à regarder un combat de
ses lions, une Dame ayant laissé tomber son gant dit à De
Lorges: 'Si vous voulez que je croye que vous m'aimez
autant que vous me le jurez tous les jours, allez ramasser
mon gant.' De Lorges descend, ramasse le gant au
milieu de ces terribles animaux, remonte, le jette au nez de
la Dame, et depuis, malgré toutes les avances et les agace-
ries qu'elle lui faisoit, ne voulut jamais la voir.«

vii, 8 *Und er wirft ihr den Handschuh ins Gesicht.*
Frau von Stein fand dies allzu unhöflich und Schiller
änderte daher die Zeile im ersten Druck in: 'Und der
Ritter sich tief verbeugend spricht'. Später aber setzte
er die erste Lesart wieder ein. Ähnlich in Browning's
'The Glove': »And full in the face of its owner Flung
the glove.« Vergl. auch Leigh Hunt's 'The Glove and the
Lions'.

147. Die Erzählung findet sich bei Herodot, III, 39–43.
Schiller hat die ausgedehnte Handlung auf zwei Tage
beschränkt und lange Briefe und Botschaften durch drama-
tische Dialoge ersetzt.

i, 1 *Er*, Polykrates, Tyrann (d. i. Usurpator des
Thrones) von Samos, 540–523 v. Chr. Er wurde von
den Persern gefangen und ans Kreuz geschlagen. 5
Ägyptens König, Amasis II., 570–526 v. Chr. iii, 2
Milet, Stadt in Kleinasien. xiii, 4 *Erinnen*, Erinnyen
oder Furien, die Rachegöttinnen.

148. Goethe kannte den Stoff aus den 'Adagia' des
Erasmus und teilte ihn Schiller mit. Dieser benutzte
weitere Quellen, darunter Plutarch, 'Über die Geschwät-
zigkeit,' Kap. 14. »Was den Stoff dem Dichter innerlich
wert machte, war die daraus hervorspringende Idee der
Gewalt künstlerischer Darstellung über die menschliche
Brust.«—W. von Humboldt.

ANMERKUNGEN

Ibykus, griechischer Dichter des 6. Jahrhunderts v. Chr.
i, 1 Die isthmischen Spiele, den olympischen ähnlich,
wurden alle zwei Jahre auf dem Isthmus (der *Landesenge*)
von Korinth gefeiert. 8 *Rhegium* in Süd-Italien, die
Heimat des Ibykus. *des Gottes voll,* erfüllt mit dem
Geiste Apollos.   ii, 2 *Akrokorinth,* die Burg von
Korinth.   3 *Poseidons Fichtenhain* : die Fichte war dem
Poseidon (Neptun) heilig.   iii, 7 *der Gastliche,* Beiname
des Zeus (Ζεὺς ξένιος) als Beschützer der Wanderer und
Gäste.   iv, 3 *auf gedrangem Steg,* auf engem Pfade.
viii, 5 *Prytane,* Richter.   7 *Die Manen,* die Lebensgeister
des Menschen, die nach antiker Anschauung seinen Tod
überdauern und als Schatten weiterleben.   ix, 7 *Helios,*
der Sonnengott.   xi, 2 *Bühne,* die Sitzreihen für die
Zuschauer.   xii, 3 *Cekrops' Stadt,* Athen.   xiii, 7
das Riesenmaß der Leiber : die Schauspieler trugen hohe
Schuhe (Kothurne) und Masken.   xv–xvii Schiller
benutzte Stellen aus Humboldt's Übersetzung der 'Eumeniden' des Aschylus.   Vergl. besonders xv, 5–8 mit :
Äschylus, 316 ff. :

Sinnberaubend,
Herzzerrüttend, wahnsinnhauchend
Schallt der Hymnos der Erinnyen,
Seelenfesselnd, sonder Leier
Und des Hörers Mark verzehrend.

Erinnyen, Eumeniden, Furien, Rachegöttinnen.

149. Aus 'Wallensteins Lager '.
iv, 3 *Fröner,* hier : Bauer.   🎵 Ch. J. Zahn.

150. 🎵 Schubert, op. 87, 2 ; F. Lachner, op. 54.

151. Die Geschichte war im Altertum und Mittelalter
weit verbreitet.   Cicero erwähnt sie zweimal (de Off. III,
10 und Tusc. V, 22) ; Hyginus und Valerius Maximus
nahmen sie in ihre Fabelsammlungen auf, aus denen mehrere
mittelalterliche Bearbeiter schöpften ; ein Drama ' Damon
and Pythias' von Richard Edwards wurde Weihnachten

1564 in London vor der Königin Elisabeth und im Januar 1568 in Oxford aufgeführt. Schillers Hauptquelle war die 257. Fabel des Hyginus, doch kannte er auch andre Fassungen.

i, 1 *Dionys*, Tyrann von Syrakus, 406–367 v. Chr. ii, 5 *gefreit*, angetraut, vermählt. Hygin.: 'ut sororem suam nuptui collocaret.' iv, 1 *gebeut* = gebietet.

152. Schiller vollendete das Gedicht 1799, scheint aber den Plan dazu schon 1788 gefaßt zu haben. Die technischen Vorgänge beim Glockengusse studierte er in einer Glockengießerei bei Rudolstadt und in Krünitz' Encyclopädie. Das Gedicht wird vom Meister Glockengießer gesprochen. Die eingerückten Strophen enthalten seine Anweisungen an die Gesellen, die übrigen seine daran geknüpften Betrachtungen.

» Die wundervollste Beglaubigung vollendeten Dichtergenies enthält das 'Lied von der Glocke', das in Schilderungen der höchsten Lebendigkeit alle Vorfälle des menschlichen und gesellschaftlichen Lebens durchläuft, die aus jedem entspringenden Gefühle ausdrückt, und dies alles symbolisch immer an die Töne der Glocke heftet, deren fortlaufende Arbeit die Dichtung in ihren verschiednen Momenten begleitet. «—W. von Humboldt.

Nachgeahmt in Longfellow's 'The Building of the Ship'. Das Motto (Ich rufe die Lebenden, beklage die Toten, breche die Blitze) nahm Schiller aus Krünitz; es ist die Inschrift der großen Glocke des Münsters in Schaffhausen.

i, 3 *werden*, entstehen, fertig werden. iii, 4 *Schwalch*, Öffnung über dem Feuerrost. 5–6 Wenn das geschmolzene Kupfer kocht, bringt schnell . . . 7 *Glockenspeise*, Glockenmetall. iv, 1 *des Dammes Grube*, Dammgrube; die eingedämmte Grube, in der die Glockenform steht. **Seite 187**, 8–11 Vergl. Krünitz: » Wenn die *Windpfeifen* (Zuglöcher an der Decke des Ofens) gelb werden, so ist dies ein Zeichen, daß das Metall gehörig flüssig ist. Es ist

ANMERKUNGEN

dies auch daran zu erkennen, wenn ein in das geschmolzene Metall gestoßener Stab beim Herausziehen mit einer feinen *Glasur* überzogen aussieht.« **Seite 188,** 32 *der Pfosten ragende Bäume,* die hohen Stangen der Heuschober. **Seite 189,** 12 Vergl. Krünitz: »Nunmehr muß der Gießer untersuchen, ob er eine gute Mischung getroffen habe. Er gießt in einen ausgehöhlten Stein etwas von seinem Metall und zerbricht es nach dem Erkalten. Zu kleine *Zacken des Bruches* sind ein Zeichen, daß das Metall zu viel Zinn habe.« 17 *in des Henkels Bogen,* in den gebogenen Henkel der Glockenform. **Seite 190,** 28 *Quellen* ist Subjekt, *Wasserwogen* Objekt. 33 *In der Sparren dürre Bäume,* in die dürren Dachbalken. **Seite 197,** 1 *Helm* ist der obere Teil, *Kranz* der untere Rand der Glocke. 18–19 Vergl. Hiob 38, 7 : »Da mich die Morgensterne miteinander lobeten.«
🎵 Romberg (Chor und Orchester ; Bruch, op. 45 (Soli, Chor und Orchester).

153. iv, 7 *Hesper* = Hesperus, der Abendstern, oft personifiziert. vi, 5 *die Pfirsche* = der Pfirsich.
🎵 Schubert, op. 116.

154. *Nänie,* Totenklage. 2 Der *stygische Zeus* ist Pluto, der *Schattenbeherrscher.* 3–4 Anspielung auf die Sage von Orpheus und Eurydike. 5 der *schöne Knabe* ist Adonis. 7–10 der *göttliche Held* ist Achilles, der nach Homer am *skäischen Tore* von Troja fiel. Seine Mutter ist Thetis, eine der *Töchter des Meergottes Nereus.* Nach Achills Tode entstieg sie mit ihren Schwestern dem Meere und klagte um den Gefallenen. Od. xxiv, 47 ff. 14 *Orkus,* Unterwelt. 🎵 Brahms, op. 82 (Chor und Orchester). Götz (Chor und Orchester).

155. Aus Schillers Bearbeitung von Shakespeare's 'Macbeth', II, 5.

156. Ausdruck der Schiller beherrschenden Sehnsucht aus den Niederungen der Wirklichkeit nach den reinen

Höhen einer erträumten Idealwelt.   iii, 5 *des Stromes Toben*, das Getriebe des Lebens. ♬ Schubert, op. 39.

157. Die Stimmung, der das Gedicht entsprang, ist dieselbe wie in dem vorausgehenden. Die allegorische Einkleidung mag von Bunyan's 'The Pilgrim's Progress' beeinflußt sein. ♬ Schubert, op. 37, 1.

158. Schiller fand die Erzählung bei seinen Vorstudien zu 'Wilhelm Tell' in Tschudi's 'Chronicon Helveticum'.

i, 3 *König Rudolf* wurde 1273 in Aachen gekrönt. 6 Der König von Böhmen war Erzschenk des deutschen Reiches. Ottokar II. blieb von Rudolfs Krönung weg, was Schiller absichtlich übersah. *des perlenden Weins* (part. Gen.) = den perlenden Wein. 7 *Wähler*, Kurfürsten. ii, 6 *die kaiserlose* ... *Zeit*, das Interregnum 1254–73. iv, 2 *Talar*, langes Gewand. ♬ Loewe, op. 98.

159. Aus dem letzten dramatischen Werke, das Schiller vollendete: 'Die Huldigung der Künste'.

161. i, 1 *Trunken dämmert* ..., überwältigt und geblendet ist meine Seele. 4 *der entzückende Sonnenjüngling*, Helios.   ii, 3–4 Der griechische Götterglaube mit seiner poesievollen Belebung der Natur entsprach Hölderlins innerstem Wesen. ♬ P. Cornelius.

162. v, 3 *heitre* = erheitere.

163. iii, 3 *Zeitlose*, Herbstzeitlose, Safran, Colchicum autumnale.

164. Zuerst gedruckt 1799. Im Jahre vorher gab Hölderlin seine Hofmeisterstelle im Hause des Frankfurter Bankiers Gontard auf, in der er mannigfache Kränkungen und schweres Liebesleid erfahren hatte. Der Ruhe bedürftig, ohne genügende Mittel und ohne Aussicht auf eine neue Anstellung dachte er daran, in das Haus seiner Mutter, in Nürtingen am Neckar, zurückzukehren.

165. Hölderlin hat nur kurze Zeit dichterischen Schaffens genossen. Von den 73 Jahren seines Lebens verbrachte er mehr als vierzig in geistiger Umnachtung.

Parzen, Schicksalsgöttinnen.   ii, 2 *Orkus*, Unterwelt.

166. Aus dem Roman 'Hyperion'.
🎵 Brahms, op. 54 (Chor und Orchester).

169. 🎵 Schubert. **170.** Schubert; Dräseke, op. 16, 6.

171–172. Der Tod seiner Braut und eigene schwere Krankheit machten Novalis früh mit dem Tode vertraut und steigerten sein religiöses Empfinden zu mystischer Schwärmerei. In seiner Vorstellung flossen die Gestalten seiner Braut und der Jungfrau Maria zusammen (171), und in seltsamen Phantasien malte er sich die Welt der Toten (172).

171. 🎵 Max Reger, op. 105, 1.

172. Aus dem Roman 'Heinrich von Ofterdingen'. Heinrich findet dieses Lied der Toten über dem Tore eines Kirchhofs angeschrieben.

174. 🎵 Herzogenberg, op. 41, 6 ; Brahms, op. 42, 1 (Chor).

176. Lurlei ist der Name eines Felsens bei St. Goarshausen am Rhein. Brentano machte daraus einen Mädchennamen *Lore Lay* und erfand die Sage, die ins Volk drang und durch Heines Lied (Nr. 278) allgemein bekannt wurde. *Lei* heißt in der Rheingegend so viel wie Fels ; *Lurlei* bedeutet Fels der 'Luren' oder lauernden Berggeister, denen man das vielfache Echo des Felsens zuschrieb.

vii, 2 *bekennt* = bekannt hast. 🎵 W. H. Riehl.

177. 'Aus der Chronika eines fahrenden Schülers': » Der Anblick meiner holdseligen Mutter, wenn sie so vor sich hinsang und spann, rührte mich oft bis zu Tränen. Einmal als ich sie singen hörte, da fing eine Nachtigall vor unserm Fenster auch an zu singen ; es war schon sehr spät, und der Mond schien klar und hell. Meine Mutter aber hörte nicht auf zu singen, und sang das Vöglein und sie zugleich.«

🎵 Riehl ; Wüllner, op. 21, 3 ; Thuille, op. 24, 1.

179. Das Schloß Boncourt in der Champagne, die Geburtsstätte Chamissos, wurde in der französischen Revolution 1790 zerstört. Chamisso floh mit seinen Eltern nach Deutschland, das ihm zur Heimat wurde.

🎵 Truhn, op. 100.

180–182. 🎵 Schumann, op. 42.

183. Quelle: Brüder Grimm, 'Deutsche Sagen', Nr. 493. König Konrad III. (1138–1152), der erste Kaiser aus dem Hause der Hohenstaufen, hatte lange mit den Welfen (Guelfen) zu kämpfen ; vor Weinsberg in Schwaben besiegte er den Grafen Welf VI.

vii, 4 *zerdeuteln,* falsch deuten.

184. Nach dem Dänischen von H. C. Andersen.

🎵 Silcher; Schumann, op. 40, 3; Franz, op. 52, 2; Grieg.

186. iv, 7 *Sie* ist Objekt. 🎵 Schumann, op. 35, 3.

187. Graf (später Herzog) Eberhard im Bart regierte 1459–96. Kerner kannte die Geschichte wohl aus Luthers 'Tischreden' (1566), doch erzählte sie schon Melanchthon in einer 1552 gehaltenen Rede ; Grimmelshausen (vergl. Nr. 43) erwähnt sie im Simplicissimus, v, 18. Zur Erinnerung an den Vorfall wurde 1881 im Stuttgarter Schloßpark ein Denkmal errichtet.

vi, 2–4 Bei Melanchthon : »Securus in gremio cuiuslibet meorum civium dormire possum.«

190. Kerners Gattin starb 1854 nach 41 jähriger überaus glücklicher Ehe. 🎵 Le Beau, op. 45, 1.

191. 🎵 Hugo Wolf.

192. Die Wurmlinger Kapelle auf einer Höhe bei Tübingen.

🎵 Kreutzer, op. 64, 1, 3 (Chor); Schumann, op. 69, 6; Raff (Duett) ; Bruch (Chor).

193. 🎵 Kreutzer, op. 24, 1 (Chor) ; Mendelssohn (Duett) ; Weingartner, op. 15, 1.

194. Gespräch zweier Wanderer. Landschaft und Menschenschicksal zuerst im Licht, dann im Schatten. Übersetzt von Longfellow.

🎵 Kreutzer, op. 64, 1, 1 ; Raff, op. 98, 1.

196. 🎵 Loewe, op. 1, 2.

197. 🎵 Kreutzer, op. 23, 4 (Chor); Schumann, op. 145 a, 11 (Chor); Brahms, op. 19, 4.

199. 🎵 Kreutzer, op. 34, 4; Hauptmann, op. 22, 4; Rubinstein, op. 33, 1.

201. 🎵 Kreutzer, op. 34, 8; Richard Strauß, op. 1, 2 und op. 47, 4.

202. 🎵 Kreutzer, op. 34, 9; Brahms, op. 7, 6.

203. 🎵 Schubert, op. 20, 2; Mendelssohn, op. 9, 8; Spohr, op. 72, 13; Hauptmann, op. 19, 8; Götz, op. 3, 3.

205. Quelle: Das Volksbuch vom gehörnten Siegfried.

206. Die Geschichte wird schon im 13. Jahrhundert von dem byzantinischen Geschichtschreiber Nicetas Acuminatus erzählt. Uhland kannte sie aus den ' Annales Suevici ' von M. Crusius und der Türkenpredigt des Paters Abraham a Santa Clara (1644–1709), die auch Schiller zu der Kapuzinerpredigt in 'Wallensteins Lager' benutzte. Dort heißt es: » Ruhmwürdig ist die Courage, welche jener deutsche Soldat gehabt, in dem Kriegsheer Barbarossae; dieser tapfere Schwab konnte wegen seines abgematteten Pferdes der Armee nicht folgen, hatte also ziemlich weit nach derselben seinen müden Schimmel an dem Zaum geführt, ganz alleinig, dem aber fünfzig Türken begegneten, vor welchen er sich nicht entsetzt, sondern mit einer Hand sein Roß gehalten, mit der andern also gefochten und einen solchen Streich geführt, daß er einen Türken vom Kopf hinab den ganzen Leib auch durch den Sattel bis auf die Haut des Pferdes von einander gespalten.«

1 *Kaiser Rotbart lobesam*, der ruhmwürdige Kaiser Barbarossa. 2 Barbarossa's Kreuzzug 1189. 5 *erhub=* erhob. **Seite 250,** 2 *sich abgetan*, sich abgewöhnt. 17 *forcht' sich nit* = fürchtete sich nicht. **Seite 251,** 15 *im Schwang*, in der Mode, in häufigem Gebrauch. 17 *Schwa-*

benstreiche nannte man törichte Handlungen. Uhlands
Gedicht hat sie zu Ehren gebracht.

207. Uhlands Quelle war Saxo Grammaticus, IV,
93–96; die Gestalt der Gunild hat er frei erfunden.

ii, 1 *Felsverlies*, Gefängnis in einer Felsenhöhle.   iii,
3 *Hünenschwert*, Riesenschwert.   v, 6 *der Skalden Preis*,
von Dichtern gepriesen.

208. v, 2 *Gemahl*=Gemahlin.   xi, 2 *aller Harfen Preis*,
die beste aller Harfen.   🎗 Schumann, op. 139 (Soli, Chor,
Orchester) ; Esser, op. 8.

209. *Bertran de Born*, Troubadour, bekannt durch
seine Beziehungen zu den rebellischen Söhnen Heinrichs II.
von England, der ihn 1183 in seiner Burg *Autafort* (Haute-
fort) belagerte und gefangen nahm.

iii, 4 *Perigord und Ventadorn*, französische Provinzen,
damals unter englischer Herrschaft.   v, 1–8 *Aus des
Ölbaums Schlummerschatten*, aus der Ruhe des Friedens.
Heinrich, der älteste Sohn des Königs, empörte sich nach
kurzem Frieden aufs neue, starb aber bald darauf an einem
Fieber.

210. In Eden Hall, bei Penrith in Cumberland, wird ein
Trinkglas aufbewahrt, das der Sage nach einst von Feen
an einer nahen Quelle zurückgelassen wurde. Es trägt die
Inschrift :

> If this glass will break or fall,
> Farewell the Luck of Edenhall.

In Ritson's ‘Fairy Tales’ (London, 1831) wird weiter
berichtet, der Herr des Schlosses habe das Glas einst fallen
lassen, aber ein alter Diener habe es noch glücklich auf-
gefangen. Uhland schöpfte den Stoff aus Ritson's Buch,
hat ihn aber völlig umgestaltet und veredelt.

i, 2 *Festtrommetenschall*, Trompetenfanfare bei einem festlichen Mahle.   iii, 1 *Dem Glas zum Preis*, zu Ehren
des Glases.   2 *Roten aus Portugal*, Portwein.   vii, 1
Zum Horte, zum Glücks-Symbole.   Longfellow (‘The
Luck of Edenhall’) übersetzt : ‘For its keeper takes a race

of might The fragile goblet of crystal tall.' 🎵 Schumann, op. 143 (Chor und Orchester).

212. Vergl. Nr. 14. 🎵 F. Glück.

213. 🎵 Mendelssohn, op. 59, 3 (Chor).

214. 🎵 Mendelssohn, op. 99, 6; Schumann, op. 39, 4.

215. Vergl. Anmerkung zu Nr. 176.
🎵 Schumann, op. 39, 3; Jensen, op. 5, 4.

216. 🎵 Curschmann, op. 23, 4; Mendelssohn, op. 71, 6.

217. Vergl. Nr. 43. Eichendorff denkt sich den Einsiedler auf einer Insel.
🎵 Schumann, op. 83, 3; Bruch, op. 49; Reinthaler, op. 4, 3.

219. 🎵 Mendelssohn, op. 75; Schumann, op. 77, 1.

221. 🎵 R. Franz, op. 8, 2.

222. 🎵 Schumann, op. 39, 12; Jensen, op. 1, 6.

225. iv, 2 *Graus* = Grausen, Schrecken. 4 *fandest* = fandest dich.
🎵 Dräseke, op. 24, 5; Herzogenberg, op. 105, 2.

226. 🎵 Schumann, op. 19, 3; Brahms, op. 3, 5.

227. 🎵 Ludwig Heß, op. 31, 3.

228. Brahms (1854); Schumann, op. 39, 5.

229. 🎵 Kämpf, op. 10, 2.

230. Das Gedicht, entstanden zwischen 1814 und 1817, drückt die damals erwachende Sehnsucht der Deutschen nach nationaler Einheit und der Wiederaufrichtung des Kaiserreichs aus. Der Glanz der Hohenstaufen-Kaiser erlosch mit dem Tode Friedrichs II. (†1250); das Volk tröstete sich mit dem Gedanken, er sei nicht gestorben, sondern schlafe nur in einem Berge (dem Untersberg bei Salzburg oder dem Kyffhäuser in Thüringen), um einst zur Rettung Deutschlands wieder aufzustehen. Diese Hoffnung wurde dann auf Friedrich I. (Barbarossa oder Rotbart) übertragen, der 1190 auf einem Kreuzzuge ertrank.
vii, 3 *Raben*, Geister der Zwietracht und Uneinigkeit.

231. 🎵 Schumann, op. 25, 1.

232. 🎵 Clara Schumann, op. 12 ; Franz, op. 4, 7.

234. 🎵 Schubert, op. 59, 3.

235. Die Strophen ii und ix geben das Lied, das dem Dichter aus der Jugendzeit in Erinnerung geblieben ist. Jakob Grimm (Altdeutsche Wälder, II, 88) hat ein ähnliches aus dem Volksmunde aufgezeichnet:

> Wenn ich wegzieh, wenn ich wegzieh,
> Sind Kisten und Kasten voll.
> Wenn ich wieder komm, wenn ich wieder komm,
> Ist alles verzehrt.

🎵 Radecke, op. 22, 1.

236. 🎵 Brahms, op. 94, 1.

238. xv, 2 Champs Élysées in Paris.
🎵 Loewe, op. 23.

239. 🎵 Himmel ; Weber, op. 41, 1 ; Schubert.

240–244. Aus dem Lieder-Cyklus ' Die schöne Müllerin '. 🎵 Zöllner (Chor); Schubert, op. 25.

245–246. Aus dem Lieder-Cyklus ' Die Winterreise '. 🎵 Schubert, op. 89.

249. *Vineta* soll eine reiche Stadt an der Küste der Ostsee gewesen und bei einer Sturmflut im Meere versunken sein. » Man sagt, bei klarem Wetter sähen die Schiffer noch die leuchtenden Spitzen der versunkenen Kirchtürme, und mancher habe dort in der Sonntagsfrühe sogar ein frommes Glockengeläute gehört.«—Heine.
🎵 Brahms, op. 42, 2 (Chor).

250. Kaiser Karl V. legte seine Krone 1556 nieder. Er verbrachte den Rest seines Lebens in dem spanischen Kloster San Geronimo de Yuste, der Sage nach als Mönch.

v, 1 *der Schere sich bequemt*, bereit ist die Tonsur zu empfangen. 🎵 Loewe, op. 9 und 99, 3.

251. Nachdem Alarich Rom geplündert hatte, starb er 410 in Cosenza, kaum 34 Jahre alt. Der Sage nach begruben ihn die Goten im Bette des Flusses Busento. Platen besuchte Cosenza im Juni 1835 und schrieb bald nachher an seine Mutter: » In Cosenza hatte ich den Busento unter meinen Fenstern und gerade die Stelle, wo aller Wahrscheinlichkeit nach Alarich begraben wurde.«

252. Übersetzt von Longfellow. Vergl. auch sein Gedicht 'The Bridge'.

ii, 3 *nahm der Wogen in acht*, beobachtete die Wellen. iii, 1 *entfacht*, entflammt. 🎵 Brahms, op. 32, 1.

253. 🎵 R. Kahn (dreistimmiger Frauenchor).

254. Platen landete in Venedig am 8. Sept. 1824.

i, 2 *Palladios Tempel*, die Kirchen San Giorgio Maggiore und Il Redentore, erbaut von dem Architekten Andrea Palladio (1518–80). ii, 4 *Seufzerbrücke*, 'Ponte dei Sospiri' zwischen Dogenpalast und Gefängnis. iii, 1–3 Nicht weit vom Landungsplatze steht eine Säule mit dem geflügelten Löwen des St. Markus, Venedigs Wappen.

255. » Ich stieg auf den Markusturm, betrachtete mir wieder die Stadt, den Platz, die Lagunen, die Inseln, das hohe Meer auf der einen, und die Alpen auf der anderen Seite . . . die Markuskirche ist wie Venedig selbst ein kolossales Labyrinth.«—Platens Tagebuch.

256. ii, 4 *Rialto*, Ponte di Rialto, Brücke über den Canal Grande. iii, 3 *Grillenfänger*, Sonderling; Platen meint sich selbst. iv, 3 *Riva*, Riva degli Schiavoni, die breite Uferstraße, in der auch Goethe 'einen zerlumpten Rhapsoden ein Märchen erzählen hörte' (I. Epistel, 56–59).

257. Venedig wurde 1797 von den Franzosen besetzt, durch den Frieden von Paris (1814) fiel es an Österreich, und erst 1866 wurde es mit dem Königreiche Italien vereinigt. ii, 1–4 Die vier Rosse aus vergoldeter Bronze, vom Dogen Dandalo 1204 aus dem eroberten

ANMERKUNGEN

Konstantinopel nach Venedig gebracht und über dem Portal von San Marco aufgestellt, wurden 1797 von Napoleon nach Paris entführt, aber 1815 an ihren alten Platz in Venedig zurückgebracht. Vergl. Byron's 'Childe Harold,' IV, 12, 13:

> Oh for one hour of blind old Dandolo!
> Th' octogenarian chief, Byzantium's conquering foe.
> Before St. Mark still glow his steeds of brass,
> Their gilded collars glittering in the sun;
> But is not Doria's menace come to pass?
> Are they not *bridled*?

258. Vergl. Byron's 'Ode on Venice'.

ii, 4 *Riva der Sclavonen*, vergl. Anmerkung 256, iv, 3. iii, 3 *Paolo Veronese* (1528–88) schmückte den Dogenpalast in Venedig mit Bildern, darunter die thronende Venezia. iv, 2 *Riesentreppe*, Scala dei Giganti im Dogenpalaste mit den Riesenstatuen des Mars und Neptun; auf ihrer obersten Stufe wurden die Dogen gekrönt.

259. »Die Gondel ist bestellt . . . Nach Tische war ich noch einmal auf dem Rialto und erstieg den Markusturm, um Venedig und den Untergang der Sonne zu sehen.«— Platens Tagebuch.

262. i, 4 *Pindaros*, der größte griechische Lyriker, starb der Sage nach im Theater während der Aufführung einer Tragödie.

263. 3 *Weste*, Westwinde. 🎵 Kahn, op. 3, 1.

264. i, 1 *lauscht*, schaut halb versteckt hervor. 3 *duckt*, liegt. ii, 2 *Sterke*, junge Kuh. iii, 4 *Sonnenwende*, Sonnenblume.

265. *Heidemann*, Gespenst, das mit dem Nebel über die Heide zieht. i, 1 *Bruch* (mit langem u), Marschland. ii, 4 *Phaläne*, Schmetterlinge (Phalaenidae). iv, 1 *Schmele*, langes Gras. 4 *kreucht* = kriecht. vi, 3 *Proteus* weidete nach Homer (Od. iv, 354 ff.) die Robbenherde der Seegöttin Amphitrite. x, 3 *Nebelschemen*, Nebelphantom, der Heidemann. 4 *Hünenschritt*, Riesenschritt. xii, 2 *Dünenscheide*, Dünengrenze.

266. ii, 3 *Phaläne*, Schmetterlinge (Phalaenidae).

268. v, 1–3 Angelehnt an Strophe vi von Herders Übersetzung der schottischen Ballade ' Edward ' :

> Und was soll werden dein Weib und Kind,
> Wann du gehst über Meer ? — O !
> Die Welt ist groß, laß sie bettlen drin, . . .
> Ich seh' sie nimmermehr — O !

🎵 Schumann, op. 49, 1 ; Wagner.

269. Nach Daniel, v.   xi, 1 *frevler* = frevelhafter. xv, 1 *zumal*, zugleich, sogleich.   🎵 Schumann, op. 57.

272. 🎵 Schumann, op. 48, 1 ; Franz, op. 25, 5.

273. 🎵 Mendelssohn, op. 34, 2.

274. 🎵 Schumann, op. 25, 7 ; Franz, op. 25, 1.

275. 🎵 Franz, op. 16, 3.

276. 🎵 Schumann, op. 48, 15.

277. 🎵 Franz, op. 44, 4 ; Pfitzner, op. 4, 3.

278. Über die Sage und den Namen *Lorelei* vergl. Anmerkung zu Nr. 176.

🎵 Silcher (Volkslied) ; Schumann, op. 53, 2 ; Liszt.

279. 🎵 Schumann, op. 45, 3.

280. 🎵 Schubert, Schwanengesang, Nr. 10.

281. 🎵 Schubert, Schwanengesang, Nr. 12.

282. Gerichtet an Heines Schwester Charlotte.

283. 🎵 Loewe, op. 9 ; Lachner, op. 27, 1.

284. 🎵 Kücken, op. 19, 4 ; Schumann, op. 25, 24 ; Liszt ; Rubinstein, op. 32, 5 ; Henschel, op. 37, 3.

285. 🎵 Lassen, op. 94, 4 : Brahms, op. 96, 1 ; Steinbach, op. 8, 1.

286. Kevelaer, nicht weit von Düsseldorf, besitzt ein Marienbild, das für wundertätig gilt und alljährlich von

Tausenden von Wallfahrern besucht wird. Heine schrieb in einer Anmerkung:—» Der Stoff dieses Gedichtes ist nicht ganz mein Eigentum . . . Als ich ein kleiner Knabe war und im Franziskaner-Kloster zu Düsseldorf buchstabieren lernte, saß ich oft neben einem andern Knaben, der mir immer erzählte, wie seine Mutter ihn nach Kevlaar mitgenommen, wie sie dort einen wächsernen Fuß für ihn geopfert, und wie sein eigner schlimmer Fuß dadurch geheilt sei. Mit diesem Knaben traf ich wieder zusammen in der obersten Klasse des Gymnasiums, und als wir neben einander saßen, erinnerte er mich lachend an jene Mirakel-Erzählung, setzte aber doch etwas ernsthaft hinzu: jetzt würde er der Mutter Gottes ein wächsernes Herz opfern. Ich hörte später, er habe damals an einer unglücklichen Liebe laboriert . . . Vor einigen Jahren, als ich am Rhein spazieren ging, hörte ich in der Ferne die wohlbekannten Kevlaar-Lieder, wovon das vorzüglichste den gedehnten Refrain hat: ' Gelobt seist du, Maria ! ' und als die Prozession näher kam, bemerkte ich unter den Wallfahrtern meinen Schulkameraden mit seiner alten Mutter. Diese führte ihn. Er aber sah sehr blaß und krank aus. «

🎵 F. Hiller, op. 83 ; Weingartner, op. 12 (Chor, Orchester).

287. 10 *wiegenliedheimlich*, anheimelnd wie ein Wiegenlied.

289. 9 *totschlaglaunig*, launig erzählend von Mord und Totschlag. 12 *Edda*, Sammlung altnordischer Lieder.

290. 🎵 Mendelssohn, op. 19, 5 ; Franz, op. 41, 1 ; Kirchner, op. 1, 2 ; Rubinstein, op. 32, 1 ; Grieg, op. 48, 1.

291. 🎵 Franz, op. 51, 7.

292. 🎵 Rubinstein, op. 32, 4 ; Grieg ; Henschel, op. 37, 1 ; Wolf.

293. 🎵 Franz, op. 39, 2 ; Grieg.

294. Heine fand die arabische Sage, wie E. Elster nachgewiesen, in Stendhal's 'De l'amour' (1822): » Sahid,

fils d'Agba, demanda un jour à un Arabe : ' De quel peuple es-tu ? ' — ' Je suis du peuple chez lequel on meurt
quand on aime ', répondit l' Arabe.—'Tu es donc de la
tribu de Azra ? ' ajouta Sahid. — ' Oui, par le maître de la
Caaba ! ' répliqua l'Arabe. — ' D'où vient donc que vous
aimez de la sorte ? ' demanda ensuite Sahid.—' Nos femmes
sont belles et nos jeunes gens sont chastes ', répondit
l'Arabe. «

🎵 Loewe, op. 133 ; Rubinstein, op. 32, 6.

295. Byron starb 1824 in Missolunghi. Seine Leiche
wurde nach England gebracht. 🎵 Franz, op. 38, 3.

296. 🎵 Hugo Wolf.

298. *Nöck* (Neck, Nix), ein Wassergeist.

🎵 Loewe, op. 129, 2.

299. *Heinzelmännchen*, hilfreiche Hausgeister, Kobolde.
ii, 9 *berappen*, eine Wand mit Mörtel bewerfen. 10
kappen, behauen, beschneiden.   iv, 8 *Speile*, Holzstäb-
chen.   v, 8 *Kloben*, Vorrichtung zum Emporziehen.

🎵 Loewe, op. 83.

301. 🎵 Franz, op. 9, 3 ; Rubinstein ; Weingartner, op.
16, 6.

302. 🎵 Mendelssohn, op. 71, 4 ; Franz, op. 2, 5.

304. 🎵 Franz, op. 21, 4 ; Weingartner, op. 16, 2.

305. 🎵 Zenger, op. 37, 4.

306. 🎵 Franz, op. 21, 5.

311. 🎵 Hiller, op. 42, 1 ; Liszt ; Rubinstein ; H.
Grädener, op. 26.

312. 🎵 Mendelssohn, op. 71, 3 ; Weingartner, op. 16, 1.

313. 🎵 Schumann, op. 90, 3.

317. An ein Volkslied angelehnt und zum Volksliede
geworden.

318. Andreas Hofer, der Führer der Tiroler in den
Kämpfen von 1809, wurde 1810 gefangen, nach der ita-

lienischen Festung Mantua gebracht und auf Napoleons
Befehl erschossen.

ii, 6 Am *Iselberge* hatte Hofer mehrmals gesiegt.   v, 2
nit = nicht.

323. 𝄢 Franz, op. 28, 6; Bruch, op. 59, 1; Wolf;
Eyken, op. 23, 1.

324. 𝄢 Wolf.

325. 𝄢 Herzogenberg, op. 30, 5; Wolf; Reger.

326. 𝄢 Herzogenberg, op. 40, 1; Wolf.

328. 𝄢 Wolf.

329. i, 1 *Milesint*, ein vom Dichter erfundener Name.
𝄢 Dräseke, op. 80.

330. 𝄢 Schumann, op. 64, 2 und 91, 4; Franz, op.
27, 4; Wolf.

331. 𝄢 Schumann, op. 79; Franz, op. 27, 2; Wolf;
d'Albert, op. 19, 3; Weingartner, op. 41, 3.

333. 𝄢 Herzogenberg, op. 41, 3; Wolf.

335. 𝄢 Franz, op. 27, 5; Brahms, op. 59, 5; Wolf;
Kahn, op. 47, 5.

336. 7 *Silpelit*, der Name einer Elfe, vom Dichter erfunden.   𝄢 Wolf.

337. 𝄢 Wolf.   **338.** 𝄢 Wolf; Kahn, op. 47, 8.

339. 𝄢 Franz, op. 28, 5; Wolf.

340. 𝄢 Wolf; Weingartner, op. 41, 5; Kahn, op.
12, 1.

341. 𝄢 Silcher; Schumann, op. 64, 1 und 69, 4.

342. 𝄢 Wolf.

343. Vergl. Mörike an Schwind: »Ich stieß einmal
zufällig in einem Fremdwörterbuch auf den mir bis dahin
ganz unbekannten altdeutschen Frauennamen.   Er leuchtete mich an als wie in einer Rosenglut, und schon war
auch die Königstochter da.   Von dieser Vorstellung er-
wärmt. trat ich aus dem Zimmer in den Garten hinaus,

ging einmal den breiten Weg bis zur hintersten Laube
hinunter und hatte das Gedicht erfunden.« George Meredith's Übersetzung ' Beauty Rohtraut ' (1851) beginnt:

> What is the name of King Ringang's daughter?
>   Rohtraut, Beauty Rohtraut!
> And what does she do the livelong day,
> Since she dare not knit and spin alway?
> O hunting and fishing is ever her play!
> And heigh! that her huntsman I might be!
>   Be silent, heart!

iii, 3 *wunniglich*＝wonniglich.   6 *vergunnt*＝vergönnt.
🎵 Schumann, op. 67a, 2 ; Wolf.

344. 🎵 Wolf.   **345.** 🎵 Wolf.

346. 🎵 Franz, op. 27, 6 ; Wolf.

347. Auch mit dem Titel: Juchhe! 🎵 Brahms, op. 6, 4.

348. 🎵 Schumann, op. 36, 4.   **349.** 🎵 Silcher.

350. 🎵 Lachner, op. 70, 3 ; Winterberger, op. 48.

352. ii, 1 *So*, wenn.   *was*＝war.
🎵 Mendelssohn, op. 47, 4 ; Schumann, op. 94.

353. [Vischer, Lyrische Gänge.   Stuttgart, Cotta.]

359. Der Titel beruht auf einem Versehen des Dichters.
Der geschilderte Vorgang trug sich nicht in der Schlacht bei
Gravelotte, 18. Aug. 1870, sondern zwei Tage vorher in
der Schlacht bei Vionville oder Mars-la-Tour zu.   In einem
Bericht über die Schlacht heißt es : » Als der Befehl kam
' zum Sammeln blasen', war zuerst kein Trompeter da ;
zehn waren gefallen.   Endlich fand sich einer.   Er setzte
an, aber nur ein klagender Ton drang heraus ; eine Kugel
hatte sie durchlöchert.   Es war, als ob die ächzenden
Töne mit einstimmen wollten in die Klage um die Toten.«
   vii, 4 *erhub*＝erhob.   viii, 1 *hindann*, hinweg.

360. Vergl. Hebbels Tagebuch, 6. August 1836:
» Wie der Sternenhimmel die Menschenbrust w e i t machen
kann, begreif' ich nicht ; mir löst er das Gefühl der Persönlichkeit auf.« — Hebbel an R. Schumann : » Ich habe

das Gedicht immer lieb gehabt, bin aber erst durch Ihre
Musik zu der Erkenntnis gekommen, daß der Dichter so
ahnungsreichen Natur- und Seelenmomenten doch nur die
äußersten Umrisse abgewinnt.«

🎵 Schumann ; Courvoisier, op. 16, 1.

363. Der Tod seines Freundes E. Rousseau hatte
Hebbel schmerzlich erschüttert. Das Gedicht » entstand
auf einem träumerischen Spaziergang in der Dämmerung.
Es hat mich selbst . . . beruhigt.« (Hebbel an Rousseau's
Schwester.)

🎵 Cornelius; Brahms, op. 92, 3 ; Courvoisier, op. 16, 4.

364. 🎵 Amadei, op. 13, 3.

367. 🎵 Berger, op. 77, 3.

368. i, 1–2 *unergründlich tief versenkt*, wenn du unergründlich tief versenkt bist.

369. v, 4 Am Anfange der Zeile ergänze : ' Es sendet.' 🎵 Wolf.

371. 🎵 Steinbach, op. 10, 4 ; Pfitzner, op. 71, 1 ;
Courvoisier, op. 16, 2.

372. » Du bist so leicht zufrieden gestellt, daß das
Glück, wenn es sein Maß schon auf andere ausgeschüttet
hat, Dich mit dem Tropfen, der daran hängen blieb, noch
immer beseligen kann.« (Hebbel an Elise Lensing.)

🎵 Ritter, op. 5, 4 ; Reger, op. 4, 1 ; Courvoisier, op.
16, 3.

375. 🎵 Pfitzner, op. 21, 1.

378–91. [Geibel, Gesammelte Werke. Stuttgart, Cotta.]

378. v, 3 *rauscht mich ein*, lullt mich mit Rauschen ein ;
vergl. Nr. 119, v, 4. 🎵 J. W. Lyra (Volkslied). Den
lange vergessenen Namen des Komponisten hat Max
Friedländer wieder aufgefunden.

379. i, 3 *kirchenstill*, still wie in der Kirche.
🎵 Lachner, op. 96, 12.

380. i, 1 *dräut* = droht.

381. 🎵 Franz, op. 10, 1 ; Rubinstein, op. 57, 2.

382. ii, 4 *Pan*, Waldgott, galt für den Erfinder der Hirtenflöte.

383. 𝕴 Hiller, op. 46, 1.　**389.** 𝕴 Brahms, op. 85, 5.

390. *Sanssouci*, Schloß mit großem Park bei Potsdam, Lieblingsaufenthalt Friedrichs des Großen.　iii, 4 *der Schläfe Weichen*, die (weichen) Schläfe.　iv, 2–3 Friedrichs Siege bei *Roßbach* und *Leuthen*, seine Niederlagen bei *Hochkirch* und *Kunersdorf*.　v, 5 Voltaire lebte 1750–53 an Friedrichs Hofe. vi, 4 Leutnant Katte wurde, wegen seiner Teilnahme an dem Fluchtplane des damaligen Kronprinzen Friedrich, von König Friedrich Wilhelm I. zum Tode verurteilt und 1730 in Küstrin hingerichtet.　vii, 3 *Doppelaar*: Osterreich ist gemeint. ix, 5 *welsch*, französisch.

392. *Heisterbach*, ehemals berühmtes Kloster im Siebengebirge am Rhein.

393. 𝕴 W. Stade.　**394.** 𝕴 J. W. Lyra.

395–404. [Storm, Sämmtliche Werke. Braunschweig, Westermann.]　**395.** 𝕴 Boehe, op. 5, 1.

396. i, 4 *Gräbermale*, gehäufte Steinblöcke, Hünengräber.　iii, 3 *Kätner*, Bewohner einer Kate (kleines Haus). 6 *Kälberrohr*, Anthriscus silvestris.

397. Storms Geburtsort, Husum an der Nordsee.

𝕴 Courvoisier, op. 9, 4; Boehe, op. 4, 1.

398. 𝕴 Franz, op. 23, 3; Sommer, op. 17. 4; Courvoisier, op. 13, 1.

399. 𝕴 Courvoisier, op. 9, 3; Hausegger.

400. 𝕴 Volkmann, op. 52, 3; Holstein, op. 43, 1; Courvoisier, op. 1, 2.

402. 𝕴 Götz, op. 12, 2; L. C. Wolf, op. 12, 5; Courvoisier, op. 2, 6; Boehe, op. 1, 1.

403. 𝕴 Eyken, op. 17, 2.

404. iii, 1 *geisten umher*, ziehen geisterhaft umher.
𝕴 Brahms, op. 86, 4.

405–6. [Groth, Gesammelte Werke. Kiel, Lipsius und Tischer.]

405. 🎵 Brahms, op. 59, 3.　**406.** 🎵 Brahms, op. 63, 8.

407–18. [Keller, Gesammelte Werke. Stuttgart, Cotta.]

407. v, 1 *grünes Rund*, die Erde.　🎵 Weingartner, op. 22, 12; Hausegger.　**408.** iii, 1 *Bursche* = Burschen.

409. 🎵 Brahms, op. 70, 4.

410. iv, 2 *Lieg' ich im Feld*, bin ich im Kampf.

411. 🎵 Thuille, op. 32, 3; Blech, op. 15a, 1.

412. iv, 3 *Eigen-Neid*, Selbstsucht.

413. vii, 1 *Pan der Alte*, vergl. Anmerkung zu Nr. 382. 🎵 Eyken, op. 34, 3.

415. 🎵 Berger, op. 77, 4; Weingartner, op. 22, 8.

416. 🎵 Weingartner, op. 22, 2; Kahn, op. 6, 1.

418. 🎵 Sinding.

419–20. [Fontane, Gedichte. Stuttgart, Cotta.]

419. Fontane wurde zu dem Gedichte angeregt durch die schottische Ballade 'Archie o' Kilspindie' in John Finlay's 'Scottish Historical and Romantic Ballads', Edinburgh, 1808, vol. II, 117 ff., auf die er wohl durch Sir Walter Scott's Anmerkung zu 'The Lady of the Lake', Canto V, xxii aufmerksam geworden war. Vergl. Fontane's Strophen xvi, xvii mit Finlay's Strophe xvi:

An' he (the king) spurred his horse wi' gallant speed,
　But Archie followed him manfullie,
And, though cased in steel frae shoulder to heel,
　He was first o' a' his companie.

Finlay und Scott führen eine Stelle aus Hume of Godscroft, II, 107 an, wo es heißt: »His (the king's) implacability (towards the family of Douglas) did also appear in his carriage towards Archibald of Kilspindie, whom he, when he was a child, loved singularly well. Archibald, being banished into England . . . and remembering the king's favour of old towards him, he determined to try the king's mercifulness. So he comes into Scotland, and taking occasion of the king's hunting in the park of Stirling, he casts himself to be in his way, as he was coming home.« Vergl. auch Scott's 'Tales of a Grandfather', xxvi.

vii, 1 *König Jakob*, James V. von Schottland (1512–42). xi, 1 *Linlithgow*, Schloß und Stadt westlich von Edinburgh; James V. wurde dort geboren.

🎵 Loewe, op. 128.

420. Wallenstein, Herzog von Friedland, der Generalissimus der kaiserlichen Armee im Dreißigjährigen Kriege, wurde im Februar 1634 abgesetzt, da er den Verdacht erregt hatte, seine Truppen gegen den Kaiser führen zu wollen. Er zog sich nach Eger in Böhmen zurück und wurde dort am 25. Februar 1634 auf Veranlassung des irischen Obersten Butler in seiner Wohnung ermordet. Die ihm treu gebliebenen Generale Trčka (Terzky, Terschka), Ilow (Illo) und Kinsky wurden in derselben Nacht bei einem Gastmahle im Schlosse zu Eger niedergemacht. Vergl. Schillers Drama 'Wallensteins Tod'.

i, 2 *Ungerwein*, iii, 1 *Unger*, ungarischer Wein.   iii, 5 In der Schlacht bei Lützen (1632) wurde Wallenstein von den Schweden besiegt.   iv, 5 *Büffelkoller*, Wams aus Büffelleder.   v, 7 *Tschechen*, Böhmen. Wallenstein soll nach der böhmischen Krone gestrebt haben. viii, 5 *blindhin*, blindlings.   x, 7 Wallenstein beschäftigte sich mit Astrologie.

421-2. [Lingg, Gedichte. Stuttgart, Cotta.]

421. 🎵 Wüllner, op. 7, 2.

422. 🎵 Brahms, op. 105, 2; Thuille, op. 4, 2; Pfitzner, op. 2, 6.

423. [Allmers, Dichtungen. Oldenburg, Schulze.] 🎵 Brahms, op. 86, 2.

424. Die Geschichte wird zuerst in dem 'Buke of the Howlat', ll. 488–94, und einer (interpolierten) Stelle in Barber's 'Bruce', xx, 421–32, erzählt. Strachwitz fand

sie vermutlich in Scott's 'Tales of a Grandfather', xi:
»Bruce desired his heart to be carried to Jerusalem after
his death, and requested *Lord James of Douglas* to take
the charge of it. The King soon afterwards expired;
and his heart was taken out from his body and embalmed.
Then the Douglas caused a case of silver to be made, into
which he put the Bruce's heart, and wore it around his
neck by a string of silk and gold . . . In going to Palestine
he landed in Spain, where . . . King Alphonso persuaded
the Earl that he would do good service to the Christian
cause by assisting him to drive back the Saracens. Lord
Douglas and his followers went accordingly to a great
battle and had little difficulty in defeating the Saracens.
But . . . the Scots pursued the chase too far, and the
Moors turned suddenly back, with a loud cry of *Allah
illah Allah* and surrounded the Scottish knights . . . Then
the Earl took from his neck the Bruce's heart, and speaking
to it, as he would have done to the King,—'Pass first in
fight', he said, 'as thou were wont to do, and Douglas
will follow thee, or die'. He then threw the King's heart
among the enemy, and rushing forward to the place where
it fell, was there slain. His body was found lying above
the silver case, as if it had been his last object to defend
the Bruce's heart.«

ii, 1 Schloß *Scone* bei Perth war der Krönungspalast der
schottischen Könige. iv, 1 *Norderturm* = Nordturm. 3
Bannockburn, südlich von Stirling, berühmt durch den Sieg
der Schotten unter Robert Bruce über die Engländer, 24.
Juni 1314. *das Schwert von Bannockburn*, James Douglas,
der den Sieg entscheiden half.

425-46. [Meyer, Gedichte. Leipzig, Haessel.]
425. i, 4 *allerenden* = aller Enden, überall.
427. 🎵 Spengel, op. 5, 1.   **429.** 🎵 Hausegger.
430. 🎵 Hausegger; Weismann, op. 15, 1.
431. 🎵 Bagge, op. 20, 4; Hallwachs, op. 19, 5.
432. ii, 4 *Soldanelle*, Alpenglöckchen, Soldanella alpina.

434. Der Brunnen der Villa Borghese in Rom.

435. Skulptur im Vatikan.

438. 🎵 Mottl; Berger, op. 41, 2.

439. 🎵 Berger, op. 90, 6.

442. Titus Manlius Torquatus ließ seinen Sohn, der gegen das Verbot mit einem Latiner gekämpft hatte, hinrichten. Vergl. Livius, VIII, 6–7.

443. Nach einer Sage, die Meyer in Thierry's 'Histoire de la Conquête de l'Angleterre' fand, war Thomas à Becket, Kanzler Heinrichs II. und Erzbischof von Canterbury, der Sohn einer Sarazenin. Diese hatte dem Normannen Gilbert Becket, der in Palästina gefangen war, zur Flucht verholfen und war ihm später nach London gefolgt.

444. Aus der Dichtung 'Huttens letzte Tage'. Sie besteht aus Monologen des ritterlichen Dichters und Humanisten Ulrich von Hutten, in denen er der bedeutsamen Stunden seines Lebens gedenkt.

445. Die Cappella Sistina im Vatikan wurde von Michelangelo mit seinen erhabensten und tiefsinnigsten Bildern geschmückt: an der Decke die Schöpfungsgeschichte, an der Altarwand das Jüngste Gericht.

446. Episode aus der Zeit der Hugenotten-Verfolgungen unter Ludwig XIII., um 1628.

447. Aus dem 'Trompeter von Säckingen' (1854). Stuttgart, Bonz. 🎵 Zimmermann; Jensen, op. 34.

448. iii, 2 *Tyrer*, Einwohner der Stadt Tyrus in Phönikien.

449. [Grosse, Gedichte. Berlin, G. Grote.] 🎵 Lassen, op. 83, 2.

450–60. [Heyse, Lyrische und epische Dichtungen. Stuttgart, Cotta.]

450. 🎵 Jensen; Berger, op. 30, 5; Pfitzner, op. 7, 3; Weingartner, op. 25, 6.

ANMERKUNGEN

451. 🎵 Herzogenberg, op. 96, 1. **452.** 🎵 Cornelius.

453. 🎵 Fielitz, op. 40, 7; G. Schumann, op. 35, 5.

456. 🎵 Brahms, op. 94, 6 (nur die Strophen iii und iv).

458. Aus der Novelle in Versen 'Der Salamander'.

461. [Ebner-Eschenbach, Gesammelte Schriften. Berlin, Paetel.] 🎵 Eyken, op. 14, 3.

462–5. [Saar, Sämtliche Werke. Leipzig, Hesse und Becker.]

464. 🎵 Amadei, op. 16, 1.

466. Aus dem Roman 'Ein Kampf um Rom'. Leipzig, Breitkopf und Härtel. *Jungdietrich* (xv, 2) ist der spätere König des Ostgotenreichs in Italien, Theoderich der Große (geb. um 454), der in der Sage als Dietrich von Bern (d. i. Verona) fortlebte. Dahn nimmt an, daß Theoderichs Vater, *Theodemer*, ein mächtiges Reich nördlich der Donau beherrschte, aber bei einem Einfalle der Hunnen im Jahre 455 Krone und Leben verlor.

ii, 1 *Wal*, Walstatt, Schlachtfeld.   iv, 2 *zerschroten*, ix, 1 *zerspellt*, zerschlagen, zerspaltet.   xi, 2 *Hildebrand* ist in der Sage Dietrichs Erzieher und Waffenmeister.

🎵 Henschel, op. 45.

467. [Möser, Gedichte. Hamburg, Verlagsanstalt, 1890.] Vergl. Anmerkung zu Nr. 420. *Stralsund* am Strelasund (Ostsee), der Insel Rügen gegenüber, wurde vom 23. Mai bis 4. August 1628 von Wallenstein erfolglos belagert. Wallensteins Worte v, 3–4, die auch Schiller in 'Wallensteins Lager', 604–605, anführt, werden in gleichzeitigen Flugschriften erwähnt, sind aber nach Ranke (Geschichte Wallensteins, S. 124) nicht genügend beglaubigt. Die Antworten der Stralsunder Ratsherren lauteten nach der Überlieferung: » Dat do wi nich «, »dat hewwe wi nich «, » dat sind wi nich «.

468. [Hertz, Gesammelte Dichtungen. Stuttgart, Cotta.] 𝄞 Thuille, op. 4, 1 ; Reger, op. 70, 5.

469. [Jensen, Vom Morgen zum Abend. Ausgewählte Gedichte. Leipzig, Elischer.]

475. 𝄞 Wallnöfer, op. 43, 3 ; Kaun, op. 53, 3.

476. [Fitger, Fahrendes Volk. Oldenburg, Schulze.]

477. [Fitger, Winternächte. Oldenburg, Schulze.] 𝄞 Max Fiedler, op. 10.

478–88. [Liliencron, Sämtliche Werke. Berlin, Schuster und Loeffler.] **478.** iii, 1 *sirrt*, rauscht.

480. *Schlacht bei Kolin* (in Böhmen), Sieg der Österreicher über Friedrich den Großen im Siebenjährigen Kriege.

481. i, 5 *vorpreschend*, schnell vorwärts reitend. 6 *Piquet*, Pikett, Truppenabteilung. **485.** 𝄞 Brahms, op. 105, 4.

489. [Blüthgen, Im Kinderparadiese. Gotha, Perthes.] 𝄞 Berger, op. 30, 7.

490. [Nietzsche, Gedichte und Sprüche. Leipzig, Naumann.] Verfaßt 1863/4, als Nietzsche die Schule verließ und zur Universität ging.

491. [Spitteler, Glockenlieder. Jena, Diederichs.]

492. [Weitbrecht, Gesammelte Gedichte. Stuttgart, Bonz.]

493. [Hoffmann, Vom Lebenswege. Stuttgart, Cotta.]

494–6. [Falke, Sämtliche Werke. Hamburg, Janssen.]

497. [Hille, Gesammelte Werke. Berlin, Schuster und Loeffler.]

498. [Avenarius, Stimmen und Bilder. München, Callwey.]

499–500. 𝄞 Kahn, op. 27, 1, 2.

501. Episode aus den Raubzügen der Normannen in die Küstenländer des Mittelmeeres im neunten und zehnten Jahrhunderte. **Seite 500,** 4 *Muezzin*, der (mohammedanische) Rufer zum Gebet.

ANMERKUNGEN

504. [Holz, Buch der Zeit. München, Piper.]

505–16. [Dehmel, Gesammelte Werke. Berlin, Fischer.]

507. 🎵 Thuille, op. 12, 3; Berger, op. 90, 2.

514. 🎵 Strauß, op. 39, 4.

517–21. [Huch, Gedichte. Leipzig, Haessel.—Liebesgedichte. Leipzig, Insel-Verlag.]

518. vi, 1 Die *Danaiden* (nach der griechischen Sage die 50 Töchter des Danaos) mußten im Hades zur Strafe für die Ermordung ihrer Gatten beständig Wasser in ein durchlöchertes Faß schöpfen. 2 *Tantalus*, vergl. Anm. zu Nr. 126. 4 *Sisyphus* mußte einen immer wieder herabrollenden Felsblock stets von neuem einen Berg hinaufrollen.

522–4. [Flaischlen, Aus den Lehr- und Wanderjahren des Lebens. Berlin, Fleischel.—Von Alltag und Sonne. Stuttgart, Deutsche Verlags-Anstalt.] **523.** 🎵 Max Fiedler, op. 11.

525. [Ritter, Gedichte. Stuttgart, Cotta.]
i, 1 Gemeint ist das zum Volksliede gewordene Gedicht Eichendorffs: 'Das zerbrochene Ringlein'. O.B.G.V. Nr. 212.

526–7. [Bierbaum, Irrgarten der Liebe. Leipzig, Insel-Verlag.]

528. [Salus, Gedichte. München, Langen.]

529. [Zahn, Gedichte. Stuttgart, Deutsche Verlags-Anstalt.]

530–5. [Dauthendey, Singsangbuch. München, Bonsels.—In sich versunkene Lieder im Laub. Stuttgart, Junker.]

536–8. [Binding, Gedichte.—Stolz und Trauer.—Tage. Frankfurt am Main, Rütten und Loening.]

538. *Orpheus*, sagenhafter Sänger der griechischen Vorzeit, der durch die Macht seines Gesanges nicht nur Menschen zu Tränen rührte, sondern auch wilde Tiere zähmte, Bäume und Berge bewegte und die Winde in ihrem Laufe aufhielt.

539-47. [George, Das Jahr der Seele.—Der Teppich des Lebens.—Die Bücher der Hirten- und Preisgedichte, der Sagen und Sänge. Berlin, Bondi.]

Auf Seiten 532–6 sind die Gedichte in der vom Dichter gewünschten Weise gedruckt : die Hauptwörter mit kleinen Anfangsbuchstaben, wenige Satzzeichen (der Punkt über der Zeile bezeichnet eine kürzere Pause als der Punkt auf der Zeile). Zur Erleichterung des Verständnisses folgen hier die Gedichte noch einmal in der sonst üblichen Form :

539 *Abend*

Der Hügel, wo wir wandeln, liegt im Schatten,
Indeß der drüben noch im Lichte webt.
Der Mond auf seinen zarten grünen Matten
Nur erst als kleine weiße Wolke schwebt.

Die Straßen weithin-deutend werden blasser.
Den Wandrern bietet ein Gelispel halt.
Ist es vom Berg ein unsichtbares Wasser,
Ist es ein Vogel, der sein Schlaflied lallt ?

Der Dunkelfalter zwei, die sich verfrühten,
Verfolgen sich vom Halm zu Halm im Scherz . . .
Der Rain bereitet aus Gesträuch und Blüten
Den Duft des Abends für gedämpften Schmerz.

540 *Komm in den totgesagten Park*

Komm in den totgesagten Park und schau :
Der Schimmer ferner lächelnder Gestade,
Der reinen Wolken unverhofftes Blau
Erhellt die Weiher und die bunten Pfade.

Dort nimm das tiefe Gelb, das weiche Grau
Von Birken und von Buchs. Der Wind ist lau.
Die späten Rosen welkten noch nicht ganz,
Erlese, küsse sie und flicht den Kranz.

Vergiß auch diese letzten Astern nicht;
Den Purpur um die Ranken wilder Reben
Und auch was übrig blieb von grünem Leben
Verwinde leicht im herbstlichen Gesicht.

541 *Wir schreiten auf und ab*

Wir schreiten auf und ab im reichen Flitter
Des Buchenganges beinah bis zum Tore
Und sehen außen in dem Feld vom Gitter
Den Mandelbaum zum zweitenmal im Flore.

Wir suchen nach den schattenfreien Bänken,
Dort wo uns niemals fremde Stimmen scheuchten.
In Träumen unsre Arme sich verschränken,
Wir laben uns am langen milden Leuchten.

Wir fühlen dankbar, wie zu leisem Brausen
Von Wipfeln Strahlenspuren auf uns tropfen,
Und blicken nur und horchen, wenn in Pausen
Die reifen Früchte an den Boden klopfen.

542 *Es lacht in dem steigenden Jahr*

Es lacht in dem steigenden Jahr dir
Der Duft aus dem Garten noch leis.
Flicht in dem flatternden Haar dir
Eppich und Ehrenpreis.

Die wehende Saat ist wie Gold noch,
Vielleicht nicht so hoch mehr und reich;
Rosen begrüßen dich hold noch,
Ward auch ihr Glanz etwas bleich.

Verschweigen wir was uns verwehrt ist,
Geloben wir glücklich zu sein,
Wenn auch nicht mehr uns beschert ist
Als noch ein Rundgang zu zwein.

543 *Der Freund der Fluren*

Kurz vor dem Frührot sieht man in den Fähren
Ihn schreiten, in der Hand die blanke Hippe,
Und wägend greifen in die vollen Ähren,
Die gelben Körner prüfend mit der Lippe.

Dann sieht man zwischen Reben ihn mit Basten
Die losen binden an die starken Schäfte,
Die harten grünen Herlinge betasten
Und brechen einer Ranke Überkräfte.

Er schüttelt dann, ob er dem Wetter trutze,
Den jungen Baum und mißt der Wolken Schieben
Er gibt dem Liebling einen Pfahl zum Schutze
Und lächelt ihm, dem erste Früchte trieben.

Er schöpft und gießt mit einem Kürbisnapfe,
Er beugt sich oft die Quecken auszuharken ;
Und üppig blühen unter seinem Stapfe
Und reifend schwellen um ihn die Gemarken.

544 *Jahrestag*

O Schwester nimm den Krug aus grauem Ton.
Begleite mich ! Denn du vergaßest nicht
Was wir in frommer Wiederholung pflegten.
Heut sind es sieben Sommer, daß wir's hörten,
Als wir am Brunnen schöpfend uns besprachen:
Uns starb am selben Tag der Bräutigam.
Wir wollen an der Quelle, wo zwei Pappeln
Mit einer Fichte in den Wiesen stehn,
Im Krug aus grauem Tone Wasser holen.

545 *Der Einsiedel*

Ins offne Fenster nickten die Hollunder,
Die ersten Reben standen in der Bluht,
Da kam mein Sohn zurück vom Land der Wunder,
Da hat mein Sohn an meiner Brust geruht.

620

Ich ließ mir allen seinen Kummer beichten,
Gekränkten Stolz auf seinem Erden-Ziehn —
Ich hätte ihm so gerne meinen leichten
Und sichern Frieden hier bei mir verliehn.

Doch anders fügten es der Himmel Sorgen —
Sie nahmen nicht mein reiches Lösegeld . . .
Er ging an einem jungen Ruhmes-Morgen.
Ich sah nur fern noch seinen Schild im Feld.

546 *Dir ein Schloß, dir ein Schrein*

Dir ein Schloß, dir ein Schrein —
Fülle aller Schätze und ihr Glanz sei dein!

Dir ein Schwert, dir ein Speer —
Zarter Gunst der Schönen sei dein Weg nie leer.

Dir kein Ruhm, dir kein Sold —
Dir allein im Liede Liebe und Gold.

547 *Der Jünger*

Ihr sprecht von Wonnen, die ich nicht begehre,
In mir die Liebe schlägt für meinen Herrn.
Ihr kennt allein die süße, ich die hehre.
Ich lebe meinem hehren Herrn.

Mehr als zu jedem Werke eurer Gilde
Bin ich geschickt zum Werke meines Herrn.
Da werd' ich gelten; denn mein Herr ist milde.
Ich diene meinem milden Herrn.

Ich weiß, in dunkle Lande führt die Reise,
Wo viele starben; doch mit meinem Herrn
Trotz' ich Gefahren; denn mein Herr ist weise.
Ich traue meinem weisen Herrn.

Und wenn er allen Lohnes mich entblößte:
Mein Lohn ist in den Blicken meines Herrn.
Sind andre reicher, ist mein Herr der größte.
Ich folge meinem größten Herrn.

539. iii, 1 *Der dunkelfalter zwei*, zwei dunkle Schmetterlinge. *dunkelfalter* ist Genetiv. 3 *Rain*, Feldweg.

540. iii, 4 *im herbstlichen gesicht*, im herbstlichen Kranz.

541. i, 4 *im flore*, im Blühen.

542. i, 4 *Eppich*, Epheu. *Ehrenpreis*, veronica.

543. i, 1 *Fähre*, Furche zwischen den Weinstöcken. 2 *Hippe*, sichelartiges Messer, das die Winzer zum Beschneiden der Reben gebrauchen. ii, 3 *Herling*, unreife Weintraube. iv, 2 *die quecken auszuharken*, das Unkraut zu jäten. *Quecke* = Engl. 'quitch'.

545. *Einsiedel* = Einsiedler. In den ' Sagen und Sängen', unter denen dieses Gedicht steht, gibt George Stimmungsbilder aus dem Leben der Ritter und Minnesinger. i, 2 *in der bluht*, in der Blüte. ii, 2 *auf seinem erden-ziehn*, auf seinem Wandern. iii, 1 *der himmel sorgen*, das Schicksal.

548-51. [Busse, Gedichte.—Heilige Not. Leipzig, Quelle und Meyer.]

550. i, 3 *mählich* = allmählich. iii, 2 *Blust*, Blüte.

552. [Mombert, Tag und Nacht. Leipzig, Insel-Verlag.]

553. [Strauß und Torney, Reif steht die Saat. Jena, Diederichs.] **Seite 540, Z.** 31 *Slup*, Schaluppe ; Engl. 'sloop'.

554-5. [Boelitz, Ausgewählte Gedichte. Wesel, Fincke & Mallinckrodt.]

556-8. [Hofmannsthal, Gesammelte Gedichte. Leipzig, Insel-Verlag.] **556** 🖑 Max Fiedler, op. 10.

559-61. [Münchhausen, Balladen und ritterliche Lieder. Berlin, Fleischel.]

559. *Ziska* (1360–1424), böhmischer Edelmann und Kriegsheld, kämpfte auf Seiten der Engländer bei Agincourt, stellte sich dann an die Spitze der Hussiten und

führte sie wiederholt zum Siege, trotzdem er zuletzt völlig
erblindet war. Die Sage von der Ziskatrommel wird
schon von Aeneas Sylvius (†1464) in seiner 'Historia
Bohemica' erwähnt.

i, 4 *Hussiten*, die Anhänger des böhmischen Reforma-
tors Johann Huss (1369–1415). **Seite 547,** Z. 20
Dorumer Heiden, an der Nordsee nördlich von der Weser-
mündung.

560. 🎵 Max Fiedler, op. 11. **561.** 🎵 Paul Graener.

562-5. [Schaukal, Gedichte. München, Müller.—
Jahresringe. Braunschweig, Westermann.]

566-73. [Rilke, Erste Gedichte.—Buch der Bilder.
Sonette an Orpheus—Das Stundenbuch. Leipzig, Insel-
Verlag.]

571. Anmerkung des Dichters : » Das kleine Früh-
lings-Lied erscheint mir gleichsam als 'Auslegung' einer
merkwürdig tanzenden Musik, die ich einmal von den
Klosterkindern in der kleinen Nonnenkirche zu Ronda (in
Süd-Spanien) zu einer Morgenmesse habe singen hören.
Die Kinder, immer im Tanztakt, sangen einen mir unbekannten Text zu Triangel und Tamburin.«

574-5. [Eulenberg, Deutsche Sonette. Stuttgart, En-
gelhorn.]

576-8. [Däubler, Der sternhelle Weg.—Das Nordlicht.
Leipzig, Insel-Verlag.]

576. ii, 4 *Zitronenfalter golden*, gelbe Schmetterlinge
fliegen wie Gold.

578. Aus einer Gruppe von Gedichten, in denen der
Charakter verschiedener Waldbäume (Fichte, Buche, Birke)
Ausdruck finden soll.

» Man muß diese Verse—besonders den von dem sprechenden Gedanken und den vom Herbst—vielleicht zum
Gegensatz zu solchen stellen, die etwa einer Tanne oder
einer Fichte in den Mund gelegt werden dürfen, um sie
ganz in ihrer klaren und schönen Vollendung und in

ihrer vollkommenen Wiedergabe der Wesenheit einer Buche zu begreifen.«— Hans Naumann.

i, 1 *Mein Walten*, das Wesentlichste an mir. ii, 1 *Dem warmen Aufruf*, dem Weckruf des Frühlings. iii, 1 *Waldgehaben*, Benehmen und Leben im Walde.

579. [Carossa, Gedichte. Leipzig, Insel-Verlag.]

580–4. [Miegel, Gedichte. Stuttgart, Cotta.—Gedichte und Spiele.—Balladen und Lieder. Jena, Diederichs.]

580. Agnes Bernauer, die Tochter eines Baders in Augsburg, vermählte sich heimlich mit Albrecht, dem einzigen Sohne des Herzogs Ernst von Bayern. Bald nachher (1435) wurde sie der Zauberei angeklagt und in der Donau ertränkt. Ihre Geschichte wurde in einem Volksliede und in mehreren Dramen (unter anderen von Hebbel und Greif) behandelt.

i, 2 Sieh O.B.G.V. Nr. 13. iii, 1 Der Volksglaube legt den Träumen in der *Andreasnacht* (29/30 Nov.) besondere Bedeutung bei.

581. Die Geschichte von der geduldigen Griseldis wurde zuerst von Boccaccio in der letzten Novelle des 'Decamerone' erzählt. Nach ihm war Griseldis eine arme Bauertochter, die ein Markgraf zu seiner Gattin machte, nachdem er ihr das Versprechen unbedingten Gehorsams abgenommen hatte. Um ihre Treue zu prüfen, quälte er sie auf jede erdenkliche Weise, ließ ihre Kinder fortbringen und befahl ihr endlich zu ihrem Vater zurück zu kehren, da er eine standesgemäße Ehe eingehen wolle. Griseldis fügte sich in allem demütig dem Willen des Grafen, worauf dieser ihr die totgeglaubten Kinder zurück gab und fortan mit ihr in glücklicher Ehe lebte.—Durch Petrarcas lateinische Bearbeitung 'De obedientia ac fide uxoria mythologia' verbreitete sich die Geschichte über ganz Europa und wurde oft behandelt : in England unter anderen von Chaucer ('The Clerkes Tale') und Thomas Dekker ('The Pleasant Comedie of Patient Grissil' *c.* 1600), in

Deutschland von Friedrich Halm ('Griseldis', ein dramatisches Gedicht, 1835) und Gerhart Hauptmann ('Griselda', Schauspiel, 1909).

582. Das Nibelungenlied, um 1200 mit Benutzung älterer Lieder von einem unbekannten Dichter verfaßt, erzählt von der Vermählung der schönen Kriemhild, einer Schwester des burgundischen Königs Gunther in Worms am Rhein, mit dem herrlichen Helden Siegfried; von der Ermordung Siegfrieds durch Gunthers Lehnsmann Hagen Tronje auf Anstiften Brunhildens, der beleidigten Gattin Gunthers; von Kriemhildens zweiter Ehe mit dem Hunnenkönige Etzel; und endlich von ihrer Rache an ihren Brüdern und an Hagen.

Der Name *Nibelungen* war schon dem Dichter des Liedes unverständlich. Einen unermeßlichen Schatz, den Siegfried einem Volk von Zwergen abgewann, nennt er den *Hort der Nibelungen*, und da dieser nach Siegfrieds Ermordung in die Hände der Burgunder fiel, so überträgt er dann den Namen auf diese.

i, 1 *In der dunkelnden Halle*: die Halle der Königsburg in Worms am Rhein, in der Abenddämmerung einige Zeit nach Siegfrieds Ermordung. 4 *Die Könige*, König Gunther und seine zwei königlichen Brüder.

iv, 3 »*Einst zähmte ich einen edelen Falken. . .*« Anspielung auf den ahnungsvollen Traum Kriemhildens von einem Falken, den sie sorgsam aufgezogen und den zwei Adler vor ihren Augen töten.

vi, 3 Der Sage nach wurde Siegfried an einem Brunnen im Odenwalde (in der Nähe von Worms) ermordet, als er sich zum Trinken niederbeugte.

ix *Es glimmt*: das Gold des Nibelungenschatzes ist gemeint, das dem jeweiligen Besitzer zum Fluche wird und endlich auch Gunther mitsamt seinen Mannen Tod und Verderben bringt.

583. i. 1 *Berberitzen*, die Beeren des Sauerdorns, Berberis vulgaris, Engl. 'berberry'.

ANMERKUNGEN

585-7. [Winckler, Eiserne Sonette. Leipzig, Insel-Verlag.]

588. [Stadler, Der Aufbruch. München, Wolff.]
1 *Das Wort* steht im *Cherubinischen Wandersmann* (1657)
des Angelus Silesius (Johann Scheffler):—
» Mensch, werde wesentlich : denn wann die Welt vergeht,
So fällt der Zufall weg — das Wesen, das besteht. «

589. [Heym, Dichtungen. München, Wolff.]

590. [Lersch, Herz! Aufglühe dein Blut. Gedichte
im Kriege. Jena, Diederichs.]

591. [Engelke, Rhythmus des neuen Europa. Jena,
Diederichs.]

592-3. [Werfel, Beschwörungen.—Wir sind. München, Wolff.]

NACHTRÄGE

61. Max Friedländer (im ' Jahrbuch der Musik-Biblio-
thek Peters ', 1918) hat nachgewiesen, daß Heine sich
irrte, als er das Gedicht ' ein wirkliches Volkslied ' nannte.
Es ist von dem Musiker und Dichter Anton von Zuccal-
maglio (1803–69) verfaßt und wurde zuerst 1825 in der
Zeitschrift ' Rheinische Flora ' gedruckt.

167. Das Gedicht ist nicht von Hölderlin sondern ein
Stück aus Klopstocks Ode ' Die Zukunft ', und ist durch
einen Irrtum in die älteren Hölderlin-Ausgaben geraten.
Vergl. Carl Vietor, ' Euphorion xiii ' und ' Die Lyrik
Hölderlins ' (' Deutsche Forschungen ', 1920).

VERZEICHNIS DER DICHTER

[Die Zahlen bezeichnen die Nummern der Gedichte.]

VERZEICHNIS DER DICHTER

628

VERZEICHNIS DER KOMPONISTEN

(Die Zahlen nach der Klammer bezeichnen die Nummern der Gedichte.)

VERZEICHNIS DER KOMPONISTEN

VERZEICHNIS DER KOMPONISTEN

Die Melodien der Volkslieder in :
    Ludwig Erk, Deutscher Liederschatz. Leipzig, Peters, 1872–77. 3 Bände.
    Ludwig Erk und Franz Böhme, Deutscher Liederhort. Leipzig, Breitkopf & Härtel, 1893-94. 3 Bände.

VERZEICHNIS DER ANFÄNGE

VERZEICHNIS DER ANFÄNGE

VERZEICHNIS DER ANFÄNGE

VERZEICHNIS DER ANFÄNGE

VERZEICHNIS DER ANFÄNGE

VERZEICHNIS DER ANFÄNGE

VERZEICHNIS DER ANFÄNGE

VERZEICHNIS DER ANFÄNGE

VERZEICHNIS DER ANFÄNGE

VERZEICHNIS DER ANFÄNGE

VERZEICHNIS DER ANFÄNGE

VERZEICHNIS DER ANFÄNGE

VERZEICHNIS DER ANFÄNGE

VERZEICHNIS DER ANFÄNGE

PRINTED IN GREAT BRITAIN AT THE UNIVERSITY PRESS, OXFORD
BY JOHN JOHNSON, PRINTER TO THE UNIVERSITY